Psique e Medicina Tradicional Chinesa

Terceira Edição

HELENA CAMPIGLIA

Médica pela Universidade de São Paulo. Médica Especialista em Clínica Médica e Acupuntura. Pós-graduada em Psicologia Analítica pelo Instituto Sedes Sapientiae. Formada em Vegetoterapia Caracteroanalítica (Terapia Reichiana) pela Sociedade de Vegetoterapia de São Paulo. Docente de Acupuntura e Medicina Chinesa da Associação Médica Brasileira de Acupuntura. Autora de Domínio do Yin, Da Fertilidade à Maternidade; a Mulher e suas fases Segundo a Medicina Tradicional Chinesa (3. ed. São Paulo: Ícone, 2018). Membro do Corpo Docente da Universidade McMaster; Ontário, Canadá, no Programa Avançado de Acupuntura Médica.

Psique e Medicina Tradicional Chinesa

Terceira Edição

**Ícone
editora**

CIP — Brasil. Catalogação na Publicação
Sindicato Nacional dos Editores de Livros, RJ

C197d
3. ed.

Campiglia, Helena
    Psique e medicina tradicional chinesa / Helena
Campiglia. — 3. ed. — São Paulo : Ícone, 2018.
    Contém glossário dos termos em chinês.

    Inclui bibliografia e índice.

    ISBN 978-85-274-1838-6

    1. Medicina chinesa. 2. Corpo e mente. 3. Cinco elementos
(Filosofia chinesa). 4. Psicopatologia. 5. Psicoterapia. I. Título.

09-5108
        CDD: 610.951
        CDU: 61(510)

20/03/2018   25/03/2018

Dedico este livro à
minha querida sobrinha Gabriela.

Capa e Diagramação
Regina Paula Tiezzi

Revisão
Fabrícia Romaniv

Todos os direitos reservados desta edição para:
ÍCONE EDITORA LTDA.
Rua Javaés, 589 – Bom Retiro
CEP: 01130-010 – São Paulo/SP
Fone/Fax.: (11) 3392-7771
www.iconeeditora.com.br
iconevendas@iconeeditora.com.br

Agradecimentos

A minha mãe, Maria Cassilda Machado Campiglia, e a Dorothea Piratininga pelo inestimável e longo trabalho de revisão; a Frances Melvin Lee e Daniel Lee pela gentileza de emprestar os preciosos cadernos de desenhos chineses de Bel Ying Lee e a caligrafia dos ideogramas presentes no livro; a Hervé Dulaurans pelas traduções e pelas inúmeras idas e vindas do livro entre Brasil e França e, finalmente, por tantas ideias e incentivos para o novo capítulo contido na segunda edição; ao professor João Bezinelli pela revisão dos textos de orientação junguiana; à Laura Florence pela revisão dos textos de orientação reichiana; à Claudia Ferrão Baroni pela revisão das citações freudianas; ao professor Jean Marc Eyssalet, de cujo livro foram retirados alguns dos ideogramas que ilustram esta obra e a Alayde Mutzenbecher (*in memoriam*), por terem me introduzido ao universo dos mais herméticos e profundos textos chineses e pela inspiração dentro da energética chinesa e do incessível ciclo de mutações; ao Dr. José Antonio Bergamo pela revisão da fitoterapia chinesa; a meu pai, Oswaldo Roberto Pacheco Campiglia, e a meus dois avôs (*in memoriam*), Oscar Pereira Machado e Américo Oswaldo Campiglia, que me ensinaram, com seu exemplo, que é possível escrever.

Prefácio

Na cultura e no pensamento chineses, a psicologia, no sentido ocidental, não existe. Isso pelo fato de as influências sutis e basilares que determinam a construção de um ser humano e dos sentimentos que o animam estarem desde o princípio enraizado em seu terreno corporal.

As emoções e as paixões são impensáveis fora da vivência corporal, pois a existência humana não é concebida pela Medicina Chinesa como um produto de superposições de influências surgidas em planos separados e até mesmo opostos.

A própria vida é, antes de tudo, considerada o cruzamento dinâmico de múltiplas influências que condicionam todos os níveis de expressão, das mais densas às mais impalpáveis. Essa convergência de trajetórias e influências harmoniza o homem com os movimentos do mundo, segundo uma organização rítmica e ininterrupta, desde a concepção até a morte: é o que os chineses chamam de *Shen*, o Espírito.

A Doutora Helena Campiglia expõe em sua obra os aspectos fundamentais da dinâmica analógica expressa na doutrina dos Cinco Elementos aplicados à compreensão do corpo e à expressão do psiquismo sob todos os seus aspectos. Ela faz um inventário das principais correntes filosóficas, psicológicas e psiquiátricas do mundo ocidental, a fim de estabelecer um paralelo entre estas e os fundamentos da psicofisiologia chinesa.

As fases fundamentais do Espírito ou *Ben Shen* representam efetivamente os grandes eixos essenciais que sustentam a realidade humana. Disso tudo, a autora faz uma rica exposição que nos permite encarar as emoções e os distúrbios mentais sob um novo prisma.

Essa mensagem parece corresponder com propriedade a terra e à cultura brasileiras. A cultura chinesa efetivamente desenvolveu um pensamento refinado e universal sobre a natureza e o corpo "vivencial", que se desenvolveu em continuidade e sem ruptura, nem conflitos verdadeiros, em relação à velha base xamanista que originalmente a inspirou.

Dr. Jean Marc Eyssalet

Paris, 23 de março de 2004

Introdução à Terceira Edição

A oportunidade de nova edição deste livro me fez pensar em rever muitos conceitos e mudar, talvez, pensamentos que pudessem não estar de acordo com minhas opiniões atuais. Porém, pouco a pouco, percebi que todo o livro pertencia a certa lógica particular, ou melhor, a um determinado fluxo de *Qi* de uma época específica da minha vida, época essa em que estudei psicologia mais a fundo e pude facilmente fazer as correlações necessárias para escrever o que se encontra no livro.

As mudanças da vida trazem, inevitavelmente, mudanças interiores e de pensamentos, sentimentos e posições, mas mudar uma pequena parte ou algumas partes deste livro me obrigaria a alterar a base filosófica da obra, algo que não desejava fazer.

Com o tempo, algumas das correntes de psicologia estudadas me pareceram estreitas demais para englobar toda a riqueza do ser humano e, hoje, minhas leituras a respeito dos traços de caráter e de personalidade são, sem dúvida, mais abertas e menos rígidas. Ainda assim, acredito ser importante fazer essas pontes de significados que propus entre as correntes psicológicas expostas na obra e a Medicina Tradicional Chinesa (MTC). A MTC, por utilizar-se de linguagem simbólica e universal, peca menos em relação à estereotipia; contudo, para um acupunturista ocidental, é necessário entender a MTC utilizando também conceitos e linguagem comuns ao imaginário e à formação ocidental. Não é necessário ser chinês para compreender a MTC, ainda que isso possa ajudar, e muito. Todavia, é necessário que a simbologia chinesa da MTC faça sentido para médicos, psicólogos e cuidadores. Este foi, e ainda é, meu maior intuito ao escrever *Psique e Medicina Tradicional Chinesa*, e acredito que o livro esteja cumprindo sua função.

Resolvi, então, adicionar um capítulo que, já na época da primeira edição, tencionava escrever: a inter-relação dos cinco tipos de personalidade — Água, Madeira, Fogo, Terra e Metal (segundo os cinco elementos da MTC) — nos relacionamentos humanos. O tempo passou e pude, com os anos, maturar essas ideias, observando concretamente inúmeros pacientes, e também a partir de conversas com meu marido, que sempre me incentivou a escrever a respeito desse tema.

Qual não foi minha surpresa, ao sentar-me para escrever, que o capítulo tenha ficado praticamente pronto em três dias! Considerando que este livro foi escrito ao longo de três longos anos, acredito que tal rapidez e prontidão são frutos do amadurecimento do tema dentro de mim, e fico grata aos inúmeros leitores e à Editora Ícone que me oferecem a oportunidade de publicar uma terceira edição.

Helena Campiglia

Índice

Parte 1

A Psique na Medicina Chinesa

1

Yin, Yang e
os Símbolos

Símbolo

O símbolo é a representação de algo, é mais que o próprio objeto visível e palpável, pois inclui sentidos ocultos e associados àquilo que está representando. O símbolo une diversos sentidos em uma só expressão. Uma pintura, um desenho ou mesmo a ideia de "céu" pode ter muitos sentidos: ar, voar, nuvens, paraíso, o céu em oposição a terra, o céu em oposição ao inferno, as estrelas do céu, o sol etc. Ou seja, o símbolo inclui uma gama de significados e associações ligados àquilo que representa. O próprio símbolo não pode ser definido, por ser intrinsecamente maior que qualquer definição. Rompe os limites da lógica, pois reúnem em si opostos e extremos.

Usar o símbolo para expressar ideias possibilita uma compreensão de todos os significados nele explícitos e implícitos. O símbolo é um caminho circular, total, abrangente e dinâmico diferente da palavra que achata os significados a um plano linear e redutivo ou dos conceitos concretos, excludentes e estáticos que reduzem as possibilidades de se transcender à compreensão na direção de algo maior.

O símbolo traz, em si, invariavelmente, a polaridade: a luz e a sombra; o bem e o mal; o *Yin* e o *Yang*. Um leão pode ser símbolo de força e coragem, também de orgulho e soberba. A cruz, para os cristãos, é símbolo da morte de Jesus e, também, da redenção dos pecados e da vida eterna. A água pode dar vida, como a chuva que irriga o solo, ou tirá-la, em enchentes ou dilúvios.

A interpretação deste ou daquele símbolo está sujeita a quem o interpreta, quando e em qual contexto. O objeto, no caso o símbolo, depende do observador. Um sonho pode trazer símbolos coletivos, ou ligados à história pessoal de quem o teve, ou ainda, pode representar uma situação vivida antes de adormecer. Interpretar um sonho, uma história, um quadro, uma escultura, um mito pode ser feito apenas parcialmente e, em muito, de forma subjetiva. O significado atribuído ao símbolo poderá variar imensamente, sendo sempre maior que uma definição pontual.

Segundo o filósofo hindu Ananda K. Coomaraswamy, simbolismo é a arte de pensar usando imagens. Em alemão, símbolo — *sinbild*, quer dizer, literalmente, imagem do sentido. O símbolo não pode ser compreendido apenas pela razão. Há, em cada símbolo, um conteúdo profundo que só pode ser apreendido por meio da intuição. A compreensão do símbolo pode gerar um *insight* e um salto evolutivo na vida psíquica do indivíduo. Por isso, os sonhos são usados para nos orientar no mundo inconsciente. Os sonhos expressam--se por imagens que são símbolos de uma realidade interna em contato (ou não) com o mundo externo. Interpretar um sonho simbolicamente possibilita a compreensão de algumas mensagens "cifradas" que o inconsciente envia. Para Jung, essas imagens internas não são inanimadas, mas contêm movimento e vida em si mesmos, podendo gerar sensações, emoções e associações reais. O símbolo, portanto, não deve ser visto como algo estanque, sem vida, pois nos relacionamos com ele ativamente, com reações reais de prazer, dor, alegria, dúvida, indignação e assim por diante.

Os símbolos podem ser pessoais ou coletivos. Os pessoais adquirem seu status simbólico quando associam vivências carregadas de emoção ou sensações a determinada imagem. Por exemplo, a casa é uma imagem do si mesmo, do *self*, é referência de um lugar de descanso, de reencontro consigo. É, também, a própria imagem do Universo. Pode ser interpretada de acordo com suas partes: o telhado, os alicerces, os banheiros etc. Entretanto, uma determinada casa pode ter significado específico e particular para certa pessoa. Por exemplo, "em um domingo de verão, um casal vai visitar um amigo em sua casa de campo. Lá chegando, a esposa sofre um infarto e morre. Para o viúvo, a casa de campo do amigo ficará como símbolo de morte e, como tal, poderá ser relembrada em sonhos e imagens". Entretanto, não se deve supor que símbolos pessoais sejam "inventados" pela mente consciente, pois eles só vêm carregados de significado quando surgem espontaneamente.

De modo geral, o símbolo é atemporal, mas existem conotações culturais associadas ao seu significado que podem estar relacionadas a certa época. Um símbolo jamais é completamente abstrato; ele apresenta aspectos vivos e presentes no corpo (não só na psique). Outra característica do símbolo é a de que ele abarca e reúne em si a totalidade do que representa, mesmo sendo apenas um fragmento do todo. Nesse sentido, pode-se afirmar que o próprio homem representa simbolicamente toda a natureza, todo o Universo. Ele não é, porém, a natureza ou o Universo. Cada parte representada é única e individual, mas a soma delas é sempre diferente do total inicial, pois é acrescida das características individuais. Por isso, a abordagem simbólica é tão atual, equiparando-se ao padrão (ou paradigma) holístico.

A palavra "holístico" vem de holismo, que, em Filosofia, indica uma tendência própria do Universo a sintetizar unidades em totalidades organizadas. O homem seria, segundo o holismo, um todo indivisível, cujos componentes distintos não podem ser considerados separadamente. No holograma, que é um tipo de fotografia na qual aparece uma imagem tridimensional, qualquer parte pode reconstruir a imagem inteira. Segundo a teoria de Karl Pribam, neurocientista norte-americano, as informações no cérebro podem estar distribuídas como em um holograma, o que explica por que não se pode determinar uma região exata para a memória. Esta estaria espalhada por diferentes regiões do cérebro e, ao se reconstituir uma parte dela, seria possível reconstituir o todo. O uso do símbolo funciona como um holograma evoca imagens diversas que podem reconstituir o todo original, levando em conta polos opostos e conceitos diversos.

A interpretação dos símbolos é também tema de longas discussões. Como visto anteriormente, o símbolo pode ser avaliado por meio de conceitos globais, mas apresenta conotações específicas, que mudam de indivíduo para indivíduo, de situação para situação (o objeto depende do observador). O significado final do símbolo não pode ser apreendido. Ele fica sempre parcialmente inconsciente. Portanto, interpretações de um símbolo não são finais ou absolutas. Nem toda cobra representa um símbolo fálico: seus significados são inúmeros e alguns ficarão ocultos. Na interpretação do símbolo, deve-se abrir um leque de opções: buscar referências na literatura, na arte e na música, pensar, sentir e intuir a respeito do seu significado e, finalmente, reunir uma variedade de interpretações. Algumas farão sentido, outras não. Pode-se observar a forma, a cor, o brilho, a emoção associada àquele símbolo e fazer ligações com outros. Escolhido o caminho, fecha-se a interpretação, focando um ou alguns aspectos, tendo, porém, em mente que sempre uma parte do significado do símbolo ficou intocada.

A necessidade de entendimento e a elaboração de algum aspecto interno da personalidade podem ser feitas usando-se a abordagem simbólica. Um garoto adora carros de corrida, que significado isso tem para ele? Os carros poderiam ser um símbolo de movimento, de agilidade, de poder, de fluxo de energia, de direcionamento ou, talvez, uma expressão de afeto da família, que o presenteia com carros de brinquedo. Em algum momento futuro, esse garoto, que já é um homem, encontra-se em uma situação de vida difícil, com problemas na família e nos negócios. Ele pode, então, deparar-se olhando para um carro e sentindo um imenso fluxo de emoções que dão a sensação de liberdade, movimento, direção e afeto. Se não for capaz de abstrair algum sentido do símbolo representado no carro, esse homem poderá pensar apenas que deve trocar de carro, sem buscar em sua vida a direção e o movimento que esse símbolo evoca. Da mesma maneira, exemplos menos óbvios podem levá-lo a pensar: "Qual é o significado desse acontecimento, dessa doença, desse sonho em minha Vida?".

Hoje em dia, algumas linhas de psicoterapia utilizam esse recurso para com o símbolo. A psicossomática afirma que diversas doenças têm um componente simbólico, expressando algo que não foi possível expressar de outra maneira. A hipertensão poderia, assim, significar uma tensão excessiva, mantida por muito tempo. As dores de estômago seriam, talvez, uma dificuldade para digerir não só determinados alimentos, mas também horários estressantes, regras rígidas, problemas pessoais. Se avaliarmos o que o símbolo representa em nossas vidas, isso poderá se transformar e deixaremos de precisar dele. O que não quer dizer, em absoluto, que os símbolos são óbvios e que seja possível mudar qualquer fato ou doença simplesmente assimilando seu significado. A abordagem simbólica possibilita novos *insights*, abre novas portas, mas como o próprio símbolo, não é um caminho linear. A pergunta "para que estou vivendo isso e para onde estou indo?" é uma maneira de iniciar uma jornada em direção ao *self* (si mesmo) desencadeada pelo símbolo.

Segundo Whitmont, em seu livro *A Busca do Símbolo*[1]:

> As imagens surgem como portadoras de mensagens que estão faltando às vezes, perigosamente faltando em consequência de opiniões e convicções unilaterais do consciente.

O autor acredita que o modo primordial de funcionamento da mente é via imagem. Só depois de formada a imagem pode-se abstrair seu significado. Algumas imagens são carregadas de emoções que se perdem ao se elaborar seu significado. Para Whitmont, os conceitos formados são secundários às imagens e, para ter acesso a emoção, deve-se recorrer a elas ou aos símbolos. As imagens psíquicas não seriam apenas fruto do que se observa no exterior, mas também do contato da realidade externa com o mundo interior.

Pensamento Ocidental e Oriental

Pensar simbolicamente é tarefa difícil para os ocidentais, acostumados ao pensamento lógico, cartesiano. Os modelos científicos utilizam-se de poucas variáveis, baseando-se em teorias lineares, em que de A chega-se a B por um caminho reto. Esses modelos são válidos para isolar componentes de uma equação.

Ao se prescrever uma droga anti-hipertensiva a um paciente, além de dieta, exercícios físicos e relaxamento, o que realmente agirá para diminuir sua pressão? A dieta e os exercícios físicos seriam suficientes? Neste caso, prescrever uma medicação desnecessária não seria benéfico ao paciente. Todas essas dúvidas podem ser esclarecidas isolando-se os tratamentos indicados, estudando-os um a um. E, porém, praticamente impossível isolar e determinar o valor da relação médico-paciente como método anti-hipertensivo. Um paciente pode beneficiar-se da consulta com um médico simplesmente por sentir-se ouvido, amparado. Um outro, que espera ser medicado, poderá frustrar-se ao consultar o mesmo médico. Estudar todas essas relações no plano prático e racional é uma tarefa árdua e, às vezes, impossível, pois apenas alguns fatores poderão ser avaliados.

O pensamento simbólico e circular e abrangente. Não determina se a medicação fez mais ou menos efeito que a relação médico-paciente. No universo simbólico, o indivíduo não só entende a doença como símbolo, mas também seu tratamento. São caminhos nos quais a pessoa aprende mais sobre si mesmo e sobre as relações do mundo interno com o externo.

Em chinês, símbolo é *Xiang*, que representa a pegada de um elefante. A pegada pode ser vista, mas o elefante não está mais lá. Para algumas culturas, é mais fácil pensar simbolicamente, pois a mente dos indivíduos é treinada com imagens e não com conceitos. Esse "pensar" por meio de imagens é desenvolvido, muitas vezes, com o uso da linguagem, pois algumas línguas são escritas em símbolos como a chinesa, a japonesa, a egípcia antiga e trazem uma ampla gama de significados a cada palavra. Diz-se que as palavras fazem do infinito finito. Já o símbolo é capaz de ampliar os limites e tocar o infinito.

Os ideogramas são "palavras-função", pois atribuem funções e não somente qualidades àquilo que pretendem descrever. Cada ideograma tem uma multiplicidade de significados possíveis e comunica-nos seu significado falando diretamente a intuição, ao nosso mundo interno. Além disso, muitos ideogramas têm radicais antiquíssimos, que remetem ao passado, às raízes individuais e culturais, tocando, uma vez mais, o mistério da vida em diferentes épocas da existência do homem. Por trazer em si tantas nuances e significados possíveis, ora simples, ora complexos, ora práticos, a linguagem simbólica é como um organismo vivo: pulsante e cheia de gradações, matizes, detalhes.

Por exemplo: em chinês, árvore é *Mu*, representada como um eixo vertical e suas ramificações laterais. Esse simples desenho evoca a imagem de árvore, mas também faz lembrar que a árvore é um eixo de vida entre o céu e a terra, que a semente brotou, cresceu e ramificou. Ele remete à força da vida, em direção ao crescimento, às trocas gasosas que a árvore faz pelos seus ramos, à sua interação com o meio ambiente e a mais tantas leituras quantas possam ser feitas do ideograma.

Um outro exemplo é o ideograma *Qi* ou *Chi*, que representa energia.

Chi **ou** *Qi*

Não há palavra exata que traduza o ideograma *Qi*. Vê-se "respiração" ou "sopro" sobre "arroz cru" ou "ainda não cozido". O grão de arroz tem a capacidade, em potencial, de desenvolver-se na terra. A planta do arroz cresce em direção ao céu, unindo a terra (*Yin*) ao céu (*Yang*). O arroz não cozido está abaixo da linha da terra, dando a ideia de profundidade. A imagem do ideograma evoca algo que tem a capacidade de transformar arroz em alimento, ou seja: "energia", sopro divino, força transformadora, força vital ou, ainda, um vapor. O *Qi* é associado ao mundo invisível, pode ser comparado às partículas subatômicas, pois é um princípio básico de todo o Universo, que rege seu funcionamento. O *Qi* penetra em todas as dimensões da existência e participa de todas as funções do ser vivo. É responsável pela formação e transformação de toda a vida.

Um texto chinês, escrito em ideogramas, pode ter várias leituras possíveis. É extremamente vivo, dinâmico, tal como a compreensão do mundo e do próprio indivíduo, essencialmente mutável. Não só diferentes pessoas lerão o mesmo texto de modos diversos, mas a mesma pessoa poderá fazer do texto diferentes leituras, com significados distintos, dependendo do momento.

Medicina Chinesa

Assim como a língua chinesa é simbólica, a Medicina Tradicional Chinesa (MTC) também o e. Há três mil anos não havia na China microscópios que detectassem vírus ou bactérias, mas já se descrevia a entrada de agentes "perversos" externos, causadores de doenças, como a invasão de um "vento", que poderia ser um Vento-Frio ou um Vento-Calor, dependendo dos sintomas que surgissem. Também não havia a possibilidade de se classificar as doenças da forma como os ocidentais fazem hoje como, por exemplo, em hipertensão arterial sistêmica, artrite reumatoide, depressão etc. Então, recorreu-se mais uma vez aos símbolos. Os padrões de funcionamento do corpo, assim como as doenças, foram agrupados em torno de Cinco Elementos, que são: Água, Madeira, Fogo, Terra e Metal. Cada um representa mais do que a si próprio; um elemento representa um símbolo, que reúne, em si, vários significados e diferentes interpretações.

Além dos Cinco Elementos, a MTC dispõe de oito princípios: *Yin* e *Yang*, profundo e superficial, deficiente (ou vazio) e plenitude (ou excesso), frio e calor. As interações entre os Cinco Elementos e os Oito Princípios resultam em um grande número de quadros clínicos, síndromes e diagnósticos possíveis.

Um diagnóstico ou um padrão descrito de acordo com a terminologia da MTC pode parecer estranho aos ouvidos ocidentais como, por exemplo, "os rins produzem a medula óssea". A leitura e a interpretação dessa frase são simbólicas e não literal. Longe de ser ultrapassada ou simplesmente mística, a linguagem da MTC pode ser atualizada e compreendida. Em algumas situações, parece até que os antigos chineses foram visionários. Hoje, sabe-se que a eritropoietina, hormônio responsável pela maturação dos glóbulos vermelhos, é produzido pelos rins, ou seja, existe realmente alguma ligação entre os rins e o sangue produzido na medula óssea. Mas nem todos os paralelos estabelecidos na MTC podem ser verificados à luz da medicina moderna. Usam-se, então, os Cinco Elementos descritos como padrões de agrupamento e repetições, como os "arquétipos" que aglutinam em si valores, elementos psíquicos, imagens.

Antes, porém, de surgirem os Cinco Elementos, os Oito Princípios e os padrões complexos de interação entre eles, a MTC baseou-se na teoria do *Yin* e do *Yang*. Esses dois símbolos são usados o tempo todo e permeiam todos os exemplos, todos os casos, todos os diagnósticos e toda a evolução do paciente. O conceito de *Yin* e *Yang* é usado em diversas áreas do conhecimento na China: na filosofia, na religião e na medicina. A MTC inteira partiu do *Yin* e do *Yang* e desenvolveu-se com esses símbolos.

O *Yin* e o *Yang* são polos de uma mesma coisa. Sem noite não haveria dia; sem dia não haveria noite. Tudo tem um aspecto *Yin* e um aspecto *Yang*. Todo o *Yang* contém em si o *Yin* e todo o *Yin* contém em si o *Yang*. Esse sistema *Yin-Yang* mostra uma visão integradora e holística que não permite a dicotomia entre matéria e espirito, corpo e mente, céu e terra, homem e mulher.

Yin e Yang

O que é metade ficará inteiro. O que é curvo ficará reto. O que é vazio ficará cheio. O que é velho ficará novo (...). O insuficiente será aumentado. O excesso será dissipado (...). Tudo retorna à integridade perfeita[2].

Yin e Yang são polaridades do Universo, que é o conjunto de tudo que existe. A origem da palavra Universo está em um, unir, tornando um. Todavia, o Universo dividiu-se em dois e depois em milhões e bilhões de partes, originando a diversidade. A primeira divisão: Yin e Yang, segundo a tradição chinesa, encerram os princípios opostos e complementares do Universo. Alguns exemplos:

• O Yin é feminino, passivo, interno, a morte, a sombra, o mal, o obscuro, a terra, o útero, o inconsciente, o eros (emoção).

• O Yang é masculino, ativo, externo, a vida, a luz, o bem, o claro, o céu, o falo, o consciente, o logos (razão).

Porém, não se deve concluir que o feminino seja sempre a sombra, o inconsciente ou a morte e que o masculino, por sua vez, seja sempre a luz, o consciente, a vida. Cada par de opostos vale para si mesmo: vida-morte, masculino-feminino e, não entre si como masculino-vida. Isso quer dizer que a polaridade de um símbolo não pode ser superposta à de outro símbolo.

Sem polaridade não há diferenciação. Como saber que é claro se não existe escuro? O conflito gerado pelos opostos é fonte de vida e diversidade. Ou de morte e destruição. O atentado ao World Trade Center, em 11 de setembro de 2001, resultou de um choque de opostos que trouxe novas divisões: vítimas e culpados, o bem e o mal. Mas, de fato, se a questão for profundamente avaliada, há aspectos sombrios nos dois lados e possibilidades criativas em ambos. A resolução desse e de tantos conflitos consiste em unir todos os elementos presentes, criando uma nova realidade que mescle os dois polos, com outra dimensão e profundidade.

Quando o Yin e o Yang se unem, formam novamente o todo, o Universo, mas este já será diferente do inicial, como os gametas masculinos e femininos que, unindo-se, geram uma criança diferente dos pais.

Propriedades do Yin e do Yang

Não é intuito deste livro, explicar em detalhes, toda a teoria da MTC; para tanto, há excelentes livros-texto didáticos e abrangentes. A abordagem limita-se ao que for relevante para o estudo da psique na medicina chinesa.

Segundo o Su Wen, um dos mais antigos livros sobre a MTC de que se tem registro[3]:

O *Yin* corresponde à falta de movimento e sua energia simboliza aterra, o *Yang* corresponde ao movimento e sua energia simboliza o céu; portanto, o *Yin* e o *Yang* são caminhos da terra e do céu. Como o nascimento, o crescimento, o desenvolvimento, a colheita e o armazenamento são levados a efeito de acordo com a regra de crescimento e declínio do *Yin* e do *Yang*, então o *Yin* e o *Yang* são os princípios que norteiam todas as coisas.

O *Yin* e o *Yang* aparecem na literatura já desde *o I Ching* na forma de:

linhas inteiras ——— (*Yang*) ou linhas partidas — — (*Yin*).

O *I Ching*, ou Livro das Mutações, foi escrito em partes. Seus primeiros exemplares, de quase 5.000 anos atrás, continham apenas linhas *Yin* e *Yang* desenhadas em cascas de tartaruga. Usa-se o *I Ching* como oráculo: uma pergunta é feita e a resposta dada indica se determinada ação é favorável ou não, e como agir nessa situação. O livro contém 64 hexagramas, que são combinações das posições das linhas o *Yin* e o *Yang* são a base da filosofia e da religião e de toda a visão do Universo. Seu aparecimento retrata a filosofia de uma época, que se refletiu na medicina chinesa.

Juntos, o *Yin* e o *Yang* formaram o símbolo do *Tao*, que significa caminho:

É notável que no símbolo do *Tao* ocorra a presença não só da polaridade, mas também de um polo contido no outro. No ponto máximo do *Yin*, há a semente do *Yang* e, no ponto máximo do *Yang*, há a semente do *Yin*. Ou seja, à meia-noite, há o inicio de um novo dia e, ao meio-dia, há o início de uma nova noite. O nascimento já contém a morte, que se aproxima mais e mais a cada dia e, talvez, na morte haja o começo da Vida.

Além disso, o símbolo do *Yin* e *Yang* dá uma ideia clara de movimento e transformação; não é, de maneira alguma, um símbolo estático. Tampouco o equilíbrio sugerido pela medicina chinesa é estático.

A terra, como elemento *Yin*, pode fornecer nutrientes para uma muda que se transforma em árvore, e, desse modo, observa-se o crescimento, que é um símbolo *Yang*. Ou seja, o contínuo ciclo da vida é puro movimento e, a cada mudança, aparece um novo estado *Yin* e um novo estado *Yang*. A água que evapora dos mares e cai em forma de chuva adquirem novas formas a cada ciclo. Só a ausência de vida é estática. O tão buscado equilíbrio para a obtenção da saúde e do bem-estar e extremamente dinâmico e está sempre se amoldando às mudanças do meio. É a capacidade de adaptação que confere uma boa saúde física e psíquica. E, a cada nova adaptação, a situação vivida e diferente da situação primeira, assim como a soma das partes *Yin* e *Yang* resultará sempre em um novo Universo, diferente do inicial.

Enquanto aspectos de um mesmo símbolo (o *Tao*), observam-se quatro características básicas da inter-relação entre o *Yin* e o *Yang*.

1. Oposição

O *Yin* é oposto ao *Yang* e vice-versa, mas apenas relativamente, pois nada é completamente *Yin* ou completamente *Yang*. Exemplos da oposição entre os dois:

Yin	*Yang*
Feminino	Masculino
Terra	Céu
Lua	Sol
Quietude	Movimento
Frio	Calor
Contração	Expansão
Soma (corpo)	Psique
Matéria	Energia

2. Interdependência

O *Yin* não pode existir sem o *Yang* e vice-versa, assim como o dia não existe sem a noite, nem a sombra, sem a luz. Essa relação é chamada recíproca, pois a energia não pode se formar se não houver matéria. Ou seja, para fazer com que surja o *Yin*, deve-se gerar o *Yang* e vice-versa. Um precisa do outro para existir e se desenvolver.

3. Consumo

O excesso de *Yang* consome o *Yin* e vice-versa. Como isso é possível? Um exemplo bastante ilustrativo é a fogueira: o fogo é *Yang* e a lenha e *Yin*. À medida que o fogo (*Yang*) aumenta, a lenha (*Yin*) é consumida.

4. Transformação

O *Yin* transforma-se em *Yang* e vice-versa. Após a tempestade, vem a calmaria.

Após um período de latência, o movimento é iniciado.

Na área médica, um exemplo da transformação é o Acidente Vascular Cerebral (AVC), popularmente conhecido como derrame. O AVC é um evento *Yang*, em suas características clínicas: a pressão eleva-se, sente-se dor de cabeça, um vaso cerebral sangra como uma "explosão", porém, após este evento, ocorre, muitas vezes, a paralisia de um ou mais membros. A paralisia ou a ausência de movimento são de natureza *Yin*. As quatro propriedades citadas são exemplos da inter-relação da polaridade de um símbolo. Um polo não existe sem o outro, um depende do outro, um transforma-se no outro e um consome o outro. As mesmas propriedades podem ser aplicadas a outros exemplos de símbolos com outras polaridades. Um médico que desenvolve aspectos positivos da sua profissão, como a cura de doenças, o respeito dos pacientes e de familiares, alimenta, ao mesmo tempo, em igual proporção, certos aspectos sombrios da sua personalidade, tais como o orgulho, a autoconfiança excessiva, a sensação de já saber tudo e a falta de interesse real pelo outro. Em geral, os aspectos luminosos são conscientes, ao passo que os sombrios são inconscientes e ficam "trancados" no porão, como o esqueleto atrás da porta. É a luz gerando a sombra. Para lidar com esse problema, devem-se acolher com amor e humildade as fraquezas, o orgulho, a sede de poder, a inveja e outras características pessoais, sempre levando em conta a condição humana, que possui limites e aspectos negativos. Quem acolhe suas diversas polaridades evolui, tomando-se mais sensível ao sofrimento alheio.

Os Cinco Símbolos da Medicina Chinesa

Na medicina chinesa, além do *Yin* e do *Yang*, há cinco elementos, que contêm, em si, cinco movimentos energéticos diversos, chamados de *Wu Xing*.

Em chinês, *Wu* significa cinco e *Xing* quer dizer movimento, andar, conduzir, ação. O ideograma de *Xing* mostra pés que se alternam; direita e esquerda, evocando a alternância do *Yin* e do *Yang*.

Wu Xing, portanto, significa os cinco movimentos, traduzidos, muitas vezes, como "os Cinco Elementos", pois cada movimento corresponde a um elemento na medicina chinesa: Água, Madeira, Fogo, Terra e Metal. Porém, a ideia de movimento não pode ser corretamente entendida se traduzida apenas como elemento, pois o movimento é naturalmente dinâmico e a palavra elemento gera uma sensação estática. Os movimentos são associados não só a elementos, mas também a cores, sabores, sons, órgãos e funções do corpo e da mente. Nos capítulos subsequentes serão estudados cada um dos movimentos (ou elementos) da MTC e suas simbologias.

Resumidamente, o movimento do Fogo é multidirecional, como um estouro. Sua imagem é a de um raio e seu ideograma é *Huo*. Sua função é culminar, chegar ao máximo, e sua dinâmica é a da explosão. O Fogo, na MTC, está associado ao Coração, ao Sangue, ao Intestino Delgado, à alegria, ao verão, à fala e ao espírito.

O movimento da Madeira pode ser corretamente traduzido pelo movimento da "árvore". O ideograma para Madeira é *Mu*, que quer dizer madeira ou árvore. Árvore evoca algo que brota e cresce, que tem maleabilidade, movimento e flexibilidade, ao passo que madeira remete à ideia de algo duro, fixo e linear. O movimento da Madeira é vertical, em direção ao alto. Sua função é a de elevar, sua dinâmica e a da projeção. Madeira, na MTC, está associada ao Fígado, à Vesícula Biliar, à raiva, à primavera, aos olhos e à alma.

Fogo e Madeira (árvore) são movimentos *Yang*: para cima e para fora. Água e Metal são movimentos *Yin*: para baixo e para dentro. Antes de iniciar a "inversão" dos movimentos *Yang* em movimentos *Yin*, há um período de relativa estabilidade, uma pequena pausa que se chama *Tu*.

Traduzido como Terra, *Tu* é, na verdade, o símbolo de um altar, que fica ao centro de um templo. Ou seja, *Tu* quer dizer centro, um limite entre o céu e a terra entre o mundo interno e o externo. Sua função é a transmutação e sua dinâmica é a de centrar, de fixar. A Terra, na MTC, é representada pelos órgãos, Baço, Pâncreas e Estômago, pela reflexão, pela digestão, pela boca e pelo pensamento.

O movimento do Metal corresponde a um retorno, com a formação de uma superfície lisa e brilhante. Seu ideograma *Jin* mostra a separação do puro e do impuro, a estratificação. Sua função é a diferenciação e sua dinâmica, a retração e a decantação. O Metal, na Medicina Chinesa, está ligado ao Pulmão e ao Intestino Grosso, à respiração e à absorção de energia (bem como sua distribuição no corpo), à tristeza, ao outono, ao nariz e aos instintos.

O ideograma para Água, *Shui*, é a imagem da confluência, conduzindo à aproximação, à compressão e a oscilação em tomo de um eixo. Sua função é a regeneração e sua dinâmica e a descida. A Água, na MTC, é representada pelos Rins e pela Bexiga, pela "bateria energética" do homem, sua vitalidade e ancestralidade, pelo medo, pela adaptação, pelos ouvidos, pelo inverno e pela força de vontade.

Ciclos de Geração e Dominância

O ciclo de geração representa o ciclo do tempo, da vida, da formação de novos elementos. A Água gera a Madeira, a Madeira gera o Fogo, o Fogo gera a Terra, a Terra gera o Metal que, finalmente, gera a Água. De modo simbólico, a água irriga a planta (madeira) que brota e cresce, a madeira alimenta o fogo, o fogo queima a madeira e deposita as cinzas, alimentando a terra, que gera em seu interior diversos metais e a água brota da pedra e das fontes minerais.

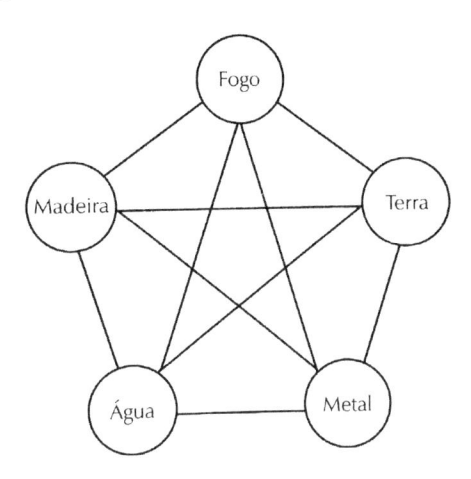

O ciclo de geração é de natureza *Yang* (natureza única) e não tem uma "inversão" patológica. Ou seja: a Madeira não pode voltar à Água, nem a Água ao Metal e assim por diante. Contudo, pode-se observar um caminho de iniciação, se o ciclo de geração for feito ao contrário; do filho em direção à mãe. Interessante notar, como observa Patrick Paul, em seu livro *Tendre la Main au Vide*, que, nas artes marciais, a progressão do aluno é indicada por faixas coloridas, começando pela branca (Metal), seguida pela amarela (Terra), seguida pela vermelha (Fogo), depois, pela verde (Madeira) e, finalmente, pelas superiores marrom e preta (Água). Ou seja, o caminho da consciência remete às origens; o filho volta a mãe, volta-se ao passado, as forças ancestrais para se chegar ao conhecimento e, assim, progredir[4].

O ciclo de dominância e um ciclo de controle, de limite, que impede, em última análise, o crescimento descontrolado de qualquer um dos elementos. Sua figura vista na disposição dos Cinco Elementos é a de uma estrela de cinco pontas ou um pentagrama. Nesse ciclo, a Água controla o Fogo, o Fogo controla o Metal, o Metal controla a Madeira, a Madeira controla a Terra e a Terra controla a Água. Simbolicamente, tem-se: a água apaga o fogo, o fogo forja o metal, o metal corta a madeira (ou árvore), a madeira tira da terra seus nutrientes para crescer e, portanto, "controla" a terra que, finalmente, absorve a água. Desse modo, há um equilíbrio entre os elementos, de forma que nenhum se sobressaia ou se torne excessivo. O ciclo de dominância é de natureza *Yin* e, portanto, dual como o próprio *Yin* (linha cortada). Sua dualidade se expressa nas duas direções em que o ciclo de dominância pode assumir: nessa ou na oposta.

O ciclo de dominância pode transformar-se em ciclo de agressão se sua direção for invertida. Quando há desequilíbrio dos elementos, a Água agride a Terra, a Terra agride a Madeira, a Madeira agride o Metal, o Metal agride o Fogo e o Fogo agride a Água. Esse ciclo é chamado de patológico, pois gera doenças e desorganização internas. Os ciclos de geração e dominância funcionam o tempo todo como um mecanismo de autorregulação do homem. Por essa razão, não existem patologias de um elemento que não afetam o outro e, se um elemento estiver enfraquecido, não poderá controlar o outro. Por exemplo, na MTC no quadro de deficiência de energia dos Rins (Água) tem-se alteração do Fígado (Madeira) e, muitas vezes, descontrole do Coração (Fogo). Esse mecanismo intrincado mostra a necessidade de um desenvolvimento global do ser humano, sem hipertrofiar demais um órgão deixando de lado os outros. Faz-se, do mesmo modo, alusão ao ecossistema, em que a cadeia de alimentação mostra claramente a interdependência em relação a todos os outros organismos vivos.

O número Cinco e sua Simbologia

O número cinco indica dois movimentos e um retorno ao centro: o movimento horizontal, o movimento vertical e a intersecção dos dois. Em chinês, o ideograma utilizado para a palavra "homem" mostra as cinco pontas da figura de um homem de braços abertos. As cinco posições são: à esquerda, à direita, o alto, e o baixo e o centro, o que, em outras palavras, quer dizer:

• **No eixo horizontal:** O mundo interno e o externo do ser humano (o eu e o outro, *self* e não *self*).

• **No eixo vertical:** O mundo da terra e o do céu (raízes e crescimento, o bem e o mal, o corpo e o espírito).

• **A intersecção dos dois:** Representa o centro, o homem que está entre o céu e aterra e entre o "dentro" e o "fora".

Quando e para que Usar o Símbolo?

O símbolo é um mapa, um caminho em direção ao *self*. É vivo e ativo; causa sensações, sentimentos e associações. Ao deparar-se com um símbolo, seja em um sonho, seja em uma doença ou em um objeto de arte, o indivíduo pode explorar o significado desse símbolo, que não será completamente compreendido e assimilado pelo seu consciente, por ter uma raiz misteriosa que fica imersa no inconsciente. Se o símbolo for completamente revelado, perderá sua força simbólica e será substituído por outro, que atinja o mundo obscuro e profundo da psique. Quando, por outro lado, o símbolo não é reconhecido como tal e adquire um aspecto autônomo, poderoso e mágico, torna-se dissociado do seu sentido adquirindo o *status* de alucinação, delírio ou vivência psicótica.

A própria psique está sempre formando novos símbolos para fazer fluir a libido, a energia psíquica e física, o *Qi*. *Os símbolos orientam a direção da energia*.

A interpretação dos símbolos deve ser feita paralelamente no âmbito pessoal e coletivo, lembrando que, como o próprio símbolo é movimento, poderá sofrer mudanças de sentido ao longo do tempo. À medida que seus mistérios são desvendados, o símbolo pode adquirir novas dimensões. Segundo Jolande Jacobi, o símbolo só é vivo se estiver "prenhe" de significados[5].

No processo de individuação, que é o caminho pelo qual a pessoa se torna aquilo que realmente é, o indivíduo tem, no símbolo, um mapa que pode orientá-lo na busca da sintonia com sua essência individual.

Estudar medicina chinesa é entrar no mundo dos símbolos. "No princípio era o *Tao*", o todo indivisível, o uno, o caminho que se divide em *Yin* e *Yang*. *Yin* e *Yang* nada mais são que polaridades, aspectos diferentes opostos e complementares do Tao. São partes do símbolo representativo do todo (do *Tao*), que está dividido em duas metades. Esquerda e direita; feminino, masculino; dia e noite; ativo e receptivo; terra e céu; e assim por diante. Esta é a primeira subdivisão de um símbolo, que significa o todo.

Novas subdivisões levam aos Cinco Elementos ou símbolos (Água, Madeira, Fogo, Terra e Metal). A teoria dos Cinco Elementos agrupa características em tomo de cada um deles e classifica o funcionamento do organismo de maneira bastante peculiar. Ao mesmo tempo em que separa órgãos, sintomas e funções, também os relaciona, uma vez que cada elemento depende do outro para sua criação e controle. Tem-se a figura de um Universo mais complexo e subdividido que o todo indiferenciado inicial, mas que jamais prescinde da ligação entre as partes.

Cada elemento possui características definidas e conhecidas. Todo acupunturista sabe que, ao elemento Água, por exemplo, relacionam-se os Rins, a Bexiga, a sexualidade, a herança genética, os ossos, o cérebro e assim por diante, mas o que poucos sabem é que cada um desses elementos tem, ainda, muitas outras implicações simbólicas. Intuitivamente, sabe-se que a Água é o símbolo do mar, onde se fez o caldo da vida (os primeiros seres do planeta Terra surgiram na água), que é também o símbolo do batismo, da purificação e muito mais. Mas que importância isso pode ter para o paciente que se queixa de uma doença nos rins?

Os Rins são os órgãos responsáveis pela purificação do sangue. Sabe--se que uma doença renal leva, muitas vezes, à impossibilidade de realizar essa função. Do ponto de vista psicológico, qual é a purificação que precisa ser feita? Quais as impurezas que se acumulam no corpo e na mente? Ao considerar o corpo indivisível da psique, pode-se começar a achar algumas saídas para os problemas, doenças e sofrimentos trazidos pelos pacientes. Nesse sentido, ao tratar de alguém com doença renal, além da abordagem médica tradicional o profissional pode questionar-se sobre o que a psique dessa pessoa está precisando.

Ver a questão sob esse ângulo é ir ao encontro dos significados mais profundos da vida de cada um. Olhar para uma doença incapacitante como meio de evolução, pela própria incapacidade e pelas situações que ela provoca, torna o caminho de cada um menos árduo e estéril. A vida é criativa, oferece sempre novas expressões e direções.

A importância dos vários aspectos simbólicos de cada elemento é abrir possibilidades de associações, ampliar o espectro de consciência, a fim de abranger vários significados possíveis para um mesmo elemento. Ampliar é a palavra-chave. A medicina ocidental analisa e reduz, observa uma doença dissecando-a, separando-a em partes menores para que o entendimento seja minucioso. Esse é um passo importante, mas, atendo-se apenas a ele, perde--se a noção do conjunto. A medicina chinesa propõe um olhar sob o prisma do conjunto. Na tentativa de ajudar ainda mais a encontrar novos significados simbólicos para cada um dos Cinco Elementos da MTC, os capítulos seguintes incluem uma grande lista de símbolos e associações possíveis.

Qi, Energia Vital, Libido, Energia Psíquica

2

Qi

Embora o conceito de *Qi* seja básico em Medicina Tradicional Chinesa (MTC), não pode ser traduzido por uma única palavra, pois seus significados são muitos e abrangentes. *Qi* é a energia que circula nos meridianos, é a chama que mantém a vida e põe os seres em movimento. *Qi* é o próprio movimento, é a força vital, é um no condutor.

Qi pode ser visto como energia que circula dentro do corpo. Entretanto, é igualmente energia que circula no meio ambiente e entre as pessoas. Esse é um conceito que insere o indivíduo como parte do sistema e do meio em que vive. O *Qi* não pertence só ao ser humano, está também, fora dele. Isso significa que, assim como o ambiente pode marcá-lo, ele pode marcar o ambiente, uma vez que o *Qi* circula em tudo. Em MTC, o *Qi* tem diversas formas de apresentação e diversos nomes. Há o *Qi* dos alimentos ou energia dos alimentos, o *Qi* ancestral ou energia herdada dos pais, o *Qi* de defesa, que impede o adoecimento, o *Qi* do tórax, ligado à respiração e assim por diante. Mas todos esses aspectos do *Qi* são, na verdade, qualidades da mesma entidade, são funções dessa energia que está no corpo e no Universo, no microcosmo e no macrocosmo, que está em todos os seres vivos. Fica claro, assim, que não há como dividir a energia mental da física, pois são apenas dois aspectos do mesmo *Qi*. Se o *Qi* é deficiente, ele o será para o plano mental e para o físico: a pessoa cronicamente doente é também astênica e deprimida mentalmente. Se o *Qi* está em excesso, haverá hiperexcitação psíquica e aumento da energia motora, ou ainda, gastrite, insônia, agressividade, calor etc. Se houver um bloqueio em sua circulação, à sensação do "*Qi* estagnado" ocorrerá tanto no plano físico (exemplo: formação de massas, tumores, edemas) como no psíquico, com sintomas de irritabilidade, angústia etc. Ou seja, o *Qi* afeta o organismo como um todo, sendo que, em alguns momentos, a pessoa pode apresentar alterações emocionais, em outros, mentais e em outros, físicas, mas é perfeitamente normal que as alterações ocorram em todos esses níveis concomitantemente, uma vez que o *Qi* está em tudo.

Libido

Freud acreditava que diversas impressões recebidas durante a vida não eram usadas pela mente consciente, permanecendo ativas no inconsciente. Muitas dessas impressões, rejeitadas pelo consciente e armazenadas no inconsciente, são de natureza sexual. Funcionam como impulsos que orientam em direção a algo que os satisfaça. São impulsos de natureza energética, pois mobilizam de algum lugar em direção a outro, ou de um objeto a outro. A esses impulsos ou instintos próprios da espécie humana dá-se o nome de "pulsões"[1].

As pulsões são de origem e objetivos distintos. Existem pulsões como a fome ou o medo que são de autopreservação e que, portanto, têm finalidade específica, ligada à sobrevivência. Já as pulsões sexuais não estão necessariamente ligadas à sobrevivência do indivíduo, e sim às da espécie. As pulsões surgem no corpo, no local onde houve excitação. Corpo e mente organizam-se no intuito de satisfazer tal excitação.

Para Freud, a libido é um impulso sexual que orienta o ser humano em direção ao prazer, tanto ao prazer sexual propriamente dito quanto ao prazer ligado a certos órgãos e zonas erógenas. O termo "libido" significa, em latim, vontade ou desejo.

---

[1] Na terminologia psicanalítica, o termo instinto é reservado somente para os animais, usando-se para o homem o termo pulsão. A pulsão origina-se de uma excitação corporal e orienta o indivíduo a um objetivo, que poderá suprimir o estado de tensão que gerou a pulsão.

A libido é formada por pulsões sexuais que passam, na criança, por diversos estágios de organização, chamados de "pré-genitais". Trata-se, portanto, de uma força propulsora no desenvolvimento infantil que fará com que a criança explore seu próprio corpo e o ambiente externo. Assim sendo, libido é uma energia que movimenta o ser humano no sentido de seu próprio desenvolvimento e descoberta pessoal.

Libido e Reich

Wilhelm Reich fez parte da terceira geração de psicanalistas e deu continuidade aos trabalhos de Freud, seguindo seus passos inclusive quanto à Teoria da Libido.

Posteriormente, Reich acabou desligando-se da influência freudiana, prosseguindo em suas teorias e experimentos afastados da Sociedade Psicanalítica.

Uma das grandes contribuições de Reich foi à ligação clara que estabeleceu entre os processos psíquicos e as sensações e impulsos vegetativos do corpo. Percebeu que uma experiência psíquica poderia provocar resposta somática, produzindo mudança permanente em algum órgão ou parte do corpo. Ele concordava com o fato de que, se a energia libidinal não fosse liberada, levava a angústias e formações de neuroses e a estase da libido, por sua vez, perpetuava as neuroses. Mas foi sua afirmação, de que essas neuroses estão profundamente ancoradas no corpo, o grande passo que imprimiu marca na sua abordagem e tratamento das doenças psíquicas.

Reich passou a trabalhar, então, com o que chamou de correntes vegetativas, como forma de lidar com as neuroses e com as resistências em terapia. Para ele, a libido bloqueada alteraria a regulação de todo o funcionamento do organismo. Modificaria, em última análise, a "regulação bioenergética". A terapia reichiana utilizava-se de massagens e respirações para ajudar a liberar esses nós de energia, desse modo trazendo à tona conteúdos não acessados normalmente pelo método freudiano de livre associação de ideias.

Reich expandiu a ideia de libido para a ideia de "orgônio". A partir de suas experiências com protozoários em laboratório, chegou à conclusão de que a fórmula usada para descrever as correntes vegetativas do corpo humano, tensão-carga-descarregar-relaxamento, seria a mesma presente nos protozoários. Assim, a força que orientava os organismos Vivos possuía algo comum a todos eles. Orgônio seria, igualmente, uma energia de origem sexual, mas com características universais, ou seja, estaria presente não só no homem, mas também em seu meio. Orgônio passou a ser conhecido como Energia Vital.

Energia Psíquica Segundo Jung

Energia Psíquica é um termo que surgiu anteriormente a Jung, mas foi usado por ele como uma das bases de sua teoria. Energia Psíquica foi empregada por Jung como sinônimo de "libido", muito embora este último termo tenha sido cunhado por Freud, que lhe deu uma conotação específica, ligada à sexualidade.

Jung criticou o pensamento mecanicista de Freud, que afirmava existir uma relação direta e sempre presente entre os conteúdos psíquicos analisados e a energia sexual reprimida ou mal-empregada. Para Jung, não só estaria errado estabelecer um sistema de causa e efeito simplista durante a análise, como também deviam ser levados em consideração outros aspectos psíquicos não ligados puramente aos temas sexuais. A dinâmica sexual mostra apenas um aspecto da totalidade da psique e o termo energia, diferentemente da libido, é mais abrangente e carrega em si conceitos universais. Assim como a energia descrita pela física, os processos psíquicos teriam uma *intensidade* variável, uma direção que obedece a um diferencial de potencial, uma *frequência* e um *resultado* que variam de indivíduo para indivíduo e conforme cada processo em questão.

Características da Energia Psíquica Segundo Jung

1. Distingue-se energia, enquanto ação, de energia enquanto intenção. Como ação aparece, segundo Jung, "nos fenômenos dinâmicos da alma, tais quais tendências, desvios, o querer, os afetos, a atuação, a produção de trabalho etc., que são justamente forças psíquicas. Quando virtual, a energia aparece nas aquisições, possibilidades, aptidões, atitudes, que são condições". Ou seja, quando ela não está investida no ato, ainda assim está presente na ação potencial, que pode vir a acontecer ou ficar latente.

2. A energia psíquica tem relação com a energia somática e os processos do corpo. A forma como isso ocorre não foi objeto de estudo de Jung, mas, posteriormente, os neojunguianos

passaram a dedicar-se à integração físico-psíquica. Hoje há várias abordagens corporais associadas à análise junguiana.

3. Jung discordava da divisão da energia em tipos distintos, como energia do prazer, da sensação e outras formas, pois considerava a energia como um fenômeno quantitativo que reúne em si diversas forças e condições. Apenas a essas forças e condições é que se poderiam atribuir qualidades. A medida da energia psíquica estaria ligada ao valor atribuído pelo próprio indivíduo àquela determinada questão. Os diversos complexos do Ego também carregariam em si um valor energético.

4. A energia dos processos psíquicos pode passar do estado consciente para o inconsciente e vice-versa, podendo mudar suas formas de apresentação de acordo com o princípio da equivalência. Isso significa que, mesmo que sintomas desapareçam do universo consciente do paciente, eles não são eliminados: estão agora no inconsciente. No processo de análise, isso pode ocorrer no sentido inverso ou pode haver transformação e assimilação de um complexo. Por exemplo, uma adolescente que, projetando em sua melhor amiga a figura de conselheira e mãe protetora, passa, ela própria, com o correr do tempo, a assumir na vida, tal papel. Ocorre, assim, uma equivalência energética entre aquilo que era projetado na amiga e o papel que ela mesma passa a desempenhar. Nos processos de passagem de energia de uma estrutura para outra, ocorre o fenômeno da transferência, que é utilizado em terapia. O paciente transfere energia para o terapeuta, que a devolve ao paciente de uma forma que ele possa distribuí-la melhor e aproveitá-la na vida. As projeções podem ser de cunho positivo, como no exemplo citado, ou de cunho negativo, como quando se está com raiva de alguém que se considera egoísta, despótico ou mentiroso, sem perceber que essas características podem fazer parte de si mesmo. É comum que se projetem fora conteúdos inconscientes difíceis de serem vistos na própria pessoa.

5. Dois fenômenos básicos adaptativos são observados na vida psíquica: a progressão e a regressão da libido. A progressão consiste no movimento em direção ao objeto de desejo e à satisfação das exigências das condições do mundo externo. A regressão é o movimento oposto, de recolhimento e, muitas vezes, sentido como desagradável. A progressão e a regressão ocorrem alternadamente em um movimento pendular. Quando

chega ao limite de um dos polos, o movimento volta ao seu polo oposto. Enquanto a progressão indica uma adaptação ao mundo externo, a regressão é uma adaptação ao interno. Na progressão, a função superior do Ego está forte, presente e atuante, mas, quando ela se esgota ou não consegue lidar com as novas realidades, a pessoa passa a ativar sua função inferior. Por isso, durante a regressão, os conteúdos previamente excluídos do processo de adaptação consciente vêm à tona. Esses conteúdos podem ter conotações infantis, sexuais, imorais e são considerados, muitas vezes, como um "lixo inconsciente", mas, no fundo, são sementes para novas possibilidades de vida. Só é possível satisfazer as exigências do mundo externo se houver harmonia no mundo interno. Portanto, os dois processos aqui descritos são igualmente importantes para a evolução do indivíduo.

6. Podem-se observar outros dois movimentos da libido: os de introversão e extroversão. Diferentemente dos anteriores, movem-se de fora para dentro e vice-versa. Também são opostos entre si, mas eventualmente relacionam-se com a progressão e a regressão, formando pares diversos, a saber: progressão extrovertida, progressão introvertida, regressão extrovertida e regressão introvertida. A extroversão e a introversão são mais bem descritas por Jung na apresentação de sua teoria sobre os tipos psicológicos.

Canalização da Libido

Após entender as formas de apresentação da libido, lembrando que esta se comporta segundo as mesmas leis que regem a energia física, chega--se à questão da transformação da energia, que nada mais é que a própria expressão da vida.

Nos povos primitivos, rituais, danças e cerimônias têm sido usadas para evocar essa força que reside na libido e que, se deixada livre, não pode ser aproveitada de maneira útil para atividades como o trabalho, a criação e a organização social, devendo, portanto, ser devidamente canalizada para tais atividades. A energia da natureza psíquica pode ser desviada apenas parcialmente para utilização, segundo a vontade do indivíduo, sendo a maior parte usada para o seu funcionamento fisiológico. Por exemplo, os rituais e danças não são vitais, mas podem ser realizados com o excesso de energia disponível. No homem moderno, que tem seu consciente mais ativado, a libido pode ser transformada em força produtiva por meio da vontade de maneira mais direta. A vontade é que disponibiliza a energia, que pode ser canalizada para as diversas atividades do homem, mas, mesmo assim, algumas vezes, ele ainda lança mão de certos rituais que dão força e coragem para vencer o desconhecido (por exemplo, quando reza pedindo coragem para superar dificuldades). Qual seria o mecanismo psicológico usado para transformar a energia e liberar as forças inconscientes?

O Símbolo

O símbolo real, aquele que não pode ser reduzido a interpretações simples, que engloba uma multiplicidade de significados e interpretações, é o meio pelo qual o indivíduo transforma a energia psíquica. Jung denominava "análogo da libido" o símbolo que converte a energia.

O símbolo é a ponte entre o consciente e o inconsciente e traz dentro de si conteúdos inconscientes que jamais serão totalmente conhecidos ou interpretados. A própria revelação dos símbolos ocorre pela intuição ou pelos sonhos, que mostram sua natureza inconsciente.

O símbolo, para Jung, não é uma convenção livremente escolhida pelo homem para representar um objeto como as letras do alfabeto, mas expressão espontânea de um conteúdo que não pode ser expresso em termos racionais. Por fazer parte do universo inconsciente, o símbolo representa algo relativamente desconhecido e, portanto, não é exatamente aquilo que está representando, mas a maneira encontrada para representar o que não se pode definir, delinear, palpar.

A física quântica lida com questões semelhantes às do mundo psíquico. O átomo e seus componentes não são formados por partículas sólidas; ora são partículas, ora ondas, portanto, não têm uma representação única, estanque, pois sua natureza é a própria transformação, o movimento. Os modelos descritos para representar os eventos do mundo subatômico são apenas um auxílio para a compreensão mental: não são, na sua totalidade, aquilo que representam.

Como desenhar no papel o movimento das folhas de uma árvore ao vento? Todas as representações que fazem crer que há vento na cena de um quadro, não são o vento em si, mas levam a imaginar que o ar está em movimento. Assim também acontece no mundo psíquico: os símbolos empregados para representar vivências internas, algumas delas inconscientes ou parcialmente inconscientes, põem o indivíduo em contato com um Universo muito maior e dinâmico, que está sempre em movimento e transformando-se.

Aplicando-se essa teoria às relações humanas, pode ocorrer que uma grande paixão simbolize novos aspectos pessoais estimulantes, vibrantes e cheios de vida, que são projetados no parceiro. Por outro lado, algo ou alguém que causa repulsa ao indivíduo pode significar uma parte pessoal sua, obscura e ainda não revelada da própria identidade, mas que é mais facilmente vista nos outros. Para entender a dimensão do mundo psíquico, é preciso transcender o pensamento linear e racional e entrar no mundo intuitivo e holográfico dos símbolos. A holografia, como já foi visto, é uma figura que representa, em cada uma das suas partes, o todo, mas o todo transcende às partes.

Qi: Libido ou Energia Psíquica?

Freud, Jung e Reich debateram-se a respeito do conceito "verdadeiro" da libido. Freud e Reich acreditavam na libido como expressão da energia sexual, Jung já dizia que ela poderia abranger outras energias psíquicas. Como foi mostrado, Reich sugeriu que a libido faria parte do corpo e da mente. Mais adiante, usou o termo orgônio para descrever uma energia cósmica e vital. Essas questões deram início a uma série de discussões, interpretações e linhas terapêuticas.

Do ponto de vista da MTC, tanto o Qi (em excesso ou deficiente) pode causar a doença, quanto a doença pode provocar alterações no Qi. O Qi é individual e também universal. Pode estar especificamente ligado à energia sexual reprimida, mas pode também estar presente em outros processos de adoecimento, que não têm nenhuma relação com as neuroses decorrentes da repressão da libido.

Parece incontestável que Qi pode englobar o sentido de libido e de energia psíquica. Qi é aquilo que movimenta o homem em direção ao mundo. Ao homem, o Qi molda e aquece, torna-o mais ou menos neurótico. Liberta e prende. O Qi proporciona à formação da estrutura psíquica, por ser o homem resultado de "impressões energéticas" ao longo da vida, como o amor, a atenção, o vazio, a falta de contato, a contenção da criatividade etc.

O Qi deficiente (pouca energia) denota suscetibilidade à invasão de conteúdos externos que podem ser transformados em conteúdos ameaçadores (como na paranoia). O Qi excessivo pode bloquear a energia circulante e tornar o indivíduo indiferente à dor do próximo (como nas atitudes narcísicas patológicas). O Qi, circulando rapidamente, pode gerar criatividade ou pode perder-se em um estado de hiperexcitação sem descarga (como na histeria). Com este olhar, entende-se energeticamente o paciente e suas necessidades, para poder fazer melhor uso dessa energia. Conhecer a origem de um distúrbio psíquico é, até certo ponto, importante para evitar que ela continue causando a doença, porém, mais do que isso, a manutenção do quadro energeticamente desequilibrado é o ponto-chave do tratamento. Como mudar os padrões de comportamento? Oferecendo ao paciente, novas possibilidades "energeticamente" viáveis.

Quando se está aberto ao conceito intuitivo do *Qi*, verifica-se que ele esclarece as discussões a respeito da origem das neuroses e da ligação das doenças psíquicas às somáticas. Vários caminhos são aí possíveis, pois o *Qi* circula em duas direções: é partícula e é onda, é psique e a soma, causa doenças e adoece, propicia a cura e ele próprio se restabelece.

3

Caracterologia Reichiana

Medicina Chinesa e Reich

Percorrendo as ideias e as teorias de Freud e Reich sobre a personalidade, para melhor compreender a maneira como a mente e o psiquismo são conhecidos no ocidente, para, depois, voltar à medicina chinesa, podem-se traçar alguns paralelos entre os conceitos ocidentais e orientais a respeito da mente.

Freud é o ponto de partida que serve de orientação quanto aos termos e ideias a respeito do inconsciente. Este trabalho, porém, pretende deter-se por mais tempo nas ideias de seu seguidor e colaborador, Wilhelm Reich, pioneiro na utilização do corpo como forma de compreender a dinâmica psíquica. Reich descreveu, de modo bastante similar àquele da medicina chinesa, o modo como a energia (libido) afeta o psiquismo e molda a maneira de ser do indivíduo.

Caráter

Reich, discípulo de Freud, desenvolveu métodos não verbais de analisar os conteúdos psíquicos para com eles trabalhar. Para Reich, existiria um paralelismo psicofísico que permitiria ao profissional tratar da mente usando o corpo e vice-versa. Seus postulados partiam de observações de pacientes e trabalhos corporais e sua base teórica foi fundamentada na teoria do desenvolvimento da criança de Freud. Em uma de suas mais importantes obras, *Análise do Caráter*, Reich descreveu o trabalho terapêutico com pacientes analisando as resistências mais frequentes em análise que decorrem, muitas vezes, do que ele chamou de estrutura do caráter.

Para Reich, as pessoas que tiveram traumas ou estresse muito grandes em uma determinada fase da vida ficariam fixadas em atitudes típicas dessa fase e teria uma atitude mais ou menos previsível a partir daí, seguindo uma estrutura de personalidade, que ele chamou de estrutura de caráter. Essa estrutura provém de um "encouraçamento do Ego frente aos perigos do mundo exterior e das exigências recalcadas do Id". A estrutura de caráter, segundo ele, não é apenas mental, é também física e pode ser codificada a partir de posturas mentais e físicas (a partir das couraças musculares) e trabalhada por meio do corpo. O caráter determina uma forma de ser e estar no mundo mais ou menos enrijecido, que é uma mudança crônica do Ego, pois este tem uma função protetora, como uma casca que resguarda um interior frágil.

A formação do caráter depende de fatores como a fase da vida na qual ocorre o choque entre a realidade externa e o mundo interior; frequência e intensidade das frustrações, traumas e estresse; a resiliência ou capacidade para tolerar a frustração; e outros fatores que determinam quantidade e qualidade do processo energético envolvido.

O caráter é marcado pela formação de couraças musculares ou pontos em que a energia não flui, permanecendo lixa. As couraças musculares refletem problemas, fixações ou complexos. Dessas observações, nasceram a leitura corporal e o trabalho corporal em psicoterapia. Hoje em dia, muitas linhas terapêuticas e analíticas utilizam o corpo para mobilizar os conteúdos psíquicos, de formas diversas. Reich foi o pioneiro.

O fato de Reich trabalhar com o corpo não significa que ele excluísse a mente ou a livre associação de ideias. Pelo contrário, ele acreditava que trabalhar as associações de ideias era muito importante, mas poderia se tornar estéril se o indivíduo estivesse preso a atitudes e pensamentos estereotipados, como curtos-circuitos mentais. Seu projeto terapêutico visava à conscientização sistemática das atitudes neuróticas provenientes do caráter, para que as resistências mais grosseiras, ligadas à sua estrutura, não impedissem o prosseguimento da análise.

Diferentemente de Freud, Reich acreditava que ainda que fosse possível tornar conscientes os conflitos psicológicos, conforme propunha a psicanálise, eles continuariam a existir. O entendimento da origem dos problemas alivia por certo tempo a condição do paciente, o qual, porém, tende a voltar a ordenar-se da mesma maneira, pois esse é o modo mais econômico de ordenar sua estrutura mental. Reich utilizava o conceito da economia da libido, ou seja, o jeito mais fácil de se organizar psiquicamente (e energeticamente) é aquele já conhecido e, por isso, via de regra, volta-se sempre a ele.

Reich passou a usar o termo bioenergia (que significa a energia que circula entre o corpo e a mente) para descrever a unidade funcional que é o ser humano. A bioenergia pode ser equiparada ao *Qi* da medicina chinesa, que circula nos planos corporal e mental. Do ponto de vista energético, Reich apontava para oposição entre postura/estrutura e movimento. Quanto mais rígida a postura, a atitude mental ou física, menor o movimento de energia. Entretanto, a energia também precisa de um corpo para transitar. Sujeito saudável é aquele que pode movimentar-se e estruturar-se, que não é rígido, nem totalmente maleável.

Para entender as estruturas de caráter impõe-se conhecer, brevemente, o pensamento de Freud.

Fases da Libido Segundo Freud

Freud estudou o desenvolvimento individual do homem a partir da sua infância. Definiu que o homem tem pulsões, que equivalem ao instinto presente nos animais, e que essas pulsões movem-no em direção ao objeto desejado ou afastam-no do indesejado. Essas pulsões fazem parte inicialmente do *Id*, que é a camada mais antiga e primitiva do psiquismo. O *Id* impulsiona o indivíduo a satisfazer suas necessidades inatas e a descobrir o mundo, mas ele desconhece os limites. O *Id* é o ser, na sua forma mais bruta e pura. Posteriormente, o contato com o mundo externo possibilita o desenvolvimento do Ego, que será a interface entre os instintos e a realidade. É o Ego que proporcionará o meio de satisfazer as necessidades do *Id* de maneira mais segura.

O Ego é um protetor dos estímulos externos e um modulador das respostas que a pessoa dá às diversas situações e que, em última análise, determina a identidade de cada um. O indivíduo não é somente o seu Ego, mas identifica-se com ele e se expressa por meio dele. O Ego gera o movimento voluntário e pode proporcionar respostas de confronto, fuga e adaptação, dependendo do estímulo externo. Ele se ajusta, ainda, às exigências internas do *Id* e decide quais desejos e instintos devem ou não ser satisfeitos. Além do Ego, há o Superego, que armazena as exigências e condutas dos pais e internaliza certos padrões, que servirão de guias para as tomadas de postura durante a vida. O Superego dá uma série de limites ao *Id*. Entre os valores do Superego e as necessidades do *Id*, está sempre o Ego. As tensões e frustrações diárias geram estresse e sensação de desprazer. Já o oposto disso é o relaxamento. Segundo Freud, o homem é impulsionado pelo instinto de prazer em oposição ao instinto de morte.

Para Freud, a libido é um impulso sexual que orienta a pessoa a buscar o prazer, não só o do ato sexual, mas também aquele relacionado a estimulação das zonas erógenas. A libido surge, pois, na primeira infância e estimula a criança a explorar a zona erógena ativada em cada fase de sua vida.

Assim, distingue-se a fase oral, em que a libido se concentra na boca, no ato de mamar e, posteriormente, na mastigação. Segue-se à fase sádico--anal, na qual a libido concentra-se na região anal e a criança sente prazer com a possibilidade de reter as fezes e de eliminá-las. Após esta fase, a criança passa pela erotização dos órgãos genitais e pela diferenciação do feminino e do masculino, mas o contato com os genitais ainda não é total. Essa é a fase em que a criança pode desenvolver o complexo de Édipo (fase fálica ou genital-incestuosa). Finalmente, surgem a fase de latência e a fase genital. A fase de latência começa em torno dos cinco anos, estendendo-se até a puberdade. Na puberdade, ocorre a fase genital, propriamente dita, que é o contato definitivo com a sexualidade, marcando o início da vida adulta.

O desenvolvimento saudável possibilita a ativação das zonas erógenas, levando o indivíduo a desenvolver-se bem física e psiquicamente. Quando há traumas, dificuldades, ausência de contato em uma determinada fase, a criança pode lixar-se em uma dessas fases (fixação da libido).

Formação do Caráter Segundo Reich

Reich inicia sua teoria tomando como ponto de partida as ideias freudianas, que dizem ocorrer à formação do caráter com base no conflito entre o meio externo e as pulsões internas. O Ego estrutura a mediação entre as pulsões libidinais (o *Id*) e as exigências do meio externo (representadas internamente pelo Superego). Quando a energia da libido não pode ser expressa, forma-se um recalque. Se a mesma inibição se repete cronicamente, esse recalque se tomará parte de uma couraça. Tal pode ocorrer a vários níveis e a soma dos conflitos enfrentados dará uma forma específica à couraça, sendo expresso por uma atitude mais ou menos permanente ou por meio de um caráter típico e rígido, mecanismo de proteção do Ego.

Esse processo, tal como foi descrito, mostra a formação de um caráter neurótico, em contraposição ao não neurótico ou "genital" (genital, pois não há encouraçamento da libido).

O caráter neurótico é marcado por atitudes rígidas ou estereotipadas e pouco adaptadas ao meio, ao passo que o caráter não neurótico ou genital encontra-se em um indivíduo capaz de adaptar-se ao meio, de ser flexível e de fazer fluir sua energia, mesmo em situações difíceis. O que faz o paciente procurar análise ou terapia não é seu caráter propriamente dito, mas algum sintoma que ocorre pela inadaptabilidade das respostas comuns à sua estrutura caracterológica.

O caráter neurótico forma-se na tentativa de regular as pressões das pulsões internas e dos limites externos, mas que, com o tempo, solidifica-se como um modo de agir do qual o indivíduo não consegue mais se livrar, passando a fazer parte do seu jeito de ser. A fase do desenvolvimento em que ocorrem conflitos mais intensos e duradouros acaba por marcar onde se fixará a libido. Assim, retorna-se às fases descritas por Freud: oral, sádico-anal, fálica e genital-incestuosa.

Se houver uma fixação da libido na fase oral, forma-se um caráter depressivo; se a fixação ocorrer na fase sadicoanal, forma-se um caráter compulsivo; se a fixação for à fase fálica, forma-se um caráter fálico-narcisista; e se a fixação ocorrer na fase genital-incestuosa, forma-se o caráter histérico. Autores reichianos modernos apontam ainda para a fixação da libido na fase pré-oral (ou seja, durante a gestação e nos primeiros dias de vida), originando um temperamento fóbico, que será explicado adiante. Os indivíduos que não chegam a se fixar em nenhuma dessas fases, pois o estresse ou trauma é anterior à formação do caráter, são aqueles que não apresentam uma estrutura psíquica protegida e são, portanto, extremamente frágeis. São, sob o aspecto psíquico, psicóticos ou com traços de psicose. Nesse ponto, distingue-se a neurose da psicose. A psicose é mais grave e anterior à neurose.

Na psicose está presente um Ego demasiadamente frágil, inapto para intermediar os perigos do meio externo com os do meio interno. O paciente psicótico passa a identificar-se com o que está à sua volta, incapaz que é de perceber os limites entre "o dentro e o fora". As alucinações ou os delírios presentes na psicose são interpretações errôneas dos sinais do mundo exterior ou interior: a pessoa percebe um vulto como alguém que o ataca, sente uma dor de cabeça e tem a certeza de que alguém ou algo efetivamente lhe pressiona a cabeça, e assim por diante. Muitos psicóticos identificam-se com algum personagem histórico, como Jesus Cristo, Hitler, Elvis Presley etc. Este é um modo de assumir uma forma ou uma estrutura delimitada e fechada, em um universo normalmente com poucos limites e diferenciações. É melhor ser Elvis e saber como se portar a partir dessa referência, que não ter referência alguma. Obviamente, há graus de psicose, mas algumas pessoas não os apresentam claramente, pois conseguem elaborar mecanismos de proteção ou fixações neuróticas "de cobertura", ou seja, a neurose encobre o núcleo frágil psicótico. Nesse caso, o encouraçamento é ainda mais importante como fator de proteção e o caráter, também, pode apresentar-se mais rígido (do que em um indivíduo "apenas" neurótico) por estar cumprindo a função de impedir a desintegração do Ego.

Fazendo uma analogia, o indivíduo psicótico comporta-se como uma casa em que faltam algumas paredes, portas e janelas. A casa pode ser invadida por animais selvagens ou por pessoas de todos os tipos. Seus alicerces são fracos e a casa não representa um abrigo seguro. Já o indivíduo neurótico se comporta como uma casa que apresenta paredes no meio da sala, algumas janelas fechadas e portas que não abrem. É uma casa eventualmente segura, mas, muitas vezes, disfuncional.

Apresentam-se, a seguir, os caracteres neuróticos descritos por Reich e pelos autores neorreichianos: oral, compulsivo, fálico-narcisista, histérico e o caráter (ou traço) fóbico e a psicose. Cada um desses traços ou caracteres mostra aspectos quantitativos e qualitativos de fixação da libido, ocasionando quadros bastante diversos. Todos nós temos alguma fixação neurótica, maior ou menor, pode haver mais de uma fixação em uma mesma pessoa. O ser humano é complexo, bem como o seu desenvolvimento; não se pode esperar encontrar indivíduos completamente "não neuróticos" sem conflitos ou fixações.

Uma última observação a respeito da terminologia usada neste texto: no conceito de caráter, descrito por Reich, subentende-se uma estrutura muscular rígida, que reforça a ideia de couraça. Portanto, podem-se chamar de "caráter" apenas aquelas fixações nas fases posteriores à fase oral (caráter compulsivo, fálico-narcisista e histérico). As fixações nas fases oral e perinatal ou intrauterina recebem a denominação de temperamento, pois ainda não há musculatura suficiente para formar as couraças descritas por Reich. Nesta obra será empregada a palavra "tipo" fóbico, tipo anal etc.

Psicose

A psicose, do ponto de vista energético-estrutural, ocorre quando há ausência de defesa psíquica, a pessoa se vê tomada de conteúdos do inconsciente e do meio externo sem poder separar-se deles. O estado psicótico denota uma profunda ausência de estrutura. Algumas características psicóticas são: dificuldade de focar e prestar atenção, dificuldade de estar presente, alteração da percepção do mundo externo em relação ao interno. Ausência de identidade, extrema permeabilidade ao mundo externo e ausência de couraça ou de defesas efetivas.

Em *A Função do Orgasmo*, Reich dizia:

> Parecia-me que o ponto em comum de contato entre a criança absorta em si mesma e o esquizofrênico adulto está na forma como sentem o ambiente. Para o recém-nascido, o meio com seus inúmeros estímulos não pode ser mais que um caos do qual as sensações do seu corpo são uma parte. Como experiência, não existe distinção entre o eu e o mundo.

E ainda:

> Todos nós somos apenas uma máquina elétrica organizada de certa forma e relacionada com a energia do cosmos. De qualquer forma, tive de admitir uma consonância entre o mundo e o eu. Hoje sei que os pacientes mentais experimentam essa consonância, sem distinguir o eu do mundo e que o cidadão médio não suspeita dessa consonância, apenas sente o seu querido Ego como um centro nitidamente delineado do mundo.

Para os autores reichianos, o desenvolvimento de psicose pode ocorrer no caso de haver um grande estresse em fases muito precoces da vida, ou de o indivíduo ter uma baixíssima carga energética. Um exemplo do primeiro caso são as ameaças para a vida, como doenças sérias da gravidez, tentativas de aborto, rejeições profundas, que ficam gravadas em todo o organismo da pessoa, impossibilitando-a de desenvolver-se psiquicamente. Mesmo com uma boa gravidez sem ameaças, o óvulo fecundado pode trazer deficiências energéticas tais que há, posteriormente, impossibilidade de formar uma estrutura egoica. Simplificando, o problema pode estar no solo em que é plantada a semente, na própria semente, ou nos dois. Em qualquer uma das possibilidades não há, segundo a teoria reichiana, estrutura suficiente para conter a energia do cerne (ou centro vital). Alguns autores acreditam, ainda, que pode haver níveis de algo chamado núcleo psicótico, traduzidos não como uma psicose em si, mas como um núcleo de fragilidade interna, que o indivíduo poderá passar a defender durante a vida, assumindo posturas muito rígidas, para proteger-se de uma possível desestruturação.

Tipo Fóbico ou Temperamento Fóbico

Reich descreveu os tipos de caráter de acordo com a fase da fixação da libido. Naquela época, pouco se sabia da formação da psique no nível intrauterino. Acreditava-se que os eventos marcantes na vida de uma pessoa ocorriam na infância, mas não havia meios de estudar os efeitos de uma fase anterior à fase oral. Hoje, muitos se dedicam a estudar essas fases cruciais do desenvolvimento: a vida intrauterina, o parto e os primeiros dias de vida. Os comentários a respeito do tipo fóbico, mais adiante apresentados, baseiam-se nos estudos de Ferri e Cimini[6].

Forma-se um núcleo fóbico na fase intrauterina e nos primeiros dias de vida, quando o bebê está muito desprotegido e qualquer falta de segurança é sentida como uma ameaça à sua vida. Segundo os autores, um estresse intrauterino poderá gerar uma estrutura psicótica como visto anteriormente, mas isso é verdade apenas se o feto não tiver energia suficiente para proteger--se. Se esse feto sofre um estresse menor ou tem maior quantidade de energia, não haverá psicose, mas o desenvolvimento de uma personalidade fóbica, em maior ou menor grau. A psicose é uma patologia e não uma estrutura de caráter ou de personalidade.

Retomando o tipo fóbico que, conforme descrito, é um indivíduo com média ou alta quantidade de energia e que passou por um grande estresse na vida intrauterina, pergunta-se que tipo de estresse poderia causar a fixação fóbica. Provavelmente: tentativas de aborto, falta de contato entre a mãe e o filho, profunda rejeição materna nessa fase, problema físico da mãe, tal como doença grave que envolva o bebê ou não etc. Outro momento que pode ser muito significativo para a formação de um núcleo fóbico é o do parto. Um parto estressante que não possibilite a passagem tranquila do mundo protegido intrauterino para o mundo externo, tão intenso e cheio de estímulos (luzes, sons, tato, dor, fome etc.), também pode determinar uma fixação fóbica. Os partos estressantes vão desde aqueles em que ocorre risco à vida do feto, como eclampsia, descolamento prematuro da placenta, circular de cordão, distorcia, como também, em outro plano, o uso de fórceps e a cesariana. Entender o parto como um momento de passagem e de início de vida e, como tal, a primeira experiência de mudança e início de ciclo, é perceber que um parto com risco de morte deixa uma marca profunda, como o medo de morrer, a cada grande mudança na vida. Um parto com o uso de fórceps deixa a marca de um grande esforço necessário para entrar em um novo ciclo. Finalmente, o parto cesáreo, tão corriqueiro nos dias de hoje, no Brasil, imprime uma passagem repentina e, às vezes, antes do tempo, quase como um susto que acompanha as mudanças de vida dessa pessoa e, muitas vezes, posteriormente, um desejo profundo de não precisar fazer nenhum esforço nas passagens da vida.

Todas as situações descritas resultam em um estado de alarme e alerta característico do tipo fóbico.

Na vida adulta, são pessoas extremamente sensíveis, que percebem rapidamente se o ambiente em que se encontram é acolhedor ou não, estão sempre prontos a sair de cena se a situação ficar difícil ou pesada. O indivíduo fóbico, ou com um núcleo fóbico, é capaz de inibir a agressividade dos outros com sinais infantis de desproteção e chamados de acolhimento e aceitação. Por estarem sempre com uma sensação de ameaça à vida, são extremamente atentos e móveis; sabem estudar a distância perigosa entre si e o outro. Em suas relações, confiam sempre desconfiando e, apesar de precisarem do outro para carregar sua energia e receber a estrutura que não possuem, não podem ficar prisioneiros. Ao menor sinal de falta de movimento ou de liberdade, sentem-se desconfortáveis e procuram uma saída.

Fisicamente são muito leves, com pouquíssima estrutura muscular de defesa. São ágeis, têm o olhar atento e estão sempre ligados no que está acontecendo. Muito sensíveis, podem facilmente sentir-se descarregados energeticamente.

O aprendizado necessário para o tipo fóbico consiste em se tornar capaz de se defender melhor, para poder relaxar em ambientes que não são necessariamente ameaçadores.

Tipo Oral ou Temperamento Oral

A fase oral do desenvolvimento inicia-se após o nascimento e vai até cerca dos 10 meses, ou o período do desmame fisiológico, quando a criança começa a mastigar. O bebê é totalmente dependente da mãe, que alimenta de leite e de amor esse pequeno ser, desprotegido e frágil. Suas defesas ainda não existem e seu único recurso é chorar. Algumas mães são capazes de distinguir os tipos de choro de seu bebê (choro de fome, de cólica, de sono etc.). A mãe entra no mundo do bebê e decodifica os sinais para que haja uma comunicação entre eles. Há uma sintonia entre os dois, nada mais importa para a criança na fase oral. Muitas vezes, entretanto, principalmente nos dias de hoje, a criança não e devidamente amamentada ou passa por um desmame precoce, que lhe confere uma marca, um estresse na fase oral. Não só esses fatos objetivos, relativos a amamentação, são importantes, mas também os mais sutis, como a presença da mãe que vela pelo bebê, que adivinha os seus desejos, que compreende o seu choro. Muitas mães podem oferecer contato maior, mas com qualidade ruim, estando dispersas e preocupadas com muitas outras coisas que não o bem-estar do seu bebê. O contato entre a mãe e o filho é o primeiro passo para se estabelecer uma forma de comunicação e de relação entre duas pessoas. Essa comunicação ficará impressa no indivíduo e servirá de modelo para ele se expressar, posteriormente, a outras pessoas.

Nessa fase, o bebê ainda não desenvolveu suficientemente sua musculatura e seus sistemas de defesa são precários. Crianças próximas ao desmame são capazes de morder, mas bebês mais jovens, de dois ou três meses, ainda não. Isso confere uma diferença aos tipos orais encontrados no adulto: o tipo oral insatisfeito e o tipo oral reprimido.

O primeiro tipo, oral insatisfeito, como o nome já diz, não foi satisfeito nas suas necessidades. Não recebeu o que lhe era de direito e tenderá a sentir-se oco, necessitando que a vida ou os outros o completem. A sensação de vazio interior muitas vezes manifesta-se como uma depressão na vida adulta ou uma tendência a buscar relacionamentos simbióticos, em que o parceiro oferece um preenchimento da sua lacuna e ocupa o lugar de mãe, que "adivinha" suas necessidades, mas não um lugar de adulto e companheiro, que conversa, troca, exige, dá e recebe.

O segundo tipo, oral reprimido, recebeu de sua mãe aquilo que um bebê necessita, porém cedo demais ela saiu de cena, voltando a trabalhar ou ausentando-se da relação e do contato com o seu bebê. Às vezes, isso ocorre pela introdução precoce de alimentos sólidos na dieta de uma criança pequena, que ainda não tem a musculatura preparada para receber esses alimentos. Esse bebê já está mais forte e mais velho que o do primeiro caso, iniciou o desenvolvimento da mastigação e apesar de não estar completamente pronto, em breve passará a morder. Esse bebê também se sente vazio pela ausência precoce de sua mãe, mas como defesa, cerra os dentes e a boca.

Além das descrições dadas, observa-se, ainda, a situação oral em que a mãe não consegue deixar o filho crescer, sair da dependência, ou na qual o pai está emocionalmente ausente e a criança sente a necessidade de ter a mãe sempre próxima de si. A pessoa que não teve uma relação oral equilibrada com sua mãe fica impedida de ir em frente, de explorar o mundo e buscar sua mobilidade e independência. Ou seja, tanto a deficiência na fase oral quanto o excesso levarão a uma dificuldade em entrar nas fases seguintes.

O adulto com dificuldades na fase oral apresentará sentimentos de menos valia e insegurança, um eu frágil e sugestionável. Torna-se muito dependente do parceiro e teme a separação como sendo algo insuportável. Por não ter desenvolvido suficientemente a capacidade de contenção (que é característica da fase anal, em que se contêm as fezes), o tipo oral frequentemente tende a extravasar sua intimidade, falando a todos de si mesmo, esperando que alguém o contenha e o faça sentir-se preenchido. Quando acometido por alguma dificuldade emocional maior, tem muita dificuldade de guardar para si seus problemas, pede ajuda, mas não escuta as respostas ou tende a pedir socorro a quem não o pode socorrer, ficando ainda mais vazio de si. Em geral, é pessimista e acredita que o mundo lhe deve.

O adulto com traços de oralidade reprimida pode reagir ao vazio interior tomando-se crítico e mordaz. Essa seria uma "ação reativa" e não uma verdadeira possibilidade de escolha. O oral reprimido tem muita raiva pela privação de afeto e atenção a que foi submetido, mas pouco consegue fazer a respeito, pois ainda não é capaz de se suprir energeticamente. Ele depende do outro, porém, não gosta dessa dependência. Também reativamente, o tipo oral pode tender a acumular demais. Acredita que ao possuir bens, títulos, diplomas, casamento e filhos "apresentáveis" será suficiente para obter a satisfação que tanto busca. Contudo, continua sempre vazio, pois ele *tem*, mas não é.

Corporalmente falando, o tipo oral tem uma estrutura de defesa muito fraca e sensível, pois não consegue atingir plenamente a muscularidade, responsável pela formação das couraças mais fortes. Por isso, é muito permeável ao meio e não suporta tensões prolongadas. Segundo Gino Ferri, sua economia energética e negativa, no sentido de ser frequentemente acometido de mal-estar, mau humor, cansaço e vigor diminuído[6]. Seus movimentos são um pouco mais lentos e tendem ao imobilismo. Diferentemente do tipo fóbico, o indivíduo fixado na fase oral é incapaz de fugir rapidamente das situações difíceis, também não consegue posicionar--se positivamente em relação a elas.

A saída e a possibilidade de evolução para um tipo oral é aprender a acreditar na vida, ter fé e saber buscar atividades e relacionamentos que sejam realmente nutridores.

Tipo Anal ou Caráter Compulsivo

A fase anal do desenvolvimento da criança vai de cerca de dez meses até dois anos de idade. Ou seja, ela se inicia no desmame ou no fim da fase oral. Com uma alimentação mais sólida e consistente, a criança passa a formar o bolo fecal, que será contido em seu organismo até que ela evacue. A sensação de conteúdo e forma, de continência, de coordenação motora e de muscularidade (necessárias para o ato de defecar) são características dessa fase, muito diferente da anterior, em que a criança ainda era incapaz de "conter" as fezes e, por analogia, a própria energia. Nessa fase, a criança começa a andar e passa de meros movimentos à motilidade real. O bebê que está sendo amamentado, inicialmente, precisa de muitas mamadas para repor a energia dos alimentos, contudo, próximo aos dez meses, pode ficar períodos mais longos sem precisar comer ou sem se sentir vazio. Essa é uma grande característica que marca a diferença do tipo oral para o tipo anal: a possibilidade de sentir-se pleno e de conter a energia.

O tipo oral não pode viver sem o outro, sem a mãe que o alimenta. Suas relações na vida adulta são o que se chama de relações simbióticas, ou seja, "eu preciso do outro". Não há escolha, não se pode viver só, pois se trata de uma questão de sobrevivência. Já na entrada do período anal, da "neuromuscularidade", da continência, a pessoa passa a ser capaz de, até certo ponto, aguentar períodos maiores sem precisar ser alimentado pela mãe ou pelo outro. O tipo anal percebe que tem algo dentro de si e isso causa uma sensação de potência, um prazer em ser capaz de conter e fazer sua "obra--prima" (obrar significa defecar). Esses dados são fundamentais para entender os conteúdos relacionados à vida de um tipo anal. Ele é um indivíduo sólido, concreto e independente.

Se a criança continuar a desenvolver-se, passará pelas fases fálica e histérica, até atingir a fase genital. Entretanto, o tipo anal tem uma fixação nessa fase. Por que isso acontece? A mãe desse indivíduo é uma mãe presente, mas também dominadora. Ela controla as evacuações, o treino do controle esfincteriano, deixando uma profunda marca na criança, que "precisa" conter, a qualquer custo. O que se observa e, justamente, que o tipo anal é um tipo "contido" e não expansivo. Já o pai pode ser castrador, ameaçando a criança de ir adiante, de tomar conhecimento de seu falo e de sua potência genital (na fase seguinte, que é a fase fálica). Portanto, a criança fica presa nessa fase, sem poder experimentar plenamente as próximas. Seus pais são tipos rígidos e castradores, ameaçam a criança com punições fortes e violentas. A neurose de castração, descrita por Freud, é a que dá origem aos tipos anais ou compulsivos. Hoje em dia, esse tipo de estrutura é menos frequente na sociedade ocidental, graças à divulgação da psicologia em revistas, televisão e escolas. Muitos pais sabem que punir severamente uma criança pode atrapalhar seu desenvolvimento. Infelizmente, isso é confundido com ausência de limites e a criança, sem o exemplo dos pais, tem de experimentar de tudo para descobrir seus próprios limites e, muitas vezes, passa a vida brigando com a impossibilidade de ter tudo o que quer.

O controle precoce dos esfíncteres obriga a criança a manter a musculatura rígida, a fazer força e a segurar as fezes. Se ela estiver pronta, contiver as fezes lhe dá sensação de potência e de prazer. Se isso ocorrer precocemente, tem medo de perder o controle ("fazer uma cagada") e, assim, torna-se rígida, para tentar "segurar" o máximo possível.

O adulto do tipo anal é reservado, inibido, às vezes, depressivo tem uma agressividade latente, pouco expressa, e pode apresentar traços compulsivos e obsessivos. Essas características revelam um indivíduo metódico, perfeccionista, racional, excessivamente organizado, com um senso de dever exagerado. Diferentemente do fálico, o anal não costuma ser muito criativo ou líder, ele está mais preso a uma estrutura. Mudanças na programação causam angústia para alguém que tem um forte traço anal.

O compulsivo tem um pensamento minucioso, repetitivo, linear, sem a noção clara de prioridades. Muitas vezes, é assolado por dúvidas, justamente por não conseguir priorizar o que é mais importante em sua vida. Tende a ruminar, a gastar muito tempo com pensamentos e ideias, como se estivesse mastigando e digerindo lentamente tudo o que acontece com ele.

A agressividade é outro ponto importante, pois o adulto que é predominantemente do tipo anal tem muita dificuldade para expressá-la e, quando o faz, é tomado, muitas vezes, por um sentimento de culpa. Expressar a agressividade e uma característica típica de um fálico, pois este reconhece essa força em si e identifica-se com ela. Já o anal tem medo da castração e recolhe seus impulsos agressivos, bem como os criativos, por medo do enfrentamento.

Do ponto de vista corporal, são pessoas rígidas, com o corpo tenso e "socado" ou atarracado. Têm pouca mobilidade e apresentam tensões na região perianal, pelve, lábios, maxilares e também na cervical. São, em geral, retraídos e pouco espontâneos. O tipo anal representa muito bem aquilo que foi inicialmente descrito por Reich como couraça muscular, por ser sólido e ter uma defesa, muitas vezes, impenetrável. Seus movimentos são pouco naturais e com ausência de ritmo, pois ele não entra em contato com os ritmos internos de seu corpo. Olhos, boca, pescoço e peito e, também, o diafragma, são densos e rígidos. Há boa quantidade de energia, com baixa circulação. Já o abdome e a pelve têm menor quantidade de energia, como se o diafragma separasse a parte superior da parte inferior do corpo. Não há uma boa comunicação entre as vísceras, ritmos abdominais e pelve de um lado, com o peito e a cabeça do outro. É alguém que não está bem conectado com seus impulsos sexuais, com a fome, com o "frio na barriga", pois não consegue sentir, nem elaborar essas informações que "vêm de baixo".

Como defesa, passa a ser morno afetivamente. Separa os afetos das ideias, é muito reservado e apresenta um marcado autocontrole. Não sente muito prazer, mas também não sente dor. Relaciona-se com os outros com austeridade, crítica e senso de dever, pois sua relação marcante com os pais ensinou-o a endurecer e fazer força. Pode chegar a ser pedante, pois está muito focado em si mesmo, nos seus esforços e, raramente, sente o outro. Tem, em geral, dificuldade de expressar a raiva, que fica contida e voltada para dentro. É também uma pessoa econômica, não gosta de gastar muito dinheiro, do mesmo modo que pode economizar elogios, carinho e afeto.

A evolução para um tipo anal é ousar, ir além, soltar-se, permitir-se ter prazer e deixar de ser tão econômico. Expressar sua agressividade de maneira construtiva e criativa, acreditar que ao se soltar, ele não será punido e ao dar, não ficará sem nada.

Tipo Fálico ou Caráter Fálico-narcisista

Após as fases oral e a anal do desenvolvimento da criança, ela passa por outra fase, chamada fálica. A fase fálica vai em geral dos dois aos cinco anos de idade, quando o indivíduo descobre os próprios órgãos sexuais. Além disso, já mais crescida, a criança passa a explorar o mundo que a cerca, é capaz de expressar-se melhor, de buscar o que quer, de relacionar-se com outras crianças, saindo da esfera que envolve apenas os pais. Ela percebe que há um mundo inteiro lá fora, esperando para ser explorado. Essa sensação é mais um salto evolutivo, inicia a possibilidade criativa e expansiva. A fase fálica caracteriza-se pelas descobertas que a criança pode fazer quando suas atuações já não dependem tanto dos pais como antes. É uma fase de exibicionismo, como se por meio do falo (no homem) a criança pudesse mostrar sua potência.

Alguns pais e, principalmente, algumas mães podem ser "castradoras" e ignorar ou reprimir as manifestações de potência que a criança começa a mostrar. Pode haver até uma competição com a criança sobre quem manda ali e o "corte" dos pais pode ser sentido como uma rejeição. Não significa que os pais não possam dar limites aos filhos, mas sim que, algumas vezes, há uma competição pelo mesmo espaço, a criança pode ser podada de maneira violenta, principalmente pela mãe que, muitas vezes, é rígida e também sedutora. A criança que ama profundamente essa mãe esconde a ferida da rejeição e passa a tentar provar que realmente "pode", em uma tentativa de vingança. Verifica-se um jogo entre mãe e filho ou entre pai e filha, de quem conquista e quem rejeita, de quem detém o poder.

Diferentemente da fase anterior, não há um controle visceral, das entranhas, da "obra-prima" (fezes). Ao chegar à fase fálica já se é continente, já se experimentou o prazer e a potência decorrentes do controle esfincteriano e se está apto a explorar o mundo. Os pais acompanham a criança até então, mas com a nova dose de energia presente nesse momento, podem sentir-se ameaçados na sua autoridade e daí inicia a castração, nessa fase mais tardia. Ou então, são pais que toleram bem a independência de seus filhos e, por isso, não interferiram demais na fase anal anterior, mas no momento da fase fálica, exigem uma postura confiante, extrovertida e de sucesso de seus filhos. A criança ainda está experimentando o mundo, mas os pais já querem resultados. O *sentir* é posto de lado e inicia-se o *fazer*. Fazer aulas, fazer lições, fazer bonito nas festas e para os amigos dos pais, fazer uma série de coisas produzindo, com isso, uma imagem. A imagem é mais importante que o ser, ser quem realmente é, com suas fraquezas e dores.

Na vida adulta, indivíduos que ficaram fixados nessa fase, apresentar-se-ão como tipos fálicos. O tipo fálico é, em geral, muito ativo, autoconfiante, objetivo, enérgico, ousado e marcante. Pode ser arrogante e agir com superioridade. Ele é cortante, destrutivo e agressivo. Não tem medo de falar "na cara", de magoar ou humilhar alguém e, quando é ofendido, parte para o ataque. Por outro lado, é muito franco e não dissimula. É sério e tenaz; sua objetividade e praticidade fazem-no chegar onde planeja. Não gosta de ficar parado, sem fazer nada.

Do ponto de vista corporal, o tipo fálico é, muitas vezes, atlético, bonito, imponente, com ombros largos e postura altiva. Apresenta um ar de superioridade e presunção. O pescoço é duro e musculoso, a coluna é rígida e reta; ele é muito focado e até obstinado. Tem grande agilidade motora e mental, uma postura rígida e marcante. Seu corpo é marcado por uma fragilidade nas regiões abdominal, diafragmática e da boca, mas o resto do corpo é firme e denso, compensando a fragilidade principalmente com um enrijecimento do pescoço, que sustenta a sua postura altiva, de confronto e de ação.

O fálico tem bastante energia e está sempre fazendo algo, como se não tivesse o direito de relaxar, ter prazer e sentir. Aliás, o ato de "fazer" o tempo todo é, muitas vezes, uma fuga do sentir. O sentimento torna-o mais humano, mais suave, principalmente na relação com o outro. Em geral, ele é mais rígido e frio e busca emoções fortes que possam mobilizar alguma resposta que o permita abusar do poder ou de drogas ou de conquistas amorosas, como um colecionador. A dificuldade de entrega e de ter prazer opõe-se ao envolvimento amoroso profundo; a conquista é sempre um jogo de poder. Essa é a atitude tipicamente narcísica, relembrando o mito de Narciso, que se afogou no lago por enamorar-se pela sua própria imagem.

A questão da imagem é um ponto central na personalidade narcísica. Não só a física, mas também a imagem social, o *status* e o poder. Mostrar suas fraquezas e feridas está fora de cogitação. Um tipo fálico, em geral, quando adoece, não o revela a família, mantendo até o fim a imagem de líder, que é forte e está acima da vida e da morte.

O grande medo da pessoa fálica é de precisar de alguém, depender emocionalmente. Por isso, coloca-se sempre em posição de superioridade e força. O medo de precisar e pedir o faz, por outro lado, desprezar profundamente quem se coloca em posição oral. O fálico tem muita dificuldade de receber e de se entregar. Sua reação a qualquer ameaça é atacar e não retroceder; ele não tem medo do confronto, e sim, da entrega. Um outro ponto difícil na vida de um indivíduo predominantemente fálico é a paranoia. Por não confiar e não se entregar a ninguém, ele está sempre alerta e desconfiado.

O homem fálico-narcisista teve, provavelmente, uma forte admiração pela sua mãe, sedutora, mas rígida. Aqui, encontram-se duas situações distintas: na primeira, a própria mãe é o elemento castrador da relação, enquanto o pai é, muitas vezes, mais ausente ou fraco. Na segunda, o pai também é forte, líder e exigente. Na primeira cena, com um pai ausente e uma mãe marcante, ocorre identificação com a força materna. Durante seu desenvolvimento, a criança não encontra impedimentos para tornar-se forte e decidida. Contudo, por não ter tido um confronto real com um pai na infância, este tipo fálico terá maior dificuldade ao se deparar com uma figura autoritária masculina. Na vida adulta poderá identificar-se com correntes alternativas de poder, em oposição ao sistema vigente.

Na segunda cena, com uma mãe forte e um pai fálico e, também, forte, mas não castrador o suficiente para que o menino se retraia e volte à fase anal, a criança é estimulada a adotar uma atitude também fálica, desafiante, de líder. Socialmente, assume posições de poder e liderança, ocupa lugares de destaque. A postura narcísica é incentivada pela estrutura da sociedade, que vê com bons olhos a produtividade, a competitividade, o fazer em detrimento do prazer e, desse modo, ocorre um reforço positivo de sua atitude perante a vida. Encontram-se nessa situação, homens de destaque, estadistas, grandes líderes.

Já a mulher narcisista tem também um pai sedutor, mas que provavelmente a abandona no momento da genitalidade. A mãe costuma ser crítica, moralista e não faz aliança com a filha, mas tem menos força que o pai. Assim, a mulher narcisista despreza as outras, tem facilidade de fazer aliança com os homens, mas, em um nível profundo, compete com eles. Se ela for forte demais, pode tornar-se o "homem" da casa e deixar o marido em uma posição impotente.

Pacientes fálico-narcisistas raramente procuram a terapia, pois têm uma imagem ideal de si mesmos e não admitem que outros apontem seus erros. É igualmente importante saber que, nos dias de hoje, o mercado de trabalho é altamente competitivo, oferecendo pouco espaço para o ser humano, por trás da política de resultados, por todos, almejada. Portanto, o tipo fálico-narcisista é bem adaptado ao sistema social vigente. Alguns, porém, chegam a fazer terapia e, por gostarem de ser bem-sucedidos, podem aprofundar-se bastante, o que se torna um ponto positivo no tratamento.

O desenvolvimento de um tipo fálico ocorre quando ele pode ser, sem ter de fazer; aceitar seus erros e aprender que a imagem não é tudo; confiar nas próprias emoções e ser capaz de entregar-se em uma relação sem precisar ficar em posição de superioridade.

Tipo Histérico ou Caráter Histérico

A fase histérica do desenvolvimento da criança é marcada por descobertas de diversas possibilidades de expressão, sendo a última fase antes de se atingir a plena potência genital. Essa fase, chamada genital-incestuosa, ocorre após a descoberta da potência fálica; alguns autores acreditam que a fase fálica é mais proeminente no homem e a histérica, na mulher.

Na fase fálica, a criança entra em contato, pela primeira vez, com as possibilidades criativas da vida. Na fase fálica, a energia da criança é reta, direta, ela foca algo e vai atrás do que quer. Já na fase histérica, ocorre uma exploração ampliada, de todas as possibilidades do ambiente, de maneira circular. A fase histérica caracteriza-se por uma excitação global, um reconhecimento da energia que circula em diversas direções até poder ser descarregada (fase genital). A criança é estimulada pelos pais e responde tornando-se ligada, alegre, interessada e ativa. Entretanto, lixar-se nessa fase pode causar superexcitação sem descarga energética. Isso ocorre porque a criança em fase genital incestuosa passou pelas sucessivas fases do desenvolvimento, foi querida, amamentada, recebeu limites, mas não excessivamente rígidos, desenvolveu-se livre de muitas amarras e chegou à fase edípica, de enamoramento do pai (para a alha) ou da mãe (para o filho). É uma criança cheia de vitalidade e energia, mas seu foco de amor não é passível de ser concretamente realizado, pois o pai ou a mãe não podem corresponder sexualmente a esse amor. Nesse momento, os pais saudáveis reconhecem a excitação da criança e ajudam-na a canalizá-la para uma expressão criativa ou ensinam-na a esperar (fase de latência) até que surja um parceiro, na adolescência, a quem dirigir sua forte energia sexual. Todavia, alguns pais são extremamente sedutores, entram no jogo de excitação da criança, mas por não poderem ser os depositários de tanta libido, acabam recuando e deixando a criança só e perdida. Essa atitude cria uma marca na criança, que é a da impossibilidade de dirigir sua energia para um foco, para um objetivo. Ela fica desorientada, sem conseguir canalizar a sua forte libido. O período edípico, que marca a fase histérica, é chamado de primeira fase genito-ocular (em oposição à segunda, que ocorre no início da puberdade). A criança entra em contato com o pai ou a mãe (do sexo oposto) e faz fantasias do tipo incestuosas. Entretanto, ela não as pode realizar e a energia fica estagnada nessa fase da evolução, criando angústia e dificuldade de descarga energética.

Na fase adulta, a primeira fotografia do tipo histérico revela uma pessoa sedutora, desfocada, hiperexcitada, dramática, ansiosa e pouco centrada. Trata-se de um indivíduo que tem a capacidade de pressentir o que esperam dele e de se adaptar rapidamente, como uma espécie de camaleão. Gosta de ser o centro das atenções.

O tipo histérico é mais facilmente encontrado nas mulheres, contudo, também pode aparecer nos homens que apresentam delicadeza e cortesia, além das características descritas anteriormente.

Emocionalmente, são pessoas instáveis, sonhadoras, sugestionáveis e que, facilmente, se perdem em fantasias. O comportamento sexual é o de sedução sem envolvimento e, muitas vezes, no último instante, esquivam-se e fogem da relação, em uma espécie de jogo de contato e fuga. Na relação sexual, podem ter dificuldade de descarga energética, apesar de atingirem um alto grau de excitação. Graças a essa alta carga e pouca possibilidade de descarga, provocada pela dificuldade de relaxamento e entrega, são pessoas que, frequentemente, envolvem-se em múltiplas atividades, pois têm muita energia. São ainda indivíduos que têm muito medo de entrar em depressão. Daí surge o comportamento de agitação e excitação, para não precisar entrar em contato com questões internas mais difíceis. Mudam facilmente de opinião e apresentam, comumente, instabilidade de reações. Desapontam-se com facilidade, pois idealizam as situações e os parceiros. Gostam de fantasiar e, muitas vezes, acreditam em suas próprias fantasias de maneira infantil, pois têm dificuldade de lidar com a realidade tal como ela é. Costumam recusar--se a admitir seu comportamento sedutor e ficam chocadas com insinuações feitas pelo sexo oposto, pois, na iminência de exercer a sexualidade, retraem-se, adotando um comportamento passivo ou apreensivo. Frequentemente, representam papéis, sem chegar a expressar verdadeiramente o que estão sentindo.

Do ponto de vista corporal, o adulto do tipo histérico tem agilidade pélvica (rebolam, dançam), agilidade corporal, cintura fina, linhas curvas e formas sinuosas. São pessoas que somatizam facilmente. Com seu andar leve, macio e flexível, não impõe sua presença no ambiente, mas insinuam-se nele. São sexualmente provocantes e sensuais. O tipo histérico não é pesado (do ponto de vista muscular), pois não condensa sua defesa em uma couraça bem definida; dissipa sua energia sem um foco preciso. Seu bloqueio energético encontra-se principalmente nos olhos e na pelve (da fase genito-ocular). Sua energia concentra-se na região pélvica, ficando deficiente na região dos olhos, pescoço e peito. Ou seja, a pessoa tem dificuldade de ver e discriminar bem o ambiente (olhos), de tomar uma postura assertiva (pescoço) e de ter uma identidade forte (peito). Sua couraça não é rígida como a do tipo anal ou do tipo fálico, mas pode ser tão ou mais difícil de abordar, pois é uma defesa móvel, segundo F. Navarro: "Como uma rede de pescador, cujos nós a tornam elástica"[7].

O indivíduo do tipo histérico não costuma racionalizar, elaborar profundamente ou intelectualizar. Sua energia está mais disponível para a ação e a atuação. Conforme Navarro, o amadurecimento do tipo histérico vem quando ele para de ser ator e passa a ser o autor no palco da vida.

Apesar de possuir bastante energia, nem sempre sabe usá-la, por não conseguir focar seus objetivos facilmente e por sua dificuldade em organizar-se.

Eventualmente, apresenta cofixações ou "misturas" de outros tipos de fixações de caráter. Gino Ferri, em seu livro, *Psicopatologia e Carattere*, descreve essas cofixações da seguinte maneira[6]:

> O traço histérico e oral pode facilmente entrar em angústia, sentir-se só e abandonado e compensar seu vazio por meio da sexualidade, gerando uma conduta de "consumismo sexual". O histérico-anal

consiste em um tipo paradoxal, em que há, simultaneamente, uma franca sexualidade e uma espécie de controle não consciente e pudico dela. O histérico-fálico é um tipo bastante comum, que gera condutas provocatórias, uma sexualidade competitiva, com risco de criar situações destrutivas com seu parceiro.

O traço histérico e fóbico resulta em uma grande agilidade sexual, com jogos de contato e fuga ainda mais presentes. A pessoa pode buscar um parceiro estável e estruturado, mas viver suas fantasias românticas com um outro, distante e idealizado. Essa triangularização ocorre como forma de suprir, por um lado, a necessidade de estrutura e, por outro, a busca histérica pelo amor idealizado e sedutor. Costumam ser indivíduos inteligentes e ágeis ou, também, conhecidos como histéricos intelectuais, conforme descritos por Baker.

Caracterologia e Medicina Chinesa

Na medicina chinesa, há um sistema de Cinco Elementos ou cinco símbolos que agrupam em torno de si órgãos, funções fisiológicas, aspectos mentais, fatores de adoecimento etc. Ou seja, são cinco microcosmos que interagem entre si, agrupando aspectos correlacionados à saúde física e mental.

Dos Cinco Elementos existem as seguintes possibilidades de associação com os tipos característicos descritos:

- Elemento Água — tipo fóbico.

- Elemento Madeira — tipo fálico-narcisista.

- Elemento Fogo — tipo histérico.

- Elemento Terra — tipo oral.

- Elemento Metal — tipo anal.

A seguir, nos capítulos referentes aos elementos, serão estudadas cada uma das associações descritas.

As Fases, os Tipos e Todos Nós

O homem passa por todas as fases de desenvolvimento de um jeito ou de outro. Alguns podem ter histórias de gestação difícil, porém, com parto tranquilo e infância alegre. Para outros, a gestação foi tranquila, o parto traumático e a amamentação satisfatória. As combinações são inúmeras e, em caracterologia reichiana, fala-se de quantidade e de qualidade. Quanta energia tem uma determinada pessoa? Quanto tempo de estresse sofreu aquele bebê? A ameaça de aborto foi passageira ou esteve presente durante toda a gravidez? A mãe saiu para trabalhar e demorou a voltar ou morreu, a criança ficou órfã? Qual a qualidade do afeto e da ligação entre a criança e seus pais?

Ou seja, determinar qual será o efeito disso ou daquilo na vida adulta é muito difícil, todos nós passamos por traumas, frustrações e desamparos e, ao mesmo tempo, podemos estar diariamente em contato com o amor e com boas relações que amenizam e cicatrizam nossas feridas. Quando um adulto se submete à leitura e ao trabalho corporal, deve fazê-lo no intuito de autoconhecer-se, para a apreciação do seu modo ótimo de funcionamento. A palavra-chave é funcionalidade: "Se tenho dificuldades orais, como posso funcionar melhor? Se minhas respostas são histéricas, o que esperar das minhas fantasias? O que posso fazer para sair das minhas dificuldades, em vez de desesperar-me?".

Cada um é o produto de tudo o que viveu somado a todo o seu potencial no presente. Conhecer sua história possibilita um melhor funcionamento no aqui e no agora.

Todos os temperamentos e os tipos característicos coexistem. São arquétipos que podem ou não ser vividos por um indivíduo. Ao longo da vida, pode-se passar por vários desses temperamentos. Os próprios tipos característicos, apesar da couraça que prende o indivíduo a uma determinada conduta-padrão, também não estão 100% presentes durante toda a vida de uma pessoa. Há situações que geram uma resposta oral e outras, uma resposta narcisista; uma terceira provoca uma atitude funcional. Isso é muito bem traduzido na medicina chinesa pelo movimento incessante observado em *Yin* e *Yang*. O *Yin*, ao chegar ao seu apogeu, transforma-se em *Yang* e o *Yang*, no seu clímax, transforma-se em *Yin*.

Ao estudar as "tipologias" deve-se ter sempre em mente quão limitadas e falhas elas são, frente à complexidade humana. Os tipos são um modo de agrupar características mais ou menos marcantes, mais ou menos prevalentes em uma pessoa. É raro encontrar um tipo puro; por exemplo, alguém que seja o tempo todo de temperamento Madeira, expansivo, corajoso, ativo, teimoso, agitado. Esse mesmo indivíduo pode apresentar momentos de reflexão, introversão e racionalização, que não fazem parte das características da Madeira. Do mesmo modo, um caráter oral pode ter aspectos histéricos, que vêm à tona em uma determinada situação.

Os tipos mais puros ou fiéis a sua caracterologia são mais rígidos e pouco adaptáveis. Só quem tem a possibilidade de achar caminhos funcionais e mutáveis está em equilíbrio, pois a estase e a fixação trazem a doença.

Além do movimento natural, que determina a mudança dos padrões de comportamento, existe a possibilidade de mudá-los por meio do autoconhecimento. A evolução da espécie humana reside na sua capacidade de observar-se, de observar a natureza, de fazer associações e de tirar as próprias conclusões. Trata-se de um processo natural que inclui todo tipo de descobertas a respeito de si mesmo e do ambiente. Essas descobertas começam na mais tenra idade, com a exploração, inicialmente, visual e, depois, oral do bebê, continuando por toda a vida, assimilando vivências diversas (estudos, casamento, filhos, envelhecimento etc.). Todavia, o autoconhecimento e a percepção de si e do mundo podem ser profundamente influenciados pelo caráter ou temperamento do indivíduo, como lentes que dão um colorido levemente diverso da realidade.

Para que possamos prosseguir no autoconhecimento, transitar nos diversos temperamentos, mudar o enfoque da vida e evoluir, podemos usar métodos que nos ajudem a tirar as lentes coloridas, aproximando-nos um pouco mais do real. Entre esses métodos podem-se citar a meditação, a análise, as terapias corporais e a medicina chinesa, entre outros.

4

Os Cinco Elementos da Medicina Chinesa e sua Simbologia

Água

O Símbolo Água

> No mundo inteiro não há nada mais fluido e suave que a água. No entanto, para atacar o que é duro nada se iguala a ela. Nada pode mudar isso. A fraqueza vence a força, a suavidade vence a dureza...[8]

Sem água não há vida. A água cobre cerca de 7/10 da superfície terrestre e constitui a maior parte do próprio corpo humano. Na água surgiram as primeiras espécies do planeta Terra e todos os organismos necessitam dela para Viver. No vale do Nilo, celebram-se as cheias do rio que fertiliza as terras a sua margem. O degelo da primavera trás de Volta a vida e a força da natureza. O útero materno abriga a criança dentro da bolsa com líquido amniótico, a vida intrauterina é aquática.

O mar, o banho, a chuva, o rio são, naturalmente, representativos da água nos sonhos. São símbolos típicos do inconsciente, do mergulho no desconhecido. A água pode ser o símbolo do conhecimento intuitivo, pois tem as qualidades de profundidade e de transparência. Na Mesopotâmia antiga, o "abismo" da água era a fonte de sabedoria, com as características de ser impessoal, misterioso e insondável.

As emoções estão fortemente associadas à água, por exemplo, as lágrimas derramadas ou a sensação de se estar tomado, inundado de sentimentos. A água é o meio fluido pelo qual se comunica o sutil, as vibrações emocionais e o sentir como uma posição de onda.

A água é fonte de vida espiritual e de salvação. Na Bíblia, a samaritana vai ao poço buscar água. Jesus, que lá se encontra, lhe diz que, ao beber a água oferecida por ele, a samaritana não mais terá sede, pois beberá a "água viva". Essa água que Jesus oferece purifica e conduz a eternidade. A água viva é uma fonte inesgotável de vida, pois jorra do amor. O sangue que escorre de Jesus crucificado também é considerado puro e conduz à salvação e é simbolizado pelo vinho durante a missa.

Graças às suas propriedades de limpeza, a água é um símbolo de purificação. Transparente, pura, clara, manifestação do céu. Em diversas religiões, a água é usada como meio e veículo da purificação espiritual:

- No cristianismo, João Batista usou a água para batizar seus fiéis no rio Jordão, pois por suas características de pureza e transparência, a água poderia lavar os pecados passados.

- No hinduísmo, os peregrinos vão ao rio Ganges para purificar-se de seus pecados e dissolver seu carma. A imersão na água significa a volta a um estado antes da forma, que dá um sentido de morte e de aniquilação e, no ato de emergir, o sentido é de renascimento e regeneração.

Outros exemplos da purificação proporcionada pela água:

- Na tradição islâmica, o fiel deve lavar-se (ablução) antes de começar as preces. (A água benta, na religião católica, é um elemento sempre presente nas igrejas.)

- Morrer próximo ao Ganges pode libertar a pessoa do ciclo de reencarnações.

- No Antigo Testamento, Deus anunciou o dilúvio e fez chover sobre a Terra para purificá-la dos pecados cometidos pelos homens.

Afinal, qual purificação se almeja? Seria a de tornar-se puro, livre de pecados como um santo? Edinger propõe uma visão mais "humanizada" da purificação pelo batismo em seu livro *Anatomia da Psique*[9]:

> Psicologicamente, a sujeira (ou pecado) lavada pelo batismo pode ser compreendida como inconsciência, qualidades de sombra que não nos damos conta. A limpeza psicológica não significa pureza literal, mas consciência da própria sujeira. Quando se é limpo, em termos psicológicos, não se contamina o próprio ambiente com projeções de sombra.

Conforme os textos taoistas, a água é símbolo de sabedoria, pois corre livre, seguindo as irregularidades do terreno, sem contestar, sem parar, achando seu caminho por entre pedras e obstáculos. No budismo tibetano, a água e usada para sacramentar os votos religiosos. Muitas vezes, é o símbolo do inconsciente, do indiferenciado. Nadar em um grande mar ou lago é retornar ao todo indivisível. A água, segundo o taoísmo, é o caos e a indistinção primeira:

- O útero materno e a vida aquática do feto são um momento de fusão e indiferenciação. Sem o útero o feto não existe.

- Na tradição védica, a água é o *mâtritamâh*, ou seja, o "mais maternal".

- O próprio nascimento é representado em sonhos e nas obras de arte como a saída das águas.

Seja como símbolo do inconsciente pessoal, seja como símbolo do inconsciente coletivo, ela é a expressão do potencial da psique. O mergulho em águas profundas pode trazer material inconsciente que, se elaborado e tornado consciente, amplia as perspectivas e as possibilidades do Ego.

Uma das características do símbolo é que ele pode ser visto em planos opostos, ou seja, dois polos do mesmo elemento. Portanto, a água, quando poluída, causa aversão e apreensão, mostra decadência, morte da vida (dos peixes e das plantas), traz doença e contaminação. Quando limpa, ela é fonte de vida e de purificação. Outros aspectos da polaridade da água são: a superfície ou a profundidade; a transparência ou a escuridão (do abismo do mar); a criadora da Vida ou a destruidora, fonte de morte:

- Narciso morre afogado ao se apaixonar por sua imagem em um lago. A água é o espelho onde se reflete nossa imagem e atrás do qual residem as profundezas de um outro mundo, o da vida submersa.

• No Alcorão, a vida presente é como a água que o vento dispersa: passageira e vazia.

• Sua força destruidora está presente nas tempestades e nas enchentes. A água do dilúvio exterminou as criaturas da Terra:

> E veio o dilúvio sobre a Terra durante quarenta dias e as águas cresceram (...) Inundaram tudo na sua superfície (...) Toda a carne que se movia sobre a Terra foi consumida: as aves, os animais, as feras e todos os répteis que andam de rastos sobre ela, tudo morreu. E foram exterminados todos os seres vivos sobre a Terra, desde o homem até as bestas (...) (Gênese, 7: 17-23).

O elemento água faz parte do sangue e de outros líquidos corporais, como o esperma, que é outra fonte de vida. Desse modo, a água não só fertiliza os campos, mas ainda dá vida ao homem por meio dos líquidos seminais e do sangue. Ela representa o fluxo contínuo de vida e de vitalidade.

A água é movimento. "Navegar é preciso, viver não é preciso", diz Fernando Pessoa. Navegar é poder entregar-se aos ventos e aos perigos do mar para manter-se em movimento. O fluxo e o refluxo das marés são como a regressão e a progressão da energia. Por outro lado, a água também pode se tornar gelo e parar o movimento. O gelo é como a estagnação psíquica e a falta de afeto.

O ciclo das chuvas mostra, ainda, a constante transformação do elemento. A água evapora com a ajuda do calor e do sol (fogo) e depois retorna à Terra em forma de chuva, que é pura e que dá vida, irrigando os solos.

Do ponto de vista da alquimia, a operação que transforma os elementos em água é chamada de *solutio*. Também conhecida como *liquefactio*, diz respeito à propriedade de derreter-se, passando do estado sólido ao líquido. Psicologicamente, *solutio* mostra a capacidade de um elemento de modificar-se, de suavizar-se e de fundir-se. No plano individual, é um confronto do Ego com o inconsciente. Antes de conseguir qualquer transformação profunda, é necessário transformar tudo em água. Aspectos estáticos e rígidos da personalidade devem ser dissolvidos para que se chegue ao âmago de cada um e, assim, possibilitar a volta do movimento. O risco desse processo é de ficar preso no inconsciente, regredido e ameaçado de dissolução do Ego, como uma volta ao estado primal, uterino. *Solutio* pode ser necessário, mas perigoso; como no dilúvio, quando Deus mandou a destruição para purificar o mundo, muitas pessoas são afogadas e dissolvidas nas águas. O *solutio* representa a capacidade de dissolver um problema e de renascer das águas rejuvenescido. Finalmente, a água é *Yin*, de natureza feminina e receptiva, cíclica e profunda. No *I Ching*, ela é *Kan* ☵ ou o abismo, representando o princípio da luz contida na escuridão. Seu trigrama mostra uma linha *Yang* aprisionada entre duas linhas *Yin*, lembrando o abismo, o desfiladeiro. O caminho é perigoso, mas lentamente, a água vai fluindo e preenchendo as depressões que encontra, sem perder sua natureza essencial, sem retroceder, sem temer as quedas e os terrenos difíceis. Graças à sua fluidez, ela é flexível e adaptável. Aplicada à conduta humana, representa a capacidade de manter sua natureza (ser sincero) e, portanto, fluir constantemente e sem receios. Kan é o filho do meio ou, o segundo filho, corajoso e aventureiro. Kan pode ser perigo, depressão, buraco, armadilha e risco. Lançando-se no abismo, a água pode ir mais longe, mas a queda em si representa um perigo. Em resumo, a água simboliza a reunião de potencialidades, a fonte e a origem, que precede toda a forma e toda a criação. Sem limites e também imortal, ela é o começo e o fim.

Elemento Água na Medicina Chinesa

O símbolo Água representa, na Medicina Tradicional Chinesa (MTC), o órgão Rim e a víscera Bexiga. Por isso, todos os padrões de adoecimento relacionados a Água são referidos como desarmonias do Rim ou da Bexiga. Associam-se, ainda, ao elemento Água os ouvidos, o cérebro, a medula, os ossos, os dentes, a região lombar, o aparelho reprodutor e a energia *Jing* (a essência).

Rim

Os Rins, na MTC, são a raiz da vida, controlam a reprodução, a herança genética, são a base do *Yin* e do *Yang* do organismo.

Dividem-se os Rins em Rim e Rim *Yang*. Segundo G. Maciocia, em seu livro *The Foundations of Chinese Medicine*, o *Yin* e o *Yang* dos Rins podem ser comparados a uma lamparina de óleo. O óleo é o Rim *Yin* e a chama é o Rim *Yang*. Ou seja, o *Yin* é o substrato material para o funcionamento do corpo, simultaneamente, o *Yang* é a energia que irá circular fornecendo vida e força a esse substrato material. Como foi apresentado anteriormente, nas relações entre *Yin* e *Yang* um não pode funcionar sem o outro. O Rim *Yin* está ligado à palavra "vida" e o Rim *Yang*, à palavra "força", e pode-se naturalmente juntá-los em "força da vida". Assim sendo, entende-se a porção *Yang* dos Rins como aquela que dá movimento ao elemento Água.

Se o Rim *Yin* está intimamente conectado a nossa história passada, a dos nossos antepassados e à herança genética, o Rim *Yang* está conectado a nossa história futura, à possibilidade de projetar, de criar e de mover-se para frente, em busca de novos objetivos e metas.

Os Rins controlam a fertilidade masculina e a feminina pela formação do sêmen e dos óvulos. Portanto, contêm a informação ancestral, ou seja, a herança genética e, por meio dela, fazem a ligação histórica do homem, unindo passado, presente e futuro.

Os Rins representam a própria raiz e o homem que busca suas raízes está em profundo contato com a energia renal.

Funções

As funções principais dos Rins são: armazenar a essência (*Jing*), receber o *Qi*, produzir e regular os ossos e controlar o fluxo dos líquidos corporais. Os Rins estão envolvidos na reprodução, gestação e nascimento, formam a medula e o cérebro, controlam os orifícios inferiores (uretra e ânus). Além disso, manifestam-se por meio dos cabelos e suas aberturas exteriores são os ouvidos.

Armazenar a Essência (*Jing*)

Costuma-se dizer que nos Rins está a bateria do corpo, aquilo que dá vida e move o indivíduo. Se não houver energia renal, a vida não acontece. Se houver uma deficiência grave, podem-se encontrar erros genéticos, malformações e, se sua deficiência for relativamente pequena (o que é natural que ocorra durante a vida), isso irá influenciar todos os outros órgãos. A importância tão marcada dos Rins está no fato de eles armazenarem o *Jing*, chamado energia essencial.

Jing, ou essência, é o que determina a constituição energética de cada indivíduo, que se traduz na vitalidade. No *Su Wen*, está escrito que "*Jing* é a base do organismo", ou seja, ele tem uma ligação direta com a integridade física e mental do indivíduo[3]. O *Jing* é a matriz de todas as energias e de todas as formas. Está associado à herança genética e, portanto, à energia básica de cada pessoa, transmitindo a força da vida de uma geração a outra. Se a água for considerada o primeiro lugar a ser habitado no planeta Terra, pode-se pensar que ela contém o código genético de tudo o que nos antecedeu, nosso passado mais remoto armazenado.

Somos resultado do encontro do *Jing* de nossos pais. Porém, o *Jing* não pode ser traduzido simplesmente por óvulo e espermatozoide, ele é mais. O *Jing* é formado por uma parte congênita composta por informações genéticas e vivenciais dos nossos pais e pelo ambiente intrauterino. Após o nascimento, o *Jing* será reposto pelo *Qi* proveniente dos alimentos. A parte congênita não pode ser modificada ou reposta, ela é uma marca de quantidade e qualidade da energia que carregamos conosco por toda a Vida. A parte do *Jing* que poderá ser reposta é limitada, é a parte chamada adquirida, em contraposição à inata. O armazenamento da essência adquirida, que ocorre por meio do ar e dos alimentos, proporciona um sistema de *feedback* (retroalimentação) de energia.

O *Jing Qi* dá origem a Energia Fonte (*Yuan Qi*) e a Energia do Tórax (*Zhang Qi*), quando combinada com o ar puro da respiração.

A Energia Fonte (*Yuan Qi*), como o próprio nome já diz, será a fonte de todo *Qi* do organismo. A Energia Fonte é também conhecida como Energia Verdadeira. *Yuan Qi* é fruto da transformação do *Jing* (herança genética e quantum energético de cada um) e da energia recebida pelo feto durante a gravidez.

Apesar dos nomes difíceis e das subdivisões dos tipos de energia, este é um ponto fundamental da MTC, que precisa ser bem compreendido. O *Jing* é fruto da herança genética e do *quantum* de energia de cada um, que pode ser comparado a um *Big Bang* pessoal no momento da concepção. A partir da união dos gametas feminino e masculino, haverá a formação de um novo ser recriando a formação do Universo, como uma grande explosão de energia. Se esse momento for de amor, se os pais estiverem energeticamente bem, tanto maior será a quantidade de energia passada para o feto. Esse é um *imprinting* (impressão) básico que marcará a vida do indivíduo para sempre; é sua herança pessoal e, de certo modo, irretocável. Por outro lado, durante a gestação o *Jing* se consolidará e haverá a formação da Energia Fonte *Yuan Qi*. Isso depende de uma gravidez tranquila e desejada, também com passagem de amor e nutrição para o feto.

Os antigos chineses já sabiam que o momento da gravidez influenciaria o feto para sempre e as mães gestantes eram muito bem tratadas, recebendo alimentos tônicos, massagens, atenção e carinho especiais, inclusive de suas sogras que, nesse período, decretavam uma trégua nas disputas familiares. Uma gestante cansada, triste, com muitos problemas não poderá passar todo o potencial de energia para seu feto.

O nascimento é um momento de passagem do mundo interno para o externo e o modo como ocorre ficará para sempre gravado no indivíduo. Todas as futuras passagens na vida de uma pessoa (casamento, mortes, separações, saída da casa dos pais) serão novos partos, nos quais as referências estarão sempre na primeira grande passagem.

Após o nascimento, novamente há a formação do *Jing* adquirido ou pós--natal, que depende dos alimentos e da respiração. O período de amamentação é um novo *imprinting* de como a criança poderá obter e aproveitar a energia dos alimentos. Um bebê que não recebe um bom aleitamento, nos sentidos qualitativo e quantitativo, não saberá, futuramente, como aproveitar as fontes de energia da vida.

A vitalidade de cada um depende da herança genética, da saúde dos pais no momento da concepção (determinada pela alimentação, hábitos de vida, doenças e ambiente, bem como a situação da vida) e, finalmente, da força do desejo do encontro dos pais. Além disso, do ambiente intrauterino e, posteriormente, da reposição de energia.

À proporção que a pessoa envelhece gasta-se o *Jing* e a melhor maneira de equilibrar este desgaste natural é mantendo uma vida saudável, com boa alimentação, respeito ao ritmo biológico, com a prática de exercícios físicos e de meditação.

Reprodução e Atividade Sexual

Por estar tão ligado à concepção, ã gestação e ao parto, o *Jing* também regerá toda a parte reprodutiva, como a menarca, as menstruações e a menopausa na mulher e, no homem, a formação seminal e potência sexual e em ambos, a libido e a fertilidade. Conforme já foi dito, o *Jing* desgasta-se naturalmente com a idade e, por essa razão, a mulher para de ovular, entra na menopausa e o homem tem sua potência sexual diminuída. Por outro lado, excesso de atividade sexual, de gestações, abortos e partos podem exaurir o *Jing* e desgastá-lo ainda mais.

Ming Men

Ming Men é uma estrutura chamada de "porta da vida". É descrita nos antigos textos chineses como uma estrutura situada entre os Rins e é um centro energético do corpo. Contém o *Qi* inato e a Energia Fonte (*Yuan Qi*) e ainda reúne em si o Fogo e a Água, o *Yin* e o *Yang*. Esse centro vital também aquece os órgãos e possibilita a reprodução. Ou seja, as funções de vitalidade associadas ao *Jing* estão intrinsecamente ligadas ao *Ming Men*. Quando o "Fogo" do *Ming Men* diminui, observa-se piora da atividade de vários órgãos e, como sintomas, ocorrem cansaço, depressão, frio, perda da agilidade e da vitalidade.

Controle da Recepção de *Qi*

Após o nascimento, é possível adquirir energia de duas maneiras principais: comendo e respirando. A respiração e dirigida pelos pulmões e o ar desce, sendo recebido, segundo a MTC, pelos Rins. A combinação de *Jing Qi* (essência) com o ar inalado formará *Zhang Qi*, a Energia do Tórax, que se acumula no peito. Quando os Rins estão fracos, a recepção da energia do ar ficará prejudicada e poderão desenvolver quadros de dispneia, asma e diminuição geral de energia.

Produção dos Ossos

Os Rins produzem os ossos, a medula, os dentes e todo o arcabouço estrutural da pessoa. A coluna pode ser vista como o eixo principal de estrutura de um indivíduo. Ossos fracos são resultados de baixa energia dos Rins. Nesse sentido, infere-se também que os Rins são responsáveis pelo metabolismo do cálcio, pela osteossíntese que, mais uma vez, com a idade, decai.

Medula e Cérebro

O cérebro, na MTC, é conhecido como o mar da medula e a função mental da memória está conectada aos Rins. Os Rins são divididos em Rim *Yin* e Rim *Yang*. A porção *Yin* gera o mar da medula (cérebro), a medula óssea e, consequentemente, o sangue e o sistema imunológico. Age no sistema de cognição do cérebro e na ligação dos hemisférios esquerdo e direito por meio da audição e da percepção sensorial. As doenças mentais e neurológicas relacionadas ao Rim *Yin* são: esquizofrenia, depressão maior, autismo, retardo mental, paralisia cerebral, esclerose múltipla, doenças genéticas em geral. Com o envelhecimento, podem diminuir a memória, algumas funções mentais como rapidez de raciocínio e resposta, os reflexos o equilíbrio e, também, a capacidade de adaptação.

Controle da Água

Na MTC, os líquidos do corpo (sangue, urina, suor, linfa etc.) são regulados pela "Via das Águas", que é controlada pelos *Zang* (órgãos): Rim, Pulmão e Baço. Quando seu funcionamento está alterado, ocorrem edemas, dores, dificuldade de urinar etc. A função de abertura e fechamento exercida pelos Rins resulta no controle da micção e da defecação (função de controle dos orifícios inferiores). A Bexiga também exerce um papel ativo na eliminação dos líquidos do corpo e, juntamente com o Rim, forma o sistema *Zang Fu* (órgão e víscera) que pertence ao elemento Água.

Zhi, Força de Vontade

Cada órgão é responsável por um aspecto diferente do psiquismo na MTC. No caso dos Rins, existe uma estreita relação entre eles e a quantidade de energia geral do indivíduo. Os Rins contêm a própria vitalidade e seu aspecto psíquico associado é Zhi, que significa Força de Vontade.

Zhi é uma força interna que move a pessoa para realizar novos empreendimentos, no plano pessoal e no social. Zhi demonstra a capacidade de adaptação do ser humano, sua possibilidade de mudança e de busca de novas fronteiras. Uma descrição mais detalhada de Zhi é feita no Capítulo 7.

Manifestações Externas

Os cabelos externam a condição interna da energia renal. Mostram em que estado se encontra a energia dos Rins. Quando os cabelos estão brilhantes, saudáveis e fortes, isso significa boa energia renal. Quando se tornam fracos, quebradiços, opacos, com queda frequente, mostram um declínio na energia renal.

A abertura dos Rins são os ouvidos. Segundo os livros tradicionais: "Se os Rins estiverem equilibrados, os ouvidos podem escutar todos os sons". A capacidade de escuta e fundamental para estar presente e íntegro a cada momento.

Bexiga

A Bexiga recebe os líquidos do corpo que serão excretados, mas sua função também depende dos Rins, pois se eles estiverem fracos, ocorrerá incontinência ou retenção urinária. Sua função é muito importante para evitar o acúmulo de líquidos no organismo, que leva à estase de energia.

Quadros de cistite e inflamações devem ser tratados pelos pontos da Bexiga. O meridiano da Bexiga tem importância fundamental na MTC, pois se localiza nas costas. Desse modo, é usado para tratar todas as patologias dorsais (como dores, hérnias de disco, contraturas musculares), além de ser a via de acesso para todos os órgãos e vísceras (Zang Fu) pelos pontos chamados de "pontos de assentimento", que são usados para tonificar cada órgão e víscera específicos.

Associações

A Água está associada ao inverno, pois é uma energia Yin, de recolhimento. Sua cor é o preto, seu sabor é o salgado que, segundo a medicina chinesa, tem a propriedade de afundar ou fazer descer a energia. A emoção do elemento Água é o medo.

Ciclo de Produção e Dominância

O estudo dos Cinco Elementos ensina que cada um está correlacionado com outro. Todo elemento gera o próximo e cada elemento domina ou controla um outro, para que nenhum se sobressaia, mantendo assim um equilíbrio dinâmico entre as diversas forças que atuam no ser humano.

A Água produz a Madeira, ou seja, a irrigação faz brotar a semente da nova árvore, a vida, o novo ciclo.

A Água controla o Fogo, para que não queime a energia do organismo em sua eterna combustão.

Doenças Ligadas ao Desequilíbrio da Água

Doenças ligadas aos Rins incluem, além das doenças renais, impotência, esterilidade masculina e feminina, polaciúria, oligúria, incontinência urinária, dentes e ossos fracos, dores lombares e nos joelhos, corpo e membros frios, zumbido, alteração da acuidade auditiva, astenia, falta de vontade e de ânimo, perturbações de memória, fobias. No exame físico, além dos sintomas descritos, pode-se encontrar um pulso fino e sem força, principalmente na posição de Rins e Bexiga.

Água

Órgão (*Zang*): Rim

Víscera (*Fu*): Bexiga

Manifestação externa: Cabelos

Abertura: Ouvidos

Partes do corpo regidas/funções: Rins, Bexiga, cérebro, medula, ossos, região lombar, ouvidos, cabelos, Energia Vital, Via das Águas

Aspecto mental/emocional: *Zhi* (Força de Vontade, capacidade de adaptação)

Horário máximo de circulação de *Qi*: Das 17 às 19 horas

Cor: Preta

Sabor: Salgado

Alimentos tônicos: Nozes, uvas, algas, raízes (lótus, bambu, feijão), porco, trigo, pato, girassol, mariscos

Hexagrama (*I Ching*): *Kan* (água, abismo)

Estação: Inverno

Clima: Frio

Gera/produz: Madeira

É **controlado por**: Terra

Atitude: Perseverança, coragem e autopreservação

Emoção: Medo

Fatores de adoecimento: Envelhecimento, doenças crônicas, excesso de atividade sexual, excesso de trabalho, deficiência de energia hereditária

Personalidade Água

Evidentemente, as tipologias são extremamente limitadas para descrever a infinidade de comportamentos de cada ser humano, contudo, elas fornecem alguns parâmetros que orientam dentro de algumas linhas teóricas. No caso da MTC, a personalidade associada a cada elemento é um pano de fundo para o entendimento de certas tendências e caminhos possíveis. São possibilidades simbólicas.

Segundo o *Nei Ching*, o livro de ouro da Medicina Chinesa, existe cinco vezes cinco tipos de pessoas, ou seja, cada personalidade pode ser associada a um dos Cinco Elementos e estes combinados entre si.

Para cada tipo de personalidade há um polo *Yin* ou um *Yang*, que diferencia, parcialmente, as características de um e de outro. Todo indivíduo *Yin* será mais retraído e menos ativo. Todo indivíduo *Yang* será mais ativo e expansivo. Entretanto, os pontos principais que caracterizam cada elemento podem ser encontrados nos tipos *Yin* e nos *Yang*.

Os Rins estão ligados à figura do povo, à grande massa que trabalha, produz, gera energia e movimenta a comunidade. Também podem ser correlacionados aos soldados, sem os quais não há exército. O povo fornecerá energia de trabalho para o resto da comunidade. Como símbolo, a água irriga os campos, possibilitando que as sementes germinem e que o solo se torne fértil. A Água é o elemento básico que dá vida.

Foi dito que a água é usada para o batismo, ela purifica, é a essência do amor divino, a possibilidade de transmissão da herança genética, da identidade da espécie, da compreensão das potencialidades e dos limites humanos. Assim sendo, o desequilíbrio da energia dos Rins pode levar ao medo e ao abuso do poder; no outro polo, é justamente o contato do homem com seus limites que o leva a temê-los profundamente ou a ignorá-los, em uma atitude prepotente e destrutiva.

A referência à personalidade Água, em um indivíduo relativamente saudável e adaptado, não pertence ao domínio da psicopatologia, que será apresentada adiante. Os tipos de personalidade aqui descritos são apenas variações que dão especial colorido a diferenciação e a individualidade de cada um.

A água é fluida e penetra todas as reentrâncias da terra. O rio segue seu fluxo, pois a água tem a característica da maleabilidade e da adaptabilidade. O ser humano é capaz de adaptar-se a praticamente todos os *habitats* terrestres, diferentemente de outras espécies animais e vegetais. Esse poder de adaptação é a força da água. De um modo geral, o temperamento Água é como o temperamento "nervoso" de Morange: com reações de hipersensibilidade, hiperemotividade, retração e disponibilidade.

O temperamento Água na sua polaridade *Yang* é empreendedor, audaz, decidido, corajoso, ativo e criativo, explorador, eficiente e, às vezes, impulsivo e inconsequente. Desafia as situações difíceis e está sempre se expondo em situações limítrofes.

Na sua polaridade *Yin*, tem a noção do perigo e sabe buscar as situações em que se adapta melhor. Por isso, às vezes, manifesta-se como reservado, introspectivo, atento e calado. Prefere observar a agir; não gosta de gastar sua energia à toa, não se expõe facilmente e pode ser considerado um pouco esquivo e medroso.

Personalidade Água e Caracterologia

Água *Yin*: tipo Fóbico

No capítulo referente à caracterologia de Freud e Reich, foi descrito um tipo de caráter marcado pelo alarme ou alerta, pelo medo profundo mobilizado por uma enorme resposta adaptativa. O indivíduo que tem esse caráter, chamado de tipo fóbico, é aqui associado à personalidade Água *Yin*.

Sua característica central é o medo, portanto, ele procura ambientes nos quais pode se sentir livre e pouco ameaçado. O evento marcante que gera o temperamento fóbico ou um "núcleo fóbico" ocorre na fase intrauterina, da formação do *Jing* e da energia renal.

O indivíduo de personalidade Água *Yin* é sensível e descarrega sua bateria de energia muito facilmente. Por isso, precisa cuidar-se como o indivíduo com deficiência de energia do Rim, para não se sentir cansado, "desenergizado" e para não adoecer facilmente.

Água **Yang**: completa-se o Ciclo

A pessoa criativa, exploradora, desafiadora e bem adaptada é aquela que completou o ciclo de desenvolvimento sem fixações de caráter. É o que Freud e Reich chamaram de caráter genital, em contraposição ao caráter neurótico. Esse é um modelo de referência mais que um caráter propriamente dito. Trata-se de alguém que pode lançar mão de todo o seu potencial, que dispõe de uma ótima quantidade de energia, capaz de ir além, de se superar sem gastar o que não tem, de evoluir intimamente e ajudar na evolução da sua espécie. É o próprio salto quântico, o salto energético.

Não é incomum encontrar pessoas empreendedoras e criativas, mas o que caracteriza a personalidade Água *Yang* é sua adaptabilidade em harmonia com seu potencial individual, diferentemente da de outras pessoas que, para ir além, precisam passar por cima de suas necessidades interiores.

Ao dizer que esse caráter não neurótico é uma referência, mais do que um tipo de personalidade, pretende-se mostrar que se trata de um potencial da nossa espécie que está na mão de cada um de nós, mas que infelizmente muitos não chegam a explorar. O elemento Água é o símbolo da Vida e da evolução e está presente em todos os seres humanos.

Madeira

O Símbolo Madeira

A madeira é o cerne das árvores, representa a semente que germinou e cresceu, como as fases da evolução da vida: nascimento, crescimento, envelhecimento, morte e transformação. Nas culturas tradicionais irlandesa, celta e escandinava, a madeira simboliza a ciência e a sabedoria. Os bosques da antiga Grécia eram locais sagrados e morada dos deuses.

No cristianismo ela é a cruz, que traz a dor, o sofrimento e a redenção.

Como árvore, ela ganha uma dimensão simbólica ainda maior, pois representa o cosmos com seus ciclos e sua regeneração. Contudo, o ciclo da árvore não é apenas o da semente que germina a árvore que morre; existe ainda um outro ciclo, o das estações. A bela e frondosa árvore despe-se e despoja-se de sua folhagem para enfrentar o rigoroso inverno. Ela é símbolo da sabedoria da natureza que acompanha as mudanças. A árvore nasce e morre inúmeras vezes e, pelas suas inúmeras transformações, permanece imortal.

A árvore da vida (*arbor vitae*) e a árvore da imortalidade. Quem a descobrir e comer do seu fruto torna-se imortal. Entretanto, Adão e Eva descobriram primeiro a árvore do Conhecimento do Bem e do Mal; comeram seu fruto proibido, saíram da inconsciência, mas tornaram-se mortais. Também, em outras tradições, as árvores da vida (da imortalidade) e da verdade (do conhecimento) aparecem juntas, como na antiga Babilônia, reproduzidas nos portões do céu. Juntas, elas representam duas esferas: a do viver e a do saber.

Por sua verticalidade, a árvore reproduz a ascensão, a subida ao céu. Ela é também símbolo de crescimento, poder criativo e imortalidade. A árvore é a ligação entre o céu e a terra. Suas raízes mantêm contato com o mundo subterrâneo e interno: a terra. Seus galhos e folhas tocam o céu e o mundo externo, produzindo belas folhas e frutos. Ela é a ligação entre o interior e o exterior, entre o inferior e o superior, entre o inconsciente e o consciente; é o símbolo da própria relação. No seu centro está o eixo dessas relações; "árvore do mundo" ou "eixo do mundo". Na tradição judaico-cristã, é o pilar central que sustenta a casa ou o templo. Na tradição dos índios norte--americanos *sioux*, é o pilar central da cabana em tomo do qual se realizam as danças ritualísticas.

A coluna vertebral, também considerada o eixo do corpo humano, é inúmeras vezes comparada à árvore, em cujo centro corre a seiva (medula) e da qual saem ramos (inervações), como o sistema nervoso autônomo, numa rede de interconexões que influencia todo o corpo. Na subida ao céu, ela é como a escada ou a montanha, mas sempre unindo três mundos: o inferno, a terra e o céu. No corpo humano, unindo pelve e pernas, abdome, tórax e braços e cabeça.

Do ponto de vista da simbologia religiosa, a árvore da vida, ou árvore cósmica, está presente em quase todas as religiões:

- Buda iluminou-se embaixo de uma grande árvore *Boddhi*.

- As raízes da árvore são Brahma (o criador), seu tronco é *Shiva* (o destruidor) e seus galhos, *Vishnu* (o condutor), que são a trilogia de deuses hindus que comandam o Universo.

- No rito ismaelita muçulmano, a árvore simboliza *Hakikat*, um estado de plenitude e beatitude que acontece após o homem superar as ilusões deste mundo e encontrar a Unidade original.

- Os índios *pueblos* norte-americanos acreditam que a árvore é um caminho que possibilita a ascensão das almas até a terra do sol.

- A cruz cristã, além dos significados citados, pode também ser comparada ao eixo do mundo, colocada entre o céu e a terra no alto de uma montanha.

A árvore é mais um símbolo de fertilidade, assim como aterra e a água. Curiosamente, na medicina chinesa, esses serão os três elementos principais responsáveis pelo bom funcionamento do útero e dos ovários na mulher. Terra, Madeira e Água, juntos, possibilitam fluxos menstruais regulares, ovulação e fertilidade. Como símbolo de fertilidade, encontra-se, por exemplo, a representação de uma árvore tatuada na região púbica de mulheres de tribos nômades iranianas. Pendurar lenços vermelhos em árvores, no Oriente Médio e no Mediterrâneo, é um pedido de fertilidade feito por mulheres estéreis. Em algumas regiões da Índia e também entre os índios *sioux*, na cerimônia matrimonial as mulheres se casam com uma árvore frutífera antes de casarem-se com o noivo, para garantir os frutos de seu ventre.

Entretanto, como símbolo sexual, a árvore não é somente associada a fertilidade feminina, pois pode ser vista ainda como o falo masculino, ereto, que, com força e direção ergue-se para o céu.

A madeira também pode simbolizar a castração, como no mito de Cibele e Átis. Cibele enlouquece seu filho, que se castra embaixo de um pinheiro. Segundo Jung, uma árvore dupla simboliza o processo de individuação no qual os opostos que existem dentro de nós se unem.

A descendência, a linhagem, os filhos, os frutos estão bem representados pela árvore genealógica. Ela é o crescimento de uma família que atravessa o tempo e vai rumo a eternidade. Desse modo, transpassa o tempo e o espaço pela herança genética que passa de geração a geração. Uma árvore forte deve ser bem enraizada para crescer em bases sólidas, um alicerce proporcional ao seu tamanho. A árvore, que cresce além do que sua raiz pode sustentar, torna-se fraca e vem ao chão.

No *I Ching*, há dois trigramas associados a madeira. Um deles é *Chen* e outro é *Sun:*

- *Chen* ☳ é constituído por uma linha forte ou *Yang* embaixo e duas linhas maleáveis ou *Yin* em cima. *Chen* é o trovão, um movimento forte, violento, das profundezas da terra. É também o filho mais velho, o começo de todas as coisas novas, dos ciclos e da ordem. Esse é um trigrama que ilustra o movimento e a velocidade, o objetivo. Ele excita, inspira, alarma, fertiliza, move-se, trabalha. Tem força, energia e direção, por isso está associado a madeira.

- *Sun* ☴ a suavidade, o vento e a própria madeira, é um trigrama composto por uma linha *Yin* na base e duas linhas *Yang* no alto. San representa a filha mais velha, que é suave e penetrante como o vento. O vento é capaz de dispersar as nuvens, clareando o céu e deixando-o sereno. Essa clareza e ligada à possibilidade de ver claramente, atribuída ao bom funcionamento do Fígado e da Vesícula Biliar. Está, ainda, associada ao crescimento harmonioso e lento.

Elemento Madeira na Medicina Chinesa

A Madeira ou árvore é o símbolo do crescimento, da semente que germina e tomar-se-á árvore. Evoca direção, objetivo e desenvolvimento. Representa a união do interior (terra) com o exterior (céu) e se expressa nas relações do homem com o mundo. Na Medicina Tradicional Chinesa (MTC), o elemento Madeira está representado pela dupla Fígado e Vesícula Biliar.

Fígado

As principais funções do Fígado são a de controlar os sentimentos, regular a digestão, regular a Via das Águas e conter o sangue nos vasos. O Fígado e responsável pelo fluxo livre de *Qi* e, assim, possibilita que seu próprio *Qi* e o de outros órgãos e vísceras fluam fácil e suavemente. É o movimento e a ação. Um organismo que funciona bem em todas as suas engrenagens.

O Fígado tem duas vertentes de movimento: a atividade, o movimento expansivo representado pelo Fígado *Yang* e o movimento de espera e recolhimento representado pelo Fígado *Yin*. Portanto, o equilíbrio nasce da alternância entre o movimento e o recolhimento. Ou seja, a Madeira imprime o ritmo biológico e psicológico de cada um. A Madeira é o símbolo do crescimento, da árvore que sobe em direção ao céu e está sempre se transformando. Portanto, o Fígado põe a energia em movimento.

O Fígado é ligado à figura do general, que comanda e ordena suas tropas. Se expressa pelos olhos e está associado aos tendões, aos ligamentos e às unhas.

Fluxo Livre de *Qi*

O *Qi* (energia) deve circular por todo o organismo para promover saúde e equilíbrio. Sob o aspecto físico, essa circulação promove uma boa digestão, o aproveitamento dos alimentos e o livre fluxo dos líquidos corporais. O *Qi* garante que não haja acúmulos ou nós de energia. Do ponto de vista mental, promove bem-estar e possibilidade de movimento na vida pessoal. Quando esse fluxo livre não ocorre, como consequência, podem ocorrer sensações de opressão no peito, nó na garganta, empachamento gástrico, má digestão, eructação, edemas, retenção hídrica, mamas doloridas, tensão pré-menstrual, inchaços e também estados mentais depressivos, melancólicos, raiva contida e frustração.

O fluxo de *Qi* permite o relaxamento, a expansão e a descarga de energia. Quando há acúmulo de *Qi* sem possibilidade de descarga, a energia implode, volta-se para dentro contra a própria pessoa. Assegurar o fluxo livre é garantir a saúde e o movimento vital.

Armazenamento do Sangue

O sangue, na MTC, é um aspecto *Yin* da energia e é, muitas vezes, o próprio veículo de *Qi* que circula no corpo. Nos momentos de descanso, durante o sono, a circulação é lenta e o sangue é armazenado. O responsável por esse armazenamento é o Fígado, que poderá liberar o sangue durante atividades físicas rigorosas. Provavelmente, a atividade de liberação ou acúmulo do sangue, descrita nos antigos livros chineses, relaciona-se ao armazenamento de energia que se dá no Fígado por meio do glucogênio hepático. Como o sangue é um veículo de energia, pode-se concluir que, ao armazená-lo, o Fígado também retém a energia. Armazenar significa ainda conter o sangue e evitar hemorragias. Os distúrbios da coagulação podem ser ocasionados por alterações hepáticas.

É igualmente de responsabilidade do Fígado, na MTC (junto com o Baço e o Rim), o fluxo menstrual. Quando o Fígado está equilibrado, o fluxo menstrual é regular, sem coágulos, sem hemorragias consideráveis. Por outro lado, a estase de *Qi* do Fígado é responsável por menstruações irregulares e dolorosas.

Tendões

Os tendões, os ligamentos e as articulações são associados ao elemento Madeira. Regulando o fluxo livre de *Qi* e armazenando o sangue, o Fígado contribui para a nutrição e irrigação sanguínea adequada dos tendões. Tendinites, contrações, cãibras, espasmos, dores musculares ou lesões por esforço repetitivo são tratados com correção postural e estímulo dos pontos do meridiano do Fígado e da Vesícula Biliar. Mais uma vez, o movimento e a ação estão representados na Madeira, pois os tendões e os ligamentos possibilitam ao homem mover-se e realizar atividades físicas.

Hun

O *Hun* pode ser traduzido como alma ou alma etérea e é abrigado pelo Fígado. Suas funções serão descritas posteriormente no Capítulo 7. Como a Madeira é um símbolo de ligação entre a terra e o céu, entre o interior e o exterior, pode-se estender esse padrão ao conceito de *Hun* que, segundo a filosofia Chinesa, é um mediador entre a realidade interna e a externa, entre o céu e a terra.

Manifestações Externas

O Fígado abre-se nos olhos. Pelos olhos é possível inferir o estado do elemento Madeira. Interessante notar que o conceito popular "os olhos são a janela da alma" coincide com os dois aspectos da Madeira: a alma (*Hun*) e os olhos. Doenças dos olhos podem indicar a falta de *Yin* do Fígado como, por exemplo, olhos vermelhos ou diminuição da acuidade visual.

A visão proporciona a possibilidade da escolha de um caminho. Nos olhos se encontram juntas as funções do ver e do enxergar. O ver, no sentido físico, e o enxergar, no sentido psíquico. Ou seja, a pessoa pode ter olhos fisiologicamente funcionais, mas não enxergar os aspectos emocionais de uma determinada situação. Para poder ver e enxergar, o Fígado deve estar equilibrado, assim como as emoções que ele regula.

Externamente, o Fígado manifesta-se nas unhas. Unhas fortes e brilhantes dependem da irrigação sanguínea e do fluxo de *Qi*.

Vesícula Biliar

A Vesícula Biliar é uma víscera especial, pois diferentemente das outras (estômago, intestinos, bexiga), ela não recebe alimentos ou líquidos. Além disso, a Vesícula Biliar é responsável por escolhas e tomadas de decisões. Por ter uma função tão importante no plano mental, ela recebe a denominação de víscera de comportamento particular.

A Vesícula Biliar acumula e excreta a bile, como na medicina ocidental. A bile é considerada energia pura vinda do Fígado. Sua função é ajudar o processo digestivo e dirigir o fluxo de *Qi*. Por isso, náuseas, eructações e vômitos são manifestações do desequilíbrio do Fígado e da Vesícula Biliar, chamadas de "*Qi* contracorrente" ou, em outras palavras, um contrafluxo energético.

Na MTC, a força de vontade (*Zhi*) vem do elemento Água (Rins), mas quem usa a força de vontade de modo a concluir a ação é a Vesícula Biliar. A Vesícula é responsável pelas escolhas, pela coragem, pelo impulso. A criança pequena ainda não tem seu Fígado e sua Vesícula plenamente formados do ponto de vista energético, portanto, ela tem dificuldade em fazer escolhas, tomar decisões e expressar a raiva, que são funções da Vesícula Biliar e do Fígado, respectivamente. O adulto, entretanto, pode julgar o que é melhor para si e sabe abrir mão de um caminho para seguir outro.

Associações

A Madeira pertence a primavera, que é uma estação de nascimento e crescimento da natureza. A cor da Madeira é verde. Patologias da Vesícula Biliar e do Fígado podem ser detectadas quando o tom de pele predominante é esverdeado. O sabor do elemento Madeira é o azedo.

A emoção principal da Madeira é a raiva, apesar de o Fígado ser responsável pelo controle e expressão de todas as emoções. A raiva é uma emoção que se move para fora, que possibilita demarcar território e avançar em direção a um objetivo. Quando a raiva se volta para dentro e não é expressa ou quando ela é excessiva e descontrolada, torna-se um fator de adoecimento. A agressividade também é um fator que permite a proteção do organismo e, portanto, há uma relação entre a energia de defesa e a agressividade.

Doenças Associadas ao Desequilíbrio da Madeira

Nas patologias associadas à Madeira, encontram-se grandes alterações emocionais, como irritação, ansiedade, estresse, depressão ansiosa. No sistema digestivo, manifesta-se tudo aquilo que se traduz pelo fluxo contracorrente de energia: eructação, inchaços, vômitos, soluços. Problemas do Fígado e da Vesícula Biliar incluem cefaleia, tontura, problemas nos olhos. Alterações ligadas ao sangue e ao movimento do *Qi* podem ser irregularidades menstruais (com o aparecimento de Tensão Pré-Menstrual [TPM]), cólicas, formação de coágulos, visão embaçada, tendinites, vertigem, tiques, espasmos, olhos vermelhos, hematêmese e epistaxe. Também pode ocorrer dificuldade de decisão e escolha, apego, frustração, dificuldade de mudança, e ainda, tensão, contração ou, no outro extremo, expansão excessiva.

Ciclo de Produção e Dominância

A Madeira é produzida pela Água e controlada pelo Metal. A Água irriga e faz crescer plantas e árvores. O Metal é a lâmina que corta a Madeira.

O Metal, ligado ao Pulmão, é responsável pelo ritmo da respiração, está ligado ao peito e ao sentir, é intuitivo. Todas essas qualidades do Metal são preciosas para conter o crescimento impulsivo e excessivo da Madeira.

Madeira

Órgão (Zang): Fígado

Víscera (Fu): Vesícula Biliar

Manifestação externa: Unhas

Abertura: Olhos

Partes do corpo regidas/funções: Ligamentos, fluxo de Qi, armazenamento do sangue, controle das emoções

Aspecto mental/emocional: Hun (alma, inconsciente, força emocional)

Horário máximo de circulação de Qi: Das 23 às 3 horas

Cor: Verde

Sabor: Azedo ou ácido

Alimentos tônicos: Menta, gergelim, fígado (boi, porco), coelho, açafrão

Hexagrama (I Ching): Chen (trovão) e Sun (vento)

Estação: Primavera

Gera/produz: Fogo

É controlado por: Metal

Atitude: Ação, conquista, decisão, planejamento

Emoção: Raiva

Fatores de adoecimento: Frustrações, alimentação gordurosa, álcool, raiva contida, irritação

Personalidade Madeira

A Madeira representa o crescimento, a árvore que vai em direção ao sol e desenvolve-se aproveitando a terra fértil e a água. Portanto, está ligada à ação e ao movimento, a capacidade de tomar decisões, fazer planos, olhar para o futuro e crescer com o tempo. Representa a capacidade de expressão, como a semente que carrega consigo o potencial da árvore e, ao germinar, manifesta a vida contida em si. Por seguir os padrões da natureza de desenvolvimento, a Madeira contém a sabedoria dos ritmos, armazenando a experiência do passado em seu cerne, como os veios da madeira, programando-se para o futuro em busca de luz e vida.

Os indivíduos de personalidade Madeira são decididos, expansivos, competitivos, independentes, ousados, combativos e inflexíveis. Podem ser curiosos, espirituosos, joviais, agitados e não têm medo de arriscar, são confiantes e impulsivos. São bons planejadores, tomam a dianteira nas decisões; são líderes naturais e podem ser autoritários ou simplesmente cativantes. Não gostam de ficar parados e por isso podem, às vezes, tornar--se irritados e nervosos, pois têm uma necessidade interna de agir e não suportam os impedimentos e as frustrações. Às vezes, sentem-se compelidos a tomar decisões a qualquer preço e, muitas vezes, não levam em conta os sentimentos pessoais dos outros.

Gostam muito de movimento, esportes, viagens, mudança de ambiente e têm aversão à quietude. Podem entrar em depressão quando se deparam com frustrações dos mais diversos graus, pois se sentem presos em uma armadilha e sem saída quando não conseguem realizar as coisas ao seu modo.

Segundo os temperamentos de Morange, a Madeira corresponde ao temperamento bilioso, que apresenta elasticidade, energia de ação e agressividade. Nos desequilíbrios psíquicos ocorrem paranoia, cólera, tendência a gastar muito e irritabilidade. É um temperamento do tipo plenitude de *Yang*.

O indivíduo Madeira bem equilibrado é aquele que é capaz de ouvir sua própria intuição e seguir seus ritmos internos sem passar por cima dos sentimentos para agir. Ele sabe contrabalancear a liberdade e a responsabilidade. Para manter-se em equilíbrio, deve sempre procurar desenvolver a visão, para ter a capacidade de compreender a si mesmo e ao ambiente. Também como os indivíduos Fogo, têm de aprender a respeitar seus limites para não dispersar em excesso sua energia, que é de natureza expansiva.

Em seu polo *Yang*, as pessoas de personalidade Madeira são tudo isso que foi descrito até então. Contudo, podem se tornar irritáveis, impacientes, desatentas, intolerantes, egoístas e agressivas, pois sua necessidade de ação acaba impelindo-as ao movimento frenético, passando por cima de outras pessoas ou quaisquer obstáculos.

A personalidade Madeira *Yin*, por sua vez, tem uma grande energia contida, pois apesar de todo o potencial descrito, são pessoas que não costumam expressar-se abertamente e não realizam tudo o que poderiam.

Essa é uma mistura perigosa, pois o indivíduo tende a jogar para dentro o que deveria fazer para fora, como em um curto-circuito. Podem acompanhar sintomas depressivos ligados à frustração e a raiva dissimulada, ter explosões momentâneas ou implodir, acarretando uma série de doenças de origem emocional. Quando o indivíduo consegue pôr para fora sua energia, é capaz de realizar grandes atos, mas em geral não o faz com tanta facilidade como a personalidade Madeira *Yang*.

Personalidade Madeira e Caracterologia

Existe uma fase do desenvolvimento da criança em que ela sai do mundo exclusivo da mãe e descobre o mundo de fora. Essa passagem do "dentro" (universo materno) para o "fora" (universo paterno e social) ocorre em geral entre os 2 e 5 anos de idade. Corresponde à fase "fálica", em que a criança entra em contato com seus órgãos genitais, com sua potência e a possibilidade iminente de ser independente.

Assim como na Madeira, nessa fase a questão do universo interno com o universo externo é crucial.

O indivíduo de caráter fálico é aquele que, como o de personalidade Madeira, é ativo, objetivo, enérgico, agressivo e autoconfiante. É uma pessoa que realiza.

Os olhos pertencem ao elemento Madeira; permitem ao indivíduo focar, olhar para o mundo e estabelecer seus objetivos. Também a esse elemento pertencem os tendões, que permitem os movimentos rápidos e a atividade. Foco, objetivo e movimentos são características fortes do indivíduo fálico.

O Fígado é chamado, na MTC, de "general" e a atitude da pessoa fálica é a de um general, que exerce seu comando e organiza o povo ou os soldados (energia dos Rins), direcionando a ação para a sua meta. As personalidades *Yin* e *Yang* da Madeira podem ser consideradas "generais" ou de caráter fálico. A diferença reside no direcionamento da energia. Enquanto o tipo *Yang* direciona sua energia para fora e exerce seu comando no mundo exterior, o tipo *Yin* direciona-a para dentro e torna-se um verdadeiro disciplinador do mundo interno.

No simbolismo da Madeira, foi citado que ela representa a coluna vertebral, pois dá estrutura e orienta o crescimento. Aqui, há também a relação entre o corpo firme, a coluna ereta e a postura marcante do tipo fálico com o elemento Madeira.

O tipo fálico, assim como a personalidade Madeira, tem dificuldade de entrega e medo de precisar dos outros, pois necessita estar sempre no controle.

O indivíduo Madeira adapta-se bem às exigências do mundo atual, pois na nossa sociedade valorizam-se o controle, a ação, a autoconfiança e a objetividade. Todavia, para haver equilíbrio na vida emocional da personalidade Madeira, é necessária também a presença dos outros elementos, mais suaves e flexíveis.

Fogo

O Símbolo Fogo

O Fogo é o símbolo do amor e da paixão, do espírito, da sabedoria, da iluminação e do renascimento. É calor e luz, produto da combustão de objetos inflamáveis.

Amor e paixão, assim como o fogo, provocam sensação de calor interno em oposição à frieza de alguém sem emoções ou morto. O fogo pode derreter metais a ponto de eles se misturarem, mostrando mais uma característica do amor, que une duas pessoas. A paixão e a libido também são representadas pelo fogo. O movimento de fricção necessário para se obtiver o fogo é como o movimento do ato sexual. O encontro sexual possibilita a geração de uma nova vida. O fogo é renascimento.

O renascimento pelo fogo também aparece na imagem da fénix que ressurge das próprias cinzas. O fogo purifica e possibilita a passagem da matéria de um estado a outro. É usado em muitas culturas como veículo final para a cremação dos mortos, simbolizando a passagem do estado físico para o espiritual.

O banho de fogo, encontrado na mitologia grega, é o ritual que possibilita a imortalidade, como no mito de Deméter.

Além da fricção, o fogo pode vir dos céus, do relâmpago, mostrando sua natureza menos cama! E mais divina.

Fogo e luz, iluminação externa e interna. Assim, o budismo ensina que se iluminar é acender a chama interior. O fogo é sabedoria e transcendência. Ele pode transformar a matéria em um estado mais sutil. A purificação exercida pelo fogo diferentemente da água, é uma purificação pelo conhecimento e pela sabedoria o fogo é a própria consciência.

Espiritualmente, o fogo está presente em diversas tradições. É, muitas vezes, usado como elemento ritual e simbólico de celebrações religiosas:

- No Novo Testamento, aparece como o Espírito Santo, que em forma de línguas de fogo iluminou os apóstolos. Nas representações artísticas que retratam os santos, e símbolo de fervor religioso.

- No Xintoísmo, fogo é a representação do ano novo, da renovação.

- Em algumas amigas culturas, fogo é por si só o símbolo do divino, como na cultura asteca.

- As fogueiras acesas das festas pagãs e cristãs, como a fogueira de São João ou da festa de São Patrício, na Irlanda, remontam a uma antiga explicação de que o fogo poderia destruir as forças do mal e purificar, afastando o medo que surgia na época do inverno do sol não voltar a brilhar, uma vez que o fogo, em si, é a representação do sol. As fogueiras também oferecem, na noite escura e fria, o calor e a iluminação.

O fogo é, muitas vezes, associado diretamente ao sol, como é possível observar nos hieróglifos egípcios ou nas representações de inúmeros artistas. Ele aquece e possibilita o florescimento da vida na Terra. É ainda o fogo interno que aquece os órgãos e da energia vital. Na Medicina Tradicional Chinesa (MTC), pelo *Ming Men,* ou porta da vida, o fogo mantém a chama da vida acesa. Na ioga, o chacra *manipura* é simbolizado pelo fogo, gerando calor e energia para todo o corpo. No tantrismo, o *Kundalini* é o fogo interior.

Fogo é desejo, capaz de nos consumir intensamente como consome a lenha e a carne. O desejo sexual não realizado pode, em algumas tradições espirituais, ajudar a conduzir a pessoa por um processo de desenvolvimento pessoal que transcende seus instintos primitivos.

O simbolismo duplo do fogo é representado por sua conotação espiritual e ao mesmo tempo carnal. Outro lado do símbolo fogo é o fogo do inferno e as forças do mal, em contraposição ao fogo como elemento de purificação espiritual.

Lúcifer é o anjo de luz que caiu. Leva consigo a própria luz e um fogo que queima, mas não consome e, portanto, impede a transcendência e a regeneração. O fogo da paixão pode consumir sem dar frutos, exaurindo as forças e dissolvendo a coesão interna do indivíduo.

O fogo é fonte de morte e destruição quando queima e se alastra em incêndios e secas. Todavia, novamente o que foi destruído poderá renascer, como as plantas que nascem após uma queimada e, mais uma vez, a polaridade de luz e vida aparece ligada ao fogo.

Como força de destruição, o fogo pode ser, ainda, o meio pelo qual algumas profecias preveem o fim do mundo. No livro *Apocalipse* da Bíblia, segundo João, o anjo de Deus manda uma chuva de fogo que queima a Terra. O fim do mundo ou dos tempos é o fim do mundo tal qual o conhecemos, que começa com o fogo que queima os pecados e as impurezas. Esse "mundo" pode ser visto como o mundo interno que, na chama da transformação, queima e é destruído, sobrando apenas o que é resistente ao fogo, ou seja, a natureza mais íntima e verdadeira de cada um.

Em alquimia, a operação necessária para se obter o fogo é chamada de *calcinatio*. *Calcinatio* ou calcinação ocorre após o aquecimento de um elemento sólido, retirando-se dele todos os elementos voláteis ou a água. O maior exemplo é a cal viva, que surge do aquecimento de pedra calcária. A cal viva, ao ser misturada à água, gera calor. Para suportar o processo químico, é necessário ter solidez suficiente para que a substância não se desfaça. O produto final dessa operação é, muitas vezes, a cinza branca, que pode ser correlacionada ao sal. O sal, por sua vez, é um símbolo de amargor e sabedoria.

Do ponto de vista psíquico, o fogo que testa simboliza a mão de Deus e o fogo que consome e destrói é equivalente ao desejo e ao poder. Manter-se íntegro apesar da chama desse fogo possibilita ao homem sair da operação alquímica do *calcinatio* transformado. O Ego tende a identificar-se com os desejos e busca cumpri-los de qualquer maneira. Não significa que a paixão e o desejo e até o poder sejam intrinsecamente maus ou indesejáveis. Podem ser fatores criativos que geram vida e movimento, mas, ao tornar-se o homem dependente da paixão, os pequenos "demônios" internos conduzem-no a um verdadeiro inferno, aprisionando-o nesse fogo. O fogo testa a pureza dos metais e, paralelamente, a pureza dos corações.

Nos processos psicoterápicos, é necessário "secar" os complexos no calor (ou fogo) da emoção contida nesses mesmos complexos. Secar significa tirar da água, que é nada mais do que o inconsciente. Ou seja, fazer o *calcinatio* significa transformar o desejo, o poder, a paixão, os complexos e tudo aquilo que aprisiona e que impede o desenvolvimento. Para que isso ocorra, a substância que será "secada" deve ser devidamente identificada. O terapeuta ajuda o paciente a perceber as expectativas e as exigências do Ego e inicia o processo de ajustamento. Todavia, esse é um processo delicado que, se realizado em hora errada, a própria frustração acaba consumindo a relação entre o terapeuta e o paciente sem tocar na matéria que deve ser transformada, por exemplo, os complexos e os desejos infantis. Por outro lado, se bem-sucedida a transformação, lida-se de um novo modo com os desejos: com sabedoria (como o sal do final da operação alquímica). Tal sabedoria guia e atenta-se àquilo que é realmente importante e deixa de lado o que não é.

No *I Ching,* o fogo corresponde ao trigrama *Li* ☲ que é composto de uma linha *Yin* entre duas linhas *Yang.* Aqui há uma linha cortada entre duas cheias, ou seja, um espaço vazio no meio. Desse modo, o fogo não tem uma forma clara e definida, mas simboliza a luz que emana da matéria que se queima. O fogo representa o esplendor da natureza, mas para não se extinguir com rapidez, tem internamente o elemento *Yin,* que é a fonte de matéria. O *Yin* por si só representa a escuridão, mas ligado ao *Yang* é capaz de brilhar, gerar luz. Igualmente, mesmo os aspectos individuais sombrios, inconscientes e escondidos podem tornar-se iluminados, dependendo daquilo a que se ligam. Ou seja, o brilho pode estar escondido, mas sob condições ideais, tornar-se-á visível. *Li* é a filha do meio ou segunda filha, é um elemento de ligação. A tradução de *Li* é "aderir". Aderir significa depender de alguma coisa ou ser condicionado a algo, e *Li* está ligado a claridade. O trigrama representa, ainda, a clareza e o sol, o poder da consciência, a ordem, a discriminação. O próprio movimento do sol gera o dia e a sucessão de dias gera a noção do tempo.

Elemento Fogo na Medicina Chinesa

O Fogo é um elemento que simboliza calor, movimento, paixão, circulação, alegria. O Fogo está representado pelo órgão Coração, pela víscera Intestino Delgado, pelo Pericárdio e pelo Triplo Aquecedor.

Coração

As funções do Coração são: comandar os outros órgãos e vísceras, os vasos e o sangue e controlar o suor. O Coração e o "imperador" e contém o *Shen,* que é a consciência ou o espírito vital. O Coração se exterioriza pela língua.

Consciência ou *Shen*

Cada um dos órgãos principais da MTC (Rim, Coração, Fígado, Pulmão e Baço) apresenta funções mentais e emocionais específicas como mostrarão os Capítulos 6 e 7 deste livro.

Entretanto, o Coração abriga o *Shen,* que é a mais estudada função psíquica na medicina chinesa. O *Shen* representa a consciência, o espírito e a mente. No sentido mais abrangente, a consciência é o espírito, o que nos conecta ao cosmos e, ao mesmo tempo, à nossa natureza íntima. No sentido mais estrito a consciência é a cognição e a percepção de quem somos, o estado de vigília e, finalmente, as funções corticais. Apesar de o cérebro estar ligado ao elemento Água (Rim), as funções cerebrais principais são comandadas, na medicina chinesa, pelo *Shen* que pertence ao Coração e ao elemento Fogo. Aspectos emocionais importantes também estão relacionados ao *Shen*.

Também do *Shen* equilibrado depende um bom sono. Quando ele está agitado a pessoa não consegue dormir ou dorme mal, sem conseguir repor a energia.

Outro atributo do *Shen* é o aspecto geral do indivíduo. Quem é saudável e está bem tem o *Shen* claro, brilhante. Quem tem um aspecto doentio, cansado, deprimido, tem o *Shen* alterado, apagado.

Sangue e Vasos

O Coração comanda o sangue, a circulação sanguínea (e de energia) e os vasos. Na MTC, assim como na Medicina Ocidental, associa-se o Coração às doenças circulatórias e a problemas de arteriosclerose que, por sua vez, podem levar ao infarto do miocárdio. Porém, mais do que isso, a circulação de *Qi* e *Xue* (energia e sangue) é fundamental para o bom estado físico e mental. Ainda que o indivíduo apresente uma boa quantidade energética, se não houver boa circulação, podem ocorrer doenças diversas.

Como o Coração na MTC contém o sangue e o *Shen*, conclui-se que a consciência está em todos os lugares do corpo, pois o sangue é o veículo do *Shen* e o sangue está em tudo.

Sudorese

O sangue é parte dos chamados *Jin Ye* (líquidos corporais) e o Coração regula não só o sangue, mas também a sudorese que, por sua vez, contribui na quantidade e circulação do sangue. Quando ocorre queda da energia do Coração, pode haver transpiração espontânea. Por outro lado, estados de excesso de *Yang* do Coração também levam à abertura dos poros e produção de suor.

Manifestações Externas

Pelo *Shen* pode-se inferir o estado de saúde de uma pessoa. Esse "*Shen*" pode ser observado na tez, na expressão e no brilho dos olhos.

A abertura do Coração, por outro lado, é a língua, que dá mais um parâmetro de seu estado. A língua pode ser avaliada pelo exame visual que mostra a coloração, o formato etc. Pela língua e pelo pulso pode-se fazer um diagnóstico detalhado e profundo com informações de todos os *Zang Fu* (órgãos e vísceras), do *Yin* e do *Yang*, na MTC. Assim, aquilo que se vê na língua não é somente o estado energético do Coração, mas de todo o organismo.

A fala, por outro lado, é uma manifestação específica do Coração. A fala, diretamente relacionada à língua, é uma exteriorização do estado energético do Coração. Os estados de Calor, Fogo e aumento de *Yang* do Coração manifestam-se por hiperexcitabilidade e logorreia. O conteúdo do que é dito também é um modo de avaliar o *Shen* (consciência) e, portanto, o Coração.

Intestino Delgado

O Intestino Delgado recebe os resíduos provenientes do Estômago e separa-os em claros e turvos. O claro ou límpido é a parte *Yang* e o turvo, a parte *Yin*. A parte clara (energia dos alimentos) é aproveitada pelo organismo, enquanto a parte turva (fezes) é eliminada pelo Intestino Grosso.

A água não aproveitada pelo Intestino será mandada para a Bexiga. Por estar associado a uma função de separação, o Intestino Delgado pode ser visto ainda como uma víscera que contribui para o discernimento (separar o joio do trigo). Sob o prisma das funções mentais, o Intestino Delgado ajuda a manter a clareza do *Shen* (mente) e contribui na discriminação e avaliação de valores.

Pericárdio

Igualmente relacionado ao Fogo, encontra-se outro sistema de órgãos e vísceras, que é a dupla Pericárdio e Triplo Aquecedor. O Pericárdio é conhecido como o Mestre do Coração, Circulação-Sexo ou Invólucro do Coração e tem uma importância periférica, pois em muitos livros as funções do Pericárdio são descritas como auxiliares àquelas do Coração.

O Pericárdio envolve o Coração e tem como função protegê-lo. Ajuda a regular a atividade mental e dele provém a clareza do *Shen*. É necessário no tratamento de distúrbios ansiosos, insônia e depressão o uso de pontos do meridiano do Pericárdio. Se o Coração é o imperador, o Pericárdio é o embaixador.

Triplo Aquecedor

A estrutura chamada Triplo Aquecedor é formada, como o nome já diz, por três regiões ou fontes de aquecimento do organismo. Uma é o Aquecedor Superior, que está no tórax, a outra é o Aquecedor Médio, que está no abdome e, finalmente, o Aquecedor Inferior, que está na região pélvica. Eles ajudam os órgãos correspondentes às regiões em que se localizam: o Aquecedor Superior proporciona a distribuição da Energia Nutriente (*Long Qi*) e da Energia de Defesa (*Wei Qi*), o Aquecedor Médio contribui na transformação dos alimentos e o Aquecedor Inferior separa o puro do impuro, influência os líquidos orgânicos e ajuda a estabilizar a energia *Yang*. Por ser uma via de passagem e de distribuição de *Qi*, o Triplo Aquecedor é responsável pela ativação de todas as funções fisiológicas.

Sua natureza é controversa, pois mais parece ser um centro de energia do que uma víscera propriamente dita.

As funções do Triplo Aquecedor são, em resumo: irrigar a Via das Águas, influenciar a energia *Yin*, a Energia de Defesa (*Wei Qi*) e a Energia do Tórax (*Zhang Qi*), fazendo a comunicação entre elas e a circulação de energia nos outros órgãos e vísceras (*Zang Fu*). Ou seja, o Triplo Aquecedor é uma via de circulação de *Qi*.

A dupla Pericárdio e Triplo Aquecedor aparecem como tal na descrição dos 12 meridianos, mas não pode ser incluída na representação de um símbolo particular como as outras duplas que foram apresentadas até agora (Rim-
-Bexiga, Fígado, Vesícula Biliar etc.). Portanto, o Pericárdio, por sua estreita relação com o Coração e suas funções, e o Triplo Aquecedor, que ajuda na circulação do *Qi* em todo o corpo, são vistos como mais dois aspectos do símbolo Fogo.

Associações

O Fogo está ligado ao verão, ao sul (no hemisfério norte), ao calor, à cor vermelha. Seu sabor é o amargo. O Fogo é a inspiração, a criatividade, a consciência e o amor.

Doenças Associadas ao Desequilíbrio do Fogo

Patologias ligadas ao Fogo levam a palpitações, transpiração espontânea, insônia, alteração da consciência e da compreensão, labilidade emocional, alterações da fala, ansiedade, má circulação sanguínea, isquemias, insuficiência coronariana.

Ciclo de Produção e Dominação

O Fogo gera a Terra, portanto, quando em harmonia, ele é capaz de gerar o solo fértil. A criatividade, a inspiração e o espírito divino trazem o sopro de vida que fecunda a terra e dá origem à vida.

A Água domina o Fogo. Ela é capaz de conter os excessos do Fogo e controlá-lo. A emoção ligada a Água é o medo, que limita e contém e, portanto, limita a expansão excessiva do fogo.

O Fogo equilibrado e aquele que não excede a Água e é capaz de produzir a Terra, ou seja, conhece seus limites e sabe utilizar sua criatividade. As pessoas de personalidade dominante de Fogo devem ter como objetivo canalizar sua energia criativa e aprender seus limites, para que possam aproveitar seu potencial "iluminador" ao máximo, sem entrar em autocombustão.

Fogo

Órgão (Zang): Coração

Víscera (Fu): Intestino Delgado

Manifestação externa: Tez, cor do rosto, *Shen*

Abertura: Língua

Partes do corpo regidas/funções: Coração, Pericárdio, Intestino Delgado, vasos, sangue, mente, fala

Horário máximo de circulação de Qi: Das 11 às 15h (Intestino Delgado/Coração) e das 19 às 23h (Pericárdio e Triplo Aquecedor)

Aspecto mental/emocional: *Shen* (espírito, consciência)

Cor: Vermelha

Sabor: Amargo

Alimentos tônicos: Melão, caqui, melancia, carneiro, leite, soja, trigo, canela, flor-de-lis (lírio), café e chá

Hexagrama (I Ching): *Li* (fogo)

Estação: Verão

Gera/produz: Terra

É controlado por: Água

Atitude: Extroversão, comunicabilidade, sedução

Emoção: Alegria

Fatores de adoecimento: Hiperexcitação, choques emocionais, bebidas alcoólicas, alimentos gordurosos, perdas de sangue.

Personalidade Fogo

O Fogo representa o espírito e a mente. Assim sendo, está ligado à consciência de si e à força da vida que se manifesta em cada um. Se expressa igualmente pelas emoções, pela afetividade, pela alegria e pelo amor. Sua característica é expansiva. O Fogo alastra-se com facilidade, tendo por isso dificuldade de preservar limites, queimando até extinguir-se.

O indivíduo cuja personalidade dominante é a de Fogo, e comunicativo, gosta de expressar suas ideias e opiniões, pode ser alegre, otimista, extrovertido, idealista, flexível, espontâneo, social, ativo. Não conhece limites e tem dificuldade de focar, expandindo sua energia para todas as direções. Em geral, são pessoas cativantes e falantes, gostam de ser o centro das atenções.

O temperamento de Fogo é o temperamento sanguíneo, apresenta energia sob tensão, é ruidoso e potente. Seus problemas psíquicos são a insaciabilidade, o egocentrismo, a brutalidade, a trivialidade e a invasão. Se estiver bem equilibrado, o indivíduo de Fogo tem grande afetividade e capacidade de amar; quando desequilibrado, pode tornar-se maníaco ou cair em depressão, procurando o amor nos outros em vez de encontrá--lo em si.

O polo *Yang* da personalidade Fogo mostra tudo que foi descrito: indivíduos mais expansivos e comunicativos, hiperexcitados que, quando em desequilíbrio, podem ser irresponsáveis e impulsivos. A personalidade Fogo *Yang* representa o máximo da ação, pois ela é o máximo do *Yang*. Patologias como mania, delírio, droga-adição podem ser encontradas; portanto, aprender seus próprios limites e essencial. O indivíduo Fogo deve procurar atividades que ajudem a centrá-lo, como a meditação, exercícios físicos moderados e contato com a natureza, evitando dispersar a energia em festas, eventos e situações dispersivas e excitadas.

O polo *Yin* da personalidade Fogo apresenta pessoas que também têm todas as características descritas, porém com maior dificuldade em realizar, agir. A personalidade Fogo *Yin* fica presa no mundo da imaginação e dos sonhos. Isso pode, com o tempo, transformar-se em um estado de ansiedade crônica, pela energia não canalizada.

Personalidade Fogo e Caracterologia

A personalidade Fogo está diretamente ligada ao caráter histérico, que se apresenta em indivíduos alegres, criativos, interessados, porém pouco objetivos e hiperexcitados. São pessoas plenas de vitalidade (*Shen*), mas podem tornar-se desfocadas, por não saberem como direcionar sua energia.

O órgão por onde se exterioriza o elemento Fogo é a língua, responsável pela fala. Aqui, também o tipo histérico é falante e precisa constantemente expressar-se.

O tipo histérico é sedutor e cativante, exatamente como a energia do Fogo, que é a energia da paixão. Essa energia pode ser o início de um processo de transformação interna e de muita criatividade, mas pode também levar a pessoa àquele Fogo que queima sem consumir mostrado anteriormente, no estudo do simbolismo do fogo. Para que esse Fogo possa ser um elemento transformador, é preciso um mínimo de introspecção e este é o desafio da personalidade Fogo ou do caráter histérico.

Terra

O Símbolo Terra

A terra é o solo, o nome do planeta que habitamos a parte sólida da superfície do globo, o lugar em que moramos de onde viemos e para onde vamos. Simbolicamente, a terra é mãe, é função materna de nutrição e de geração de alimento.

A terra é o próprio alimento. Comer significa incorporar algo, tornar o que se come parte do corpo. Ou seja, o elemento terra é aquele que dá a forma, o corpo, a casa para o espírito do homem.

Terra é a matéria primeira, usada para moldar o homem do barro, como se vê no *Antigo Testamento* e no *Xintoísmo* na China.

É símbolo de fertilidade, de fecundidade e de regeneração. A fertilidade da terra é frequentemente comparada à da mulher, pois no seio da terra germinam as sementes e no ventre materno, a nova vida. Algumas crenças consideram que a mulher estéril pode trazer infortúnio às plantações, tornando também estéril a terra em que pisa. A analogia terra-mulher vai ainda mais longe: a terra deve ser perfurada e tomada fértil pelo arado, pelas mãos do homem. Jung relata bem esse paralelo, quando explica como ocorre a transformação da energia instintiva, via sua canalização, em direção a um objeto análogo àquele inicial, para qual era focada a libido:

> [...] a cerimônia da primavera, executada pelos *Watschadis*, povo da Austrália. Eles fazem um buraco de forma oval no chão e em torno dele colocam ramos de arbustos, de modo que pareça um órgão genital feminino. A seguir, dançam em volta desse buraco, segurando diante de si uma lança, imitando um pênis em ereção. Enquanto

dançam, enfiam as lanças no buraco gritando: *Pulli nira, pulli nira, wataka!* (não é buraco, não é buraco, é uma vulva!). Durante a cerimônia, nenhum dos participantes pode olhar para uma mulher. Por meio do buraco, os *Watschadis* fazem um análogo do órgão genital feminino, o objeto do instinto natural.

Segundo a mitologia grega, a terra é a mãe de todas as coisas, pois pariu até o céu. Gaia (Terra) pariu Urano que se uniu a ela, gerando todos os deuses e depois os homens e os animais. Ela é a Grande Mãe.

Como símbolo, apresenta sempre dois polos: a vida e a morte. "Vieste da terra e à terra retornarás", diz a Bíblia. Também os astecas representam a terra como a mãe que nutre, produzindo os alimentos, mas precisa dos mortos para alimentar a si mesma. Com a morte, o homem volta a terra, nutrindo-a com seus restos mortais e renasce na forma de outras manifestações de vida, como os vegetais que a terra produzirá. Descansamos, finalmente, da vida na Terra, em suas próprias entranhas.

A terra é, em geral, imóvel, mas seu movimento máximo, o terremoto, ocasiona a completa destruição da ordem e da estrutura com uma força avassaladora.

Como a água, ela dá a vida, mas o ciclo da água precede à formação da terra. A água é indiferenciada, como um grande caldo. Já a terra dá forma a milhares de vidas diferentes e produz as formas vivas em um ciclo muito mais breve que o da água. Como foi visto Água, Terra e Madeira são os três elementos da Medicina Tradicional Chinesa (MTC) envolvidos no aparelho reprodutor da mulher.

Voltar à terra natal, procurar a terra prometida, ir à Terra Santa são modos de estar conectado a um espaço sagrado, a uma casa, a uma raiz. A terra é símbolo de estabilidade e de ligação.

A terra representa a materialização da carne, do corpo e, portanto, a "encarnação" e todos os limites da nossa existência, que advêm do fato de a carne ser finita. O corpo é o nosso veículo neste mundo, limitado temporal e espacialmente. A crucificação de Cristo é outra imagem que leva à ideia de encarnação: Cristo é o Deus encarnado que morre pregado na cruz, ou seja, com a carne pregada à matéria da cruz. No catolicismo, a Eucaristia é um sacramento que retoma o mistério do corpo de Cristo, que é incorporado pelos fiéis ao receberem a hóstia.

A encarnação ocorre pelo útero, no princípio feminino. É o barro que molda o homem (terra) e que toma a sua forma no seio do útero materno (no seio da terra). A matéria formadora é aterra e o terreno da formação também.

Segundo Paul Diel, o homem representa o ser consciente da terra estando entre o céu e o mundo submerso, entre os instintos e o metafísico. "A terra é a arena dos conflitos da consciência do ser humano". O homem passa a ser o responsável pela elaboração desses conflitos.

Em alquimia, a operação que transforma elementos em "terra" é chamada de *coagulatio*, que ocorre quando um solvente e evaporado, sobrando sua parte sólida. Outro termo para *coagulatio* é *fixatio*, que traz a ideia de que a terra é um elemento que dá corpo e fixa. *Coagulatio* é, muitas vezes, associada à criação do planeta Terra. Em diversos mitos, acredita-se que o planeta Terra surgiu de um grande caldo que foi batido ou misturado, como a manteiga que surge do leite ou às claras em neve da clara do ovo, ou seja, o sólido surge do líquido após passar por um movimento contínuo (uma ação).

Os metais descritos na *coagulatio* são o chumbo, o magnésio e o enxofre. O chumbo é um metal pesado que representa a realidade, tantas vezes pesada, e os limites de cada um dentro da realidade. O magnésio era considerado pelos alquimistas uma mistura de vários metais, uma mistura impura. Finalmente, o enxofre, que é uma substância associada ao diabólico, solta um odor característico que impregna e escurece os metais com que entra em contato. O enxofre e correlacionado ao desejo. O desejo é uma forma de corrupção do indivíduo, mas é, antes de tudo, o meio pelo qual o corpo adquire forma. O desejo é conhecido como um elemento de coagulação ou de solidificação da matéria. Esses três metais possuem propriedades que dão peso e forma à matéria.

Do ponto de vista psíquico, solidificar-se, transformar-se em terra, significa tornar-se ligado a um Ego (que é a estrutura psíquica do eu). O corpo, por sua vez, é a solidificação máxima da estrutura do eu. O *self* ou centro organizador da psique necessita da estrutura do Ego para existir. Em outras palavras, o espírito precisa do corpo. No filme *Asas do Desejo* (*der Himmel über Berlin*, 1987, UK, USA), de Wim Wenders, justamente pelo desejo (elemento de coagulação) os anjos podem tornar-se humanos e ter um corpo, solidificando- -se em uma estrutura carnal. Para "coagular", precisa-se do princípio da terra, que é essencialmente feminino e que encerra em si o princípio da relação humana. Conclui-se assim, que a *coagulatio* ou a tomada de corpo depende, em última análise, da relação ou das relações humanas.

A terra é *Yin*, feminina, passiva, receptiva, escura, misteriosa. Sua natureza é cíclica. Como a natureza feminina, a terra é afetada pelas estações e é sólida e bem ordenada. É paciente, pois espera a semente germinar, é perseverante e passiva. Aguarda o momento certo de agir, tem cautela e produz resultados concretos servindo, oferecendo-se para ser fecundada. A terra é voltada para o interior: de suas entranhas nasce a vida.

No *I Ching*, seu trigrama é *Kun*, "a terra", cuja característica principal é a devoção receptiva sem ação ou objetivos claros. *Kun* ☷ ☷ mostra a relação do homem com o seu meio. O trigrama é formado por três linhas *Yin*, abertas no centro. Esse trigrama representa a mãe, pois sua essência é *Yin* e as linhas abertas no centro mostram um espaço vazio que pode simbolizar o útero. Interessante notar que a interpretação do hexagrama *Kun* é bem mais obscura e difícil que a interpretação de *Chien* (céu). *Kun* é estável, flexível, provedor, dócil, obediente, concordante.

Elemento Terra na Medicina Chinesa

O elemento Terra permeia todos os outros elementos na Medicina Tradicional Chinesa (MTC): é na terra que está a semente da árvore (Madeira), que germina, irrigada pela Água; o Fogo queima a Madeira, que vira cinzas e volta à Terra; o Metal acumula-se no interior da Terra. Na representação dos Cinco Elementos encontra-se o símbolo Terra após o Fogo e antes do Metal (no ciclo de criação). Contudo, na prática, a Terra está no centro de todos os outros elementos por permear a existência de todos eles. A Terra é o próprio *Yin*, é matéria, é receptiva, é mãe, útero, natureza. O símbolo Terra está ligado aos órgãos Baço e Pâncreas à víscera Estômago.

Baço-Pâncreas

As funções do Baço e do Pâncreas incluem o transporte e a transformação da energia proveniente dos alimentos, a distinção entre os sabores e a retenção do sangue nos vasos. O Baço-Pâncreas também é responsável pelo tônus muscular e pelo estado nutricional da pessoa. O Baço-Pâncreas manifesta--se nos lábios e exterioriza-se pela boca. Controla ainda o pensamento, o raciocínio.

Transporte e Transformação (Nutrição)

Intuitivamente, todos sabem que a energia vem dos alimentos. Em MTC, quem transforma a comida ingerida em energia e sangue (*Qi* e *Xue*) é o Baço-Pâncreas. Todo alimento ingerido passa pelo Estômago e vai para o

Baço, onde será transformado em energia e distribuído pelos diversos órgãos, a fim de nutri-los. Ou seja, por meio do elemento Terra, do Estômago e do Baço-Pâncreas, acontece o processo de digestão e o aproveitamento dos alimentos, que é a nutrição.

O termo nutrição pode ser compreendido de maneira simbólica, não só como nutrição alimentar, mas ainda como emocional. Para o bebê, a fonte da vida e o início do relacionamento humano é o seio materno. Um indivíduo pode alimentar-se bem, mas estar carente de amor e compreensão, gerando um outro tipo de descontentamento e fome: a fome de amor. Nutrir-se é uma atividade física e emocional.

Quem é muito magro ou muito gordo, na medicina chinesa, tem um problema de nutrição, pois esta implica em receber os alimentos e aproveitá--los da melhor maneira possível. A nutrição depende de saber buscar as fontes de alimento e vida, poder escolher seus alimentos e suas fontes de amor, ou seja, escolher de verdade aquilo que é nutritivo, como uma dieta equilibrada ou a busca de amigos e pessoas queridas que façam bem. Alguns, com fome de contato, solicitam atenção e carinho de quem não tem para dar, ficando ainda mais famintos.

Contenção do Sangue

O Baço é responsável por ajudar a formar o sangue pelo transporte e transformação e também por manter o sangue nos vasos. Hemorragias são decorrentes de alterações no Baço ou de traumas e, do mesmo modo, alteram ainda mais sua função. Sempre que houver a necessidade de melhorar a produção de sangue e tonificá-lo, usam-se pontos ligados ao Baço. Pacientes que apresentam menstruações irregulares podem estar com problemas no Baço (juntamente com o Fígado e o Rim).

Tônus Muscular

O tônus muscular e o dos membros são regidos pela Terra. Essa função é explicada pelo fato de o *Qi* e o Sangue (*Xue*), extraídos dos alimentos, servirem para nutrir os músculos. Pessoas com má-nutrição, muitas vezes, têm um tônus muscular flácido e apresentam fadiga e cansaço crônicos. Por isso, geralmente, o Baço determina a quantidade de energia que a pessoa tem ou consegue dispor, pois sem a possibilidade de utilização correta dos alimentos rapidamente ela se torna fraca e com baixo tônus.

A Terra também é responsável pela sustentação dos órgãos nos seus devidos lugares (tônus interno). Quando há queda da energia do Baço--Pâncreas pode haver prolapsos, hérnias, protrusões e incapacidade de manter os órgãos no lugar. Esse tônus é mantido pelo movimento de subida de *Qi*, proporcionado pelo Baço-Pâncreas.

Mandar o *Qi* para cima também pode ser interpretado como mandar a energia dos alimentos para o Coração e o Pulmão. Ao mesmo tempo, o Estômago distribui a energia para baixo, durante o processo de digestão, formando os líquidos do corpo.

Via das Águas

Após a transformação dos alimentos em energia e sangue, o Baço ainda será responsável pela distribuição dos líquidos no organismo, contribuindo para a "Via das Águas". Esta regula a circulação de todos os líquidos do corpo, sendo comandada pelo Baço, Rim e Pulmão.

Yi

A Terra é a morada das ideias e, como tal, abrange o ato de se concentrar, memorizar, raciocinar, estudar. *Yi* significa ideação e intenção. Para um bom raciocínio, é necessário que o Baço esteja funcionando corretamente, digerindo bem sem gerar energia turva. Por outro lado, o excesso de pensamentos e a ruminação mental podem turvar a energia do Baço. O *Yi* será estudado no Capítulo 7.

Manifestações Externas

A abertura do Baço é a boca, portanto, a gustação é uma importante função da Terra. Quando há um desequilíbrio no Baço-Pâncreas, o paladar altera-se e também o apetite, tanto para mais como para menos. O Baço--Pâncreas manifesta-se nos lábios e pela sua coloração e possível inferir a quantidade de sangue e de *Qi* relacionados ao Baço.

Estômago

O Estômago digere e decompõe os alimentos, separando a energia límpida, ou seja, aquela que será aproveitada pelo corpo, da turva, que será eliminada pelo Intestino e pela Bexiga. O Estômago, juntamente com o Baço, distribui a energia nutritiva por todo o organismo. Desse modo, a função do Estômago está diretamente ligada à origem de *Qi* e sangue e será responsável pelo prognóstico de muitas doenças, pois confere a capacidade de recuperação do organismo. Para fortalecer a imunidade, dar força e melhorar as condições de saúde em geral, os pontos do Estômago são muito usados na MTC.

O Estômago ainda direciona o *Qi* para baixo e se isso não ocorre podem aparecer sintomas como eructação, náuseas, vômitos, soluços.

Doenças Associadas ao Desequilíbrio do Elemento Terra

Quando ocorre um distúrbio ligado ao elemento Terra, têm-se patologias como: alterações digestivas, distúrbios de nutrição, obesidade, anorexia, bulimia, prolapsos e ptoses de órgãos, hemorragias, edemas, astenia, alteração do paladar, pele amarelada, pulso escorregadio.

Associações

Simbolicamente, a Terra é representada pelo sábio. Está associada à função do pensamento, reflexão e meditação e sua emoção é a preocupação. A cor do elemento Terra é o amarelo, seu sabor, o doce, e a estação do ano, o verão tardio. Na China, a estação chamada de verão tardio ou de verão prolongado é uma estação seca e quente, que ocorre antes do outono.

Alimentos

O excesso de líquidos ou o seu "turvamento" podem causar dificuldade de circulação de *Qi* e sangue, portanto, o Baço funciona melhor com poucos líquidos e alimentos neutros que não geram energia turva. Os alimentos muito úmidos e frios, como os alimentos crus, os gelados e alguns legumes e frutas, pioram a função do Baço. Alimentos que turvam, como gordura, frituras, chocolates, condimentos em excesso, também prejudicam o Baço.

Ciclo de Produção e Dominância da Terra

A Terra produz o Metal, ou seja, pelo acúmulo de nutrientes no seu interior vai formando o Metal, o símbolo alquímico da transformação e da vida.

A Terra é dominada pela Madeira. Essa dominação, eventualmente, ajuda a Terra a sair do imobilismo, pois a Madeira cria ação e modifica a energia que jaz no interior da Terra, transformando a energia latente em crescimento.

Terra

Órgão (*Zang*): Baço-Pâncreas

Víscera (*Fu*): Estômago

Manifestação externa: Lábios

Abertura: Boca

Partes do corpo regidas/funções: Tônus muscular, nutrição, Via das Águas, lábios, boca e gustação

Horário máximo de circulação de *Qi*: Das 7 às 11 horas

Aspecto mental/emocional: *Yi* (pensamento, reflexão, intenção, ideia)

Cor: Amarela

Sabor: Doce

Alimentos tônicos: Frango, jujuba (tâmara chinesa), alho, berinjela, arroz, espinafre manjericão, mel, batata

Hexagrama (*I Ching*): *Kun* (terra, o receptivo)

Estação: Verão tardio

Gera/produz: Metal

É controlado por: Madeira

Atitude: Reflexão, introversão, comedimento

Emoção: Preocupação

Fatores de adoecimento: Pensamentos repetitivos, excesso de trabalho, ambientes úmidos e frios, alimentos crus, alimentação desregrada, perda de sangue.

Personalidade Terra

A Terra tem a capacidade de armazenar energia. Os ciclos da natureza mudam lentamente no seu interior e, assim, a Terra detém a sabedoria do tempo e da vida. A Terra é associada ao movimento de prover alimento aos outros, à preocupação da mãe, a ligação de dependência dos filhotes mamíferos aos cuidados dos pais. Desse modo, a emoção do elemento Terra é a preocupação, o cuidado. Em excesso, eles podem estagnar o fluxo de energia de todo o corpo e desviar o foco de si mesmo e do próprio corpo para dar atenção à opinião dos outros. Essa atitude, eventualmente, traz insegurança e medo de rejeição, iniciando assim um ciclo em que a pessoa se torna mais apegada ao outro por medo de perder seu afeto e de ficar só. Ela passa a não ser capaz de olhar para si mesma, precisando, cada vez mais, da energia e do cuidado do outro. A insegurança e o receio ocorrem, muitas vezes, pelo excesso de atividade mental da Terra.

O indivíduo de personalidade Terra e introvertido, reservado, detalhista, organizado, passivo, pensativo, analítico, metódico, lógico, cuidadoso, carinhoso, crítico e racional. Pode tornar-se obcecado e rígido.

Outro atributo da Terra é a sabedoria. A sabedoria de quem gera e nutre em seu seio, da grande mãe, da fonte da vida, da serenidade da espera, do acúmulo de experiência. A sabedoria atribuída a Terra também pode ser fonte de desequilíbrio se a pessoa mantiver uma atitude puramente contemplativa e não for capaz de agir e pôr-se em movimento. Nesse caso, o indivíduo rumina e perde energia com suas conjecturas mentais.

A Terra é o corpo no qual o espírito se manifesta. Aqui, observa-se a relação entre Fogo e Terra. *Shen* (espírito, fogo) pode permanecer tranquilo se houver uma base sólida, um corpo centrado e equilibrado, uma raiz e um chão. Muitas doenças mentais ocorrem por um desequilíbrio simultâneo do Baço (Terra) e do Coração (Fogo).

O equilíbrio do elemento Terra reside na aptidão para nutrir a si próprio, livrar-se do medo e do apego, para poder abrir-se para a vida. O indivíduo de Terra tem grande capacidade de gerar energia e pode ser muito afetuoso. Ele deve aprender a passar do pensamento a ação, como se um fosse a continuação natural do outro.

Terra Yin e Yang

O indivíduo Terra *Yin* é aquele que passa muito tempo raciocinando. De certo modo, tica preso em seus pensamentos e não os consegue traduzir em ação. São pensamentos, muitas vezes, irreais ou simplesmente repetitivos. Essa ruminação mental leva à estase de energia do Baço e de todo o organismo. Para aqueles que vivem em um mundo de pensamentos, e necessário "encarnar" em seus corpos, praticando atividades físicas constantes, que ajudam não só a manter o fluxo de energia, mas, sobretudo, dão-lhes a dimensão do contato físico consigo mesmos. Atividades de toque, massagens, dança, exercícios aeróbicos e outros *hobbies* que não necessitam do intelecto, da razão ou do pensamento de uma maneira geral são importantes e benéficos. A busca de contatos humanos enriquecedores e de preenchimento emocional também são aspectos cruciais, pois os indivíduos Terra *Yin* sofrem de passividade e sentem-se "desenergizados" e solitários.

A personalidade Terra do tipo *Yang* ocorre em pessoas que cuidam ativamente de outras, preocupam-se com o bem-estar de outros. São as "mães eternas" que cuidam de tudo e de todos. Os aspectos negativos ocorrem quando elas exigem reconhecimento por sua generosidade ou impedem o crescimento e o amadurecimento das pessoas que as cercam, tornando-as dependentes de sua ajuda. Os laços de dependência que se formam são prejudiciais dos dois lados, pois o indivíduo Terra *Yang*, ao cuidar excessivamente dos outros, deixa de cuidar de si mesmo e estabelece uma relação de dívida e culpa com o mundo. Essa atitude de aparente força e dominação, na verdade, também esconde medo de rejeição e de solidão. É importante que a pessoa Terra *Yang* passe a cuidar de si, em vez de cobrar do mundo a retribuição do seu amor.

Personalidade Terra e Caracterologia

A personalidade Terra corresponde ao tipo oral, em que o pano de fundo são as relações de dependência, ligação e nutrição. O tipo oral, assim como a personalidade Terra, adivinha as necessidades do outro, é amável e cuidadoso, mas tem uma relação de dependência com seus parceiros, em um eterno jogo de quem dá mais e quem recebe mais.

Como o elemento Terra é *Yin*, o tipo oral raramente toma a própria vida nas mãos, pois é mais passivo e receptivo. É capaz de gastar muitas horas pensando no que vai fazer, sem nunca chegar a realizar. Tende a sentir-se cansado e esvaziado de energia.

No elemento Terra a abertura é a boca, que é, para o indivíduo oral, o lugar da fixação da libido. Em geral, são pessoas que apreciam uma boa refeição, pois o prazer está presente sobretudo na boca.

O cuidado com outras pessoas pode ser uma manifestação genuína de amor e afeto, pois o tipo oral é muito sensível e amoroso. Todavia, como foi visto, as relações de dependência são facilmente estabelecidas e o tipo oral pode ficar preso, esperando receber do outro aquilo que ele não consegue dar a si mesmo.

Em medicina chinesa e em psicologia, para personalidades do tipo Terra e necessário aprender a se alimentar, tanto de comida como de afeto, para não se sentirem vazias e dependentes.

Metal

O Símbolo Metal

A palavra metal vem do grego *metallon*, da raiz *mé*, que significa lua. Os metais são, em geral, sólidos, brilhantes, bons condutores de calor e de eletricidade.

Assim como os outros símbolos, o metal tem um aspecto duplo: de um lado, a purificação e a transformação; de outro, o elemento pesado e impuro. O elemento puro é resultado do trabalho alquímico; o alquimista trabalhava com o minério em seu estado bruto e tentava misturar novos elementos, gerando algo novo e purificado. Essa alquimia representa a transformação da natureza humana.

Por seu valor e durabilidade, o metal simboliza aspectos valiosos e duradouros da psique. A origem dos metais e relacionada ao mundo subterrâneo, portanto, ao inferno. A própria atividade dos ferreiros era considerada perigosa e "infernal". Ou seja, o metal apresenta um aspecto que remete à sombra, ao lado obscuro da psique. Entretanto, só é possível atingir a totalidade e "despertar" se a sombra não for ignorada, mas aceita como característica inerente do ser humano. Sob esse ponto de vista, o metal é o meio pelo qual se pode entrar em contato com o *self* (si mesmo), unindo os aspectos positivos e sombrios.

A Idade do Bronze, após a Idade da Pedra, representa um salto evolutivo da espécie humana. O homem, aproveitando sua força criativa, passa a utilizar armas e utensílios de metal. Todo o trabalho humano realizado com o metal pode ser visto como o consciente trabalhando a "matéria inanimada".

O metal é altamente material, em contraste com o mundo espiritual do fogo. Por exemplo, o ouro é considerado, na arte cristã, um símbolo de poder e de bens materiais. Despojar-se de ouro, dos metais e das posses faz parte de um rito iniciático da maçonaria para recuperar a pureza e a inocência.

Jung considerava os metais básicos símbolos dos desejos sexuais e da libido. Transformar essa energia bruta em ouro seria como libertar-se dos desejos carnais. A própria individuação, que é a busca de quem realmente somos, pode ser comparada ao processo alquímico da obtenção do ouro. A transformação do metal pesado em outro mais leve libera a energia (criativa) contida no primeiro. Esse processo é conhecido na tradição esotérica ou na astrologia como a liberação das influências planetárias, pois significa liberar a energia criativa do mundo dos sentidos.

A energia cósmica em seu estado sólido e uma outra interpretação possível para os metais. Os metais podem ser associados a diferentes planetas e corpos celestes, como o ouro ao Sol, a prata à Lua, o cobre a Vênus, o ferro a Marte e assim por diante, sendo, na astrologia, chamados de planetas terrestres ou subterrâneos. O chumbo é associado a Saturno e, por seu peso, remete aos estados depressivos. Também representa materiais inconscientes que, quando trazidos à luz, à consciência, transformam-se e, assim, o próprio chumbo pode virar ouro.

Em alquimia, a obtenção do metal se dá no último estágio do trabalho (*opus*) e é chamada de *coniunctio*. Grosso modo, *coniunctio* é a união ou a fusão de duas substâncias gerando uma terceira, com características distintas das duas primeiras. A *coniunctio* pode criar substâncias diversas tais como o ouro, a pedra filosofal e assim por diante. Independentemente do resultado, esse é um processo de união dos opostos. Observa-se o fenômeno da *coniunctio* na concepção, no casamento, no amor.

Os elementos a serem conjugados precisam estar "purificados" ou seja, não se devem conjugar dois elementos impuros, misturados, indiscriminados, pois pode ocorrer uma contaminação.

Psiquicamente, *coniunctio* é um caminho de união dos opostos, do bem e do mal, que existe dentro de cada ser humano, de qualidades diversas que finalmente farão a composição do todo. A união dos opostos possibilita ao indivíduo tornar-se integrado em si e em seu meio. Porém, como em alquimia, se os elementos a serem conjugados estiverem misturados haverá uma identificação de um elemento com o outro e o resultado não será a *coniunctio*, mas sim a contaminação. Por exemplo, no caso do Ego que fica identificado com o inconsciente ou de uma pessoa que seja identificada com outra sem possibilidade de separação. Esse estágio da alquimia, para que seja bem-sucedido, pressupõe que já tenham ocorrido outras passagens como *separatio* e *mortificatio* (separação e morte). No psiquismo humano, muitas partes têm de ser discriminadas (separação); algumas morrerão e outras serão transformadas antes que seja possível juntar os pedaços para ter uma imagem aproximada do todo. A própria psicoterapia é vista por alguns terapeutas como uma série de purificações da matéria bruta para que, por fim, se obtenha a pedra filosofal, que é, em última instância, a "individuação". O elemento Metal, portanto, é a chave para a transformação.

O Metal também é um elemento *Yin*, portanto receptivo, acumulador de energia, passivo. Na Medicina Tradicional Chinesa (MTC), o Metal é representado pelo sistema órgão-víscera (*Zang Fu*) do Pulmão e do Intestino Grosso. No *I Ching*, o trigrama associado ao metal é *Tui* ☱ a alegria, o último dos oito trigramas. *Tui* representa a filha mais nova, que espalha alegria em torno de si e promove a interação dos integrantes da família. Seu símbolo é o lago, quieto e profundo. *Tui* é ainda fonte de inspiração, liberdade, troca e abertura da passagem. A alegria expressa nesse trigrama somente pode ser verdadeira se for baseada em firmeza e força interior, como mostra o trigrama que é composto de duas linhas fortes em seu interior e uma linha maleável na última posição. A linha maleável é *Yin* e representa a melancolia (como o Pulmão, na MTC), as linhas fortes são *Yang* e sustentam a firmeza interior. Esse paradoxo expressa que o Pulmão é o órgão relacionado à tristeza, mas quando em contato com sua firmeza e força interior, pode extravasar a alegria serena da expressão do eu verdadeiro, o *self*, e pode revelar a verdade pessoal. Esse é o poder transformador do Metal, a busca dos alquimistas do caminho interior pela transmutação dos elementos e a obtenção do ouro.

Elemento Metal na Medicina Chinesa

O Metal é um elemento que representa a recepção, a condensação e a transformação de energia. Ele é sólido e acumula dentro de si um grande potencial, que pode ser transformado por meio de um processo alquímico. Ele se expressa, na MTC, pelo Pulmão e pelo Intestino Grosso.

Pulmão

O Pulmão é considerado o mestre das energias, pois controla a difusão, a direção, a descida e a eliminação de energia, a respiração, e regula a circulação da Via das Águas. Está ligado aos instintos e aos reflexos. Manifesta-se na pele e seu orifício é o nariz. O Pulmão é o "ministro"; acumula e depois difunde, organizando a distribuição de *Qi*.

Respiração

A respiração está diretamente associada à própria vida. Quem morre expira, dá o suspiro final. Ela é, portanto, fonte de energia, pois o ar que entra no organismo traz consigo o oxigênio, essencial à vida e ao funcionamento das células. Essa compreensão do papel do oxigênio é, para nós, ocidentais, fruto dos estudos modernos do funcionamento do corpo: a fisiologia. Todavia, muitas tradições orientais já destacavam o papel da respiração como central na obtenção de energia. Práticas como a ioga e o *Tai Chi Chuan* são exemplos da importância atribuída à respiração. Há milênios os antigos chineses entenderam que a combinação de oxigênio com os alimentos era fundamental para gerar energia. Isso foi descrito como a junção do *Qi* puro, que é a energia do ar, inalada pelos pulmões com o *Qi* dos alimentos, que é o resultado da assimilação dos alimentos pela digestão. O *Qi* puro é inalado e o impuro é exalado. Esse é o modo como a MTC evidencia a troca do oxigênio pelo gás carbônico. Porém, essa troca do puro pelo impuro e vice-versa pode ser entendida sob um ponto de vista mais profundo e simbólico. A respiração representa a vida e a morte, a possibilidade de entrar o novo e sair o velho, o desapego, o incessante movimento da vida, a impermanência.

Direcionamento de Qi

O *Qi* puro do ar e o *Qi* dos alimentos juntam-se e formam uma nova energia, Chamada *Zhong Qi*, também conhecida como a Energia do Tórax, pois é formada e acumula-se no peito. A atividade de *Zhong Qi* é a de dar impulso e direção à própria respiração e a toda energia que circula no organismo. *Zhang Qi* ou Energia do Tórax pode ser avaliada pela própria respiração e pela voz. A respiração ampla, calma e profunda, bem como uma voz forte, denota uma *Zhang Qi* saudável e, consequentemente, uma boa circulação de energia por todo o corpo.

O Pulmão também é diretamente responsável pela distribuição de energia pelo corpo nos diversos órgãos e superficialmente, ajudando o *Wei Qi* ou Energia de Defesa, que impede e entrada de fatores de adoecimento no organismo.

O papel de difusão da energia exercido pelo Pulmão influencia a circulação de Sangue, pois sangue e *Qi* andam juntos na MTC. Desse modo, o Pulmão direciona não só o *Qi*, mas ainda o sangue e os líquidos corporais. O fluxo dos meridianos depende da circulação promovida pelo Pulmão.

Descida e Eliminação

O Pulmão exerce a função de descida e eliminação ao receber o ar, formar *Zhang Qi* e difundir a energia, o sangue e os líquidos orgânicos em todo o corpo, pois o *Qi* captado (ar e alimentos) só pode chegar até os Rins, que acumulam *Jing* (essência), com a ajuda dos Pulmões. A comunicação entre Pulmão e Rim permite a reposição de energia do corpo.

O Pulmão é um dos órgãos responsáveis pela Via das Águas, juntamente com o Rim e o Baço. Sua função é a de direcionar o fluxo de *Qi* e de líquidos orgânicos, permitindo que cheguem até os Rins, onde serão filtrados e, posteriormente, reabsorvidos ou eliminados pela Bexiga. Outra via de eliminação de líquidos ocorre através da transpiração, pois o Pulmão regula a abertura e o fechamento dos poros. Resfriados frequentes e transpiração espontânea são sinais de baixa de *Qi* dos Pulmões.

Po

O *Po* é o aspecto psíquico dos Pulmões. Ele é responsável pelos instintos, pela reação de luta ou fuga, essencial na preservação das espécies. As sensações são percebidas pelo *Po*. As reações impulsivas, os reflexos, o controle esfincteriano são características da ação do *Po*, que será estudado mais detalhadamente no Capítulo 7. O *Po* é, em resumo, a trama essencial do corpo que dá forma e mantém a vida.

Manifestações Externas

A abertura externa do Pulmão, na MTC, é o nariz. A olfação é normal se o *Qi* do Pulmão estiver equilibrado. Doenças como rinite ou sinusite podem ser tratadas usando os meridianos do Pulmão e do Intestino Grosso. Externamente, o Pulmão manifesta-se na pele e nos pelos. A função de difusão da energia possibilita a nutrição da pele e dos pelos, que se apresentam brilhantes e saudáveis. Por outro lado, a abertura e o fechamento dos poros da pele também são regulados pelos Pulmões, que permitem a transpiração. A Energia do Tórax (*Zhang Qi*) pode ser percebida pela força da voz.

Intestino Grosso

O Intestine Grosso é uma via de passagem por onde circulam os produtos da digestão e onde ocorre a reabsorção dos líquidos corporais. Os produtos da digestão assimilados pelo Baço-Pâncreas e pelo Estômago chegam ao Intestino Grosso via Intestino Delgado. Portanto, alterações como diarreia e Obstipação estão associadas, na MTC, a todos esses órgãos e não são exclusivas do Intestino Grosso.

Associações

O outono é a estação do Metal, uma estação de início do recolhimento, de troca das folhas, de introspecção. A cor do Metal é branca. A tez excessivamente branca, por exemplo, pode demonstrar alteração do *Qi* do Pulmão, pois a energia circula menos e não há cor na face. Seu sabor é o picante. A emoção é a tristeza.

Doenças Associadas ao Desequilíbrio do Metal

Quando há alteração da energia do Metal, observam-se doenças respiratórias, como asma, pneumonia, dispneia, enfisema, tuberculose etc. E ainda, astenia, voz fraca, alterações olfativas, rinite e sinusite, obstipação, depressão, doenças de pele e estase dos líquidos corporais, formando edemas e derrames.

Ciclo de Produção e Dominância

O Metal gera a Água, que é responsável pelo medo. Muitas vezes, a tristeza leva ao medo que antecede as mudanças. Quem tem baixa energia Água pode ficar preso no medo e não completar o ciclo exigido pela transformação.

O Fogo, por outro lado, é o elemento que domina o Metal. No processo de desprendimento, não se deve perder de vista que somos humanos e ligados uns aos outros pelo sentimento do amor. O Fogo também é capaz de diminuir a tristeza e gerar interesse e alegria de que as pessoas de Metal às vezes carecem.

Metal

Órgão (*Zang*): Pulmão

Víscera (*Fu*): Intestino Grosso

Manifestação externa: Pele e pelos

Abertura: Nariz

Partes do corpo regidas/funções: Respiração, Via das Águas, circulação, oxigenação, nariz, seios da face, pele, reflexos

Horário máximo de circulação de *Qi*: Das 3 às 7 horas

Aspecto mental/emocional: *Po* (reflexos, instintos primitivos)

Cor: Branca

Sabor: Picante (pungente)

Alimentos tônicos: Pimenta, manjericão, gengibre, laranja, mexerica, figo, cenoura, camarão, pato, girassol, salsão, alho, canela

Hexagrama (*I Ching*): *Tui* (lago)

Estação: Outono

Gera/produz: Água

É controlado por: Fogo

Atitude: Introspecção, acúmulo, instinto, reflexo

Emoção: Tristeza

Fatores de adoecimento: Cigarro, poluição, falta de líquidos, ambientes secos, luto, pesar, perdas importantes.

Personalidade Metal

Na psicologia analítica, o Metal está ligado ao processo de individuação, que significa aproximação do eu verdadeiro, do *self*, que contém aspectos bons e maus, sombra e luz, sendo representativo da totalidade da psique. Isso ocorre com o Metal porque ele é símbolo alquímico, o símbolo da união de vários elementos, que tem a possibilidade de gerar um novo. Em MTC, o Metal manifesta-se no Pulmão, que é responsável pelo primeiro ao último suspiro do homem, pela respiração que é a própria manifestação da vida. O sistema Pulmão-Intestino Grosso regula a assimilação da energia do ar e a eliminação das impurezas em um nível mais puro que aquele ligado à transformação da energia dos alimentos.

O metal rege o *Po*, a parte mais densa do espírito, chamado, na MTC, de parte corporal da alma ou corpo energético. Esse "corpo energético" é alimentado pela respiração, que traz a energia etérea para ser transformada em energia física. A partir da respiração, adquire-se o ritmo interno da vida, do ter e do deixar ir. Por estar ligado ao movimento de apego e desapego, o Metal manifesta-se pela tristeza e pelo pesar, sentimentos que advêm do fato de, na vida, ser necessário escolher os caminhos a seguir e, ao escolhermos um, abrimos mão de outro, o que gera, muitas vezes, a tristeza pela perda e pelos nossos limites. Por outro lado, cria-se o movimento da renovação, representado pelo novo ar que entra.

O Metal é, muitas vezes, como a espada da verdade que corta fora as ilusões, o desnecessário, para que haja o confronto com a realidade. Cada vez que um caminho é escolhido e deixa-se de seguir o outro ocorre a aproximação da consciência e da sabedoria. Os verdadeiramente sábios são aqueles que aceitam a vida como ela é, compreendem seu movimento sem criar apego desnecessário, sabem que a vida é impermanente e seguem sua intuição para seguir o fluxo de energia, o macrocosmo, o mundo externo, além de estarem conectados ao microcosmo, o mundo interno.

O indivíduo de personalidade Metal é observador, introvertido, sensível, intuitivo, inteligente, desconfiado, teimoso, calculista e, às vezes, frio. Tem o hábito de economizar dinheiro e jamais se arriscar em atividades muito instáveis. É reservado, discreto e sabe analisar a situação.

O temperamento Metal é equivalente ao temperamento chamado linfático, que é caracterizado por passividade, relaxamento e tendência a acumular bens. Seus problemas psíquicos podem ser a falta de paixão e de senso moral.

Na sua polaridade *Yin*, são pessoas muito intuitivas, introvertidas, caladas e analíticas. Eventualmente, têm dificuldade em formar laços duradouros com outras pessoas. Muitas vezes, participam pouco na vida e têm medo de se envolver em atividades diversas ou arriscar novas situações, pois não querem gastar energia para manter essas situações ou relacionamentos. Podem viver perdidos em suas memórias ou sonhos, sem nunca chegar a realizá--los. Guardam mágoa com facilidade e não expressam seus sentimentos, com medo de não serem aceitos. Acabam, frequentemente, por causa desse comportamento, gerando doenças físicas sérias. Em geral, após sofrerem algumas frustrações, ficam com medo de se envolver emocionalmente ou de se entregar mais profundamente.

Na polaridade *Yang*, as pessoas Metal podem ser bem estruturadas, mais ativas e de Opiniões definidas. Eventualmente, tomam-se rígidas, apresentando dificuldade em abrir mão de suas posições, de suas convicções e de seus bens materiais. Podem ser obstinados e competentes, mas, em geral, não lidam bem com mudanças na sua rotina. São meticulosos e até obsessivos e não são muito criativos.

Personalidade Metal e Caracterologia

O tipo anal ou caráter compulsivo é aquele que se relaciona com a personalidade Metal, não só pela relação do Intestino Grosso com o elemento Metal, mas também pelas funções de condensação de energia desse elemento.

O indivíduo anal ou compulsivo é reservado, tem uma agressividade latente, é metódico e muito organizado, com um pensamento minucioso, linear e repetitivo. A personalidade Metal confere essas mesmas características, pois o Metal é *Yin* e um elemento de acúmulo de energia. Ao imaginar qualquer Metal, vem à mente uma estrutura sólida e bem formada. O Metal e o Pulmão são ainda pontos de referência, no que diz respeito ao "abrir mão", deixar ir, aceitar as perdas e a vulnerabilidade da vida.

O pesar das perdas não está ligado somente a perdas materiais, mas também a separações de pessoas amadas, situações sociais e econômicas, mudanças de fase de vida (como a perda da juventude), mudanças de atitude do parceiro etc.

A perda da identidade pode advir de mudanças muito grandes na vida de uma pessoa. Como uma lagarta que precisa transformar-se em crisálida e "morrer" para virar borboleta, algumas mudanças na vida parecem verdadeiras mortes. Sem respirar fundo e ir em frente, não é possível mudar ou transformar os valores de referência, para ser tocado pela vida. Como a tristeza e o pesar são sentimentos difíceis e dolorosos, muitas vezes a pessoa tenta esquivar-se deles, evitando situações de confronto que possam gerar perdas ou mudanças profundas e dolorosas. Essa atitude só contribui para maior fechamento do Pulmão, do peito, do sentir e do pulsar, resultando em estagnação da energia vital. Frequentemente, essa energia estagnada gera novas doenças e situações difíceis. O aprendizado central do tipo anal ou da personalidade Metal é aceitar as perdas, abrir mão de seus bens e de suas posições rigidamente estruturados para seguir com mais naturalidade e flexibilidade o fluxo da vida.

5

A Relação "Pessoal" entre os Elementos (como Indivíduos de um Determinado Elemento se Relacionam com Outros)

Se cada pessoa apresenta uma personalidade que indica um determinado elemento da Medicina Tradicional Chinesa (ou mais de um), então, a relação entre as pessoas também poderá ser pautada por seus elementos dominantes. Sabemos também que alguns elementos "combinam" mais entre si que outros e, deste modo, algumas relações podem ser facilitadas ou dificultadas por essas combinações energéticas sutis. Um exemplo fácil de ser compreendido é o de duas pessoas, marido e mulher, em que um é Madeira e ou outro é Terra. De forma estereotipada, o homem, elemento Madeira predominante, tem uma atitude dominadora e fálica, determinando as atividades do casal, os objetivos de vida, controlando as finanças da casa e, muitas vezes, sendo autoritário e dominando sua parceira em constante luta de poder. A mulher, por sua vez, elemento Terra dominante, permanece infantilizada na relação, sem assumir suas vontades de forma clara, é mais reativa que ativa, carinhosa, porém dependente. Neste capítulo, veremos como cada personalidade dos cinco elementos pode se relacionar com as outras. Tomaremos como exemplo pessoas típica e fortemente associadas a um determinado elemento, sabendo de antemão que raramente uma pessoa tem apenas um elemento predominante.

No entanto, resta ainda colocar que cada dupla de elementos pode coexistir em uma mesma pessoa. Como diz o Ling Shu: "existem 5 tipos de personalidades vezes 5 (ou seja 25)", as quais podem continuar se multiplicando infinitamente, gerando a delicada estrutura psíquica do indivíduo. Então, ao falarmos de relações conflituosas, pode-se aplicar esse conceito para relações internas, como, por exemplo, o de uma pessoa fóbica (Água) que em determinado momento se apaixona e fica tomada pelo elemento Fogo, que é menos presente em seu psiquismo, mas pode subjugar ou exaurir a Água. Sua tendência natural é fugir de relações intensas e difíceis, porém o fogo da paixão a estimula a permanecer e exige grande dispêndio energético.

Relembrando

- *Personalidade Água*: Um indivíduo de personalidade Água é atento, rápido, esquivo, eventualmente medroso ou, às vezes, audacioso (fóbico ou contrafóbico no polo reativo), ágil e hipersensível, capta o ambiente e absorve tudo deste (de bom e de ruim) para si. É adaptável, fluido, evita o confronto, encontra soluções rapidamente, luta por sua sobrevivência e não tolera ser pressionado.

- *Personalidade Madeira (árvore)*: Um indivíduo de personalidade Madeira é ativo, decidido, vaidoso, intolerante, objetivo, claro, forte, rápido, pouco flexível, ríspido, competitivo, egocêntrico e agressivo.

- *Personalidade Terra*: Um indivíduo de personalidade Terra é amoroso, sensível, cuidadoso, dependente, perde energia facilmente e precisa dos outros para repô-la, tem tendência a apresentar distúrbios alimentares quando tem problemas emocionais, preocupado, pode ser pegajoso e pouco dinâmico.

- *Personalidade Fogo*: Um indivíduo de personalidade Fogo é alegre, agitado, desorganizado, dispersivo, criativo, falante, sensual, cativante, com alta mobilidade e pode ser, eventualmente, tão intenso que chega a ser cansativo.

- *Personalidade Metal*: Um indivíduo de personalidade Metal e metódico, organizado, rígido, constante, introspectivo, econômico, intuitivo, reservado, distante e, eventualmente, frio.

Na Medicina Tradicional Chinesa, os chamados Cinco Elementos, ou cinco movimentos energéticos, ligados aos símbolos Água, Madeira, Fogo, Terra e Metal, relacionam-se constantemente entre si nos ciclos conhecidos por "geração e controle", que são ciclos ditos normais e podem vir a relacionar-se de modo destrutivo através do "hipercontrole/hiperdominância" ou do "contracontrole/contradominância" (ciclo invertido de controle), que são ciclos patológicos.

O *ciclo de geração* é o que se segue:

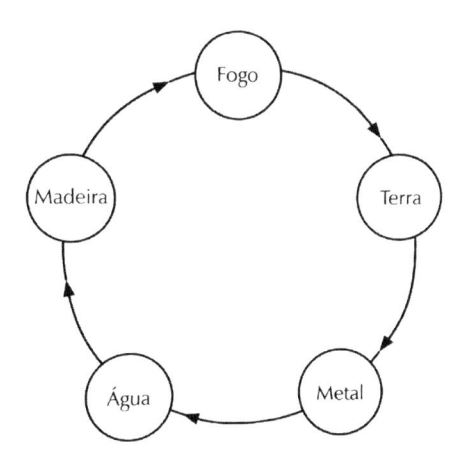

1. Água gera Madeira/árvore (é a Água que irriga as plantas para que elas possam germinar, crescer e dar frutos).

2. Madeira/árvore gera Fogo (é a Madeira que alimenta o Fogo).

3. Fogo gera Terra (as cinzas geradas pelo Fogo irão se depositar na Terra).

4. Terra gera Metal (é no fundo da Terra que se formam os minérios e metais).

5. Metal gera Água (a Água brota das fontes minerais).

O *ciclo de controle/dominância* é o seguinte:

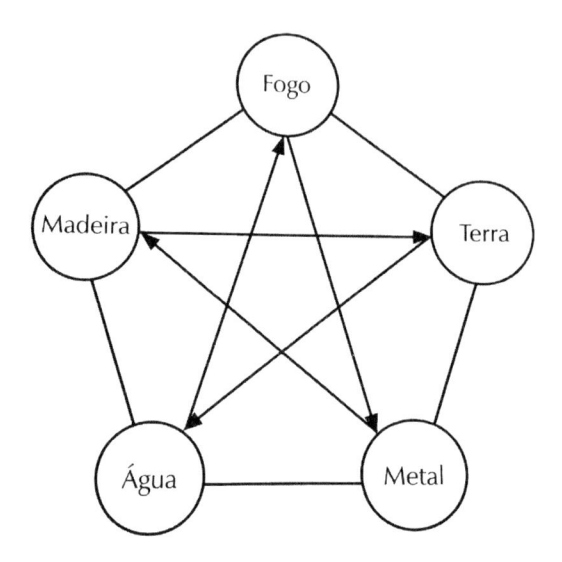

1. Água controla Fogo (a Água apaga as chamas excessivas que queimam tudo em volta).

2. Madeira controla Terra (a Madeira tira o excesso de umidade da Terra para poder crescer).

3. Fogo controla Metal (o Fogo molda os Metais, através da forja, transformando-os através do aquecimento).

4. Terra controla Água (a Terra absorve, em seu interior, o excesso de Água).

5. Metal controla Madeira (como na poda das árvores, é a lâmina do Metal que evita o crescimento excessivo e desordenado da Madeira).

Quando existem desequilíbrios energéticos, sendo um determinado elemento muito mais forte do que o outro por alguma emoção (por exemplo, a raiva estagnando o Fígado ou Madeira) ou por alimentação desregrada (como o excesso de doces desequilibrando o Baço ou Terra) pode acontecer os ciclos patológicos que são dois: hiperdominância/hipercontrole e contradominância/contracontrole (inversão).

O ciclo de hiperdominância é exatamente igual ao de dominância/controle, porém em intensidade muito maior, e, em vez de controlar de forma natural um elemento, acaba lesando-o. Então temos:

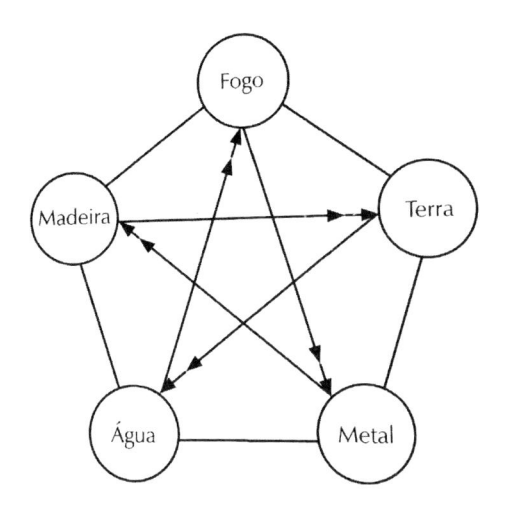

1. A Água apaga por completo (ou quase) o Fogo.

2. A Madeira tira todo o húmus da Terra.

3. O Fogo derrete completamente o Metal.

4. A Terra drena a Água em excesso.

5. O Metal corta a Madeira (árvore) pela raiz.

O último ciclo patológico é o ciclo de contradominância, ou ciclo invertido, que ocorre quando o elemento que normalmente é dominado por outro está tão forte ou o outro tão enfraquecido que esse "domínio" se inverte.

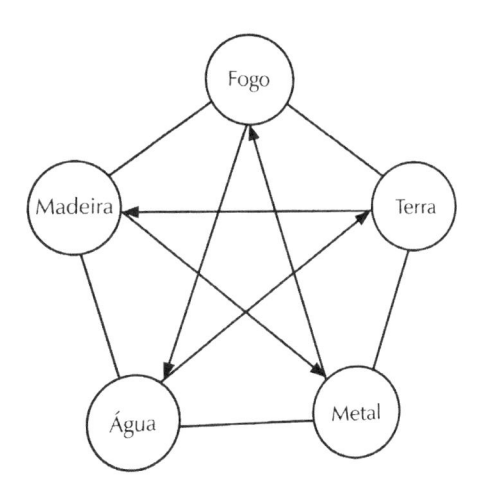

1. A Água inunda a Terra.

2. A Madeira quebra o Metal.

3. O Fogo diminui a Água.

4. A Terra apodrece a Madeira.

5. O Metal esfria o Fogo.

Em seguida, encontram-se as relações entre cada um dos cinco elementos entre si.

Água e Madeira

Segundo o ciclo de geração, a Água é mãe da Madeira, ou seja, o elemento Água produz a Madeira. Como a Água gera a Madeira, a pessoa de Madeira sente-se muito bem em companhia de alguém de Água, pois esta última estimula e dá espaço ao crescimento e à criatividade da Madeira. Por vezes, o indivíduo Madeira pode ser agressivo e ríspido na busca de ampliar seu espaço, porém, na presença de alguém de Água, isso não gera conflitos, pois a Água, moldando-se às situações, adaptar-se e permite que a Madeira ocupe o espaço. Deste modo, a Água acaba incentivando as descobertas e iniciativas do indivíduo Madeira, ou seja, a Água nutre a Madeira.

A Água, por sua vez, não se nutre da Madeira. Ela, como mãe, dá sua energia para apoiar o crescimento do indivíduo Madeira e se regozija com isso. A Água gosta de se lançar (como as cachoeiras e as corredeiras) e admira a capacidade de crescimento e construção de alguém de Madeira. Ela se interessa, anima-se e entusiasma-se pelas conquistas da Madeira. A personalidade Água odeia restrições e o indivíduo Madeira, apesar de dominador, não restringe quem o impulsiona, de forma que a Água sente-se livre para achar o seu próprio espaço sem se limitar. Trata-se de uma combinação fortuita de dois elementos.

Água e Fogo

Estes são dois elementos-símbolo do antagonismo: água fria e *Yin versus* Fogo quente e *Yang*. A personalidade Água, mais sutil, delicada e fluida, não encontra fácil relacionamento com o Fogo, expansivo, espaçoso e falante. Apesar disso, os relacionamentos conflituosos são capazes de gerar criatividade para encontrar soluções positivas de convivência.

Água e Fogo pertencem a um ciclo de controle e desgaste mútuo e, portanto, nem sempre esse contato é positivo. A Água controla os excessos do Fogo e, até certo ponto, isso é bem-vindo, pois o Fogo tende a consumir a tudo e a todos e precisa de certos limites proporcionados pela Água, que esfria seu excessivo entusiasmo. Um exemplo, em um mesmo indivíduo, da importância do controle do Fogo pela Água ocorre no caso da ansiedade: no envelhecimento ou em qualquer queda de energia vital, em que há enfraquecimento da Água, que não mais controla o Fogo, podem aparecer sintomas como a insônia e a ansiedade (Fogo). Em um casal, uma mulher suave e maleável ajuda a conter os excessos de um parceiro que bebe muito ou exagera em festas. Ela aprofunda e ele expande, ela se adapta e ele agrega, ela aquieta e ele agita. Esse é um equilíbrio instável e difícil.

A Água desbalanceada, quando em excesso, pode apagar o Fogo. Pode-se exemplificar com o medo (Água) que impede a sociabilidade (Fogo). Como normalmente a Água domina ou controla o Fogo, um caso como o anterior (medo impedindo os contatos sociais) é visto como uma hiperdominância na Medicina Tradicional Chinesa (MTC). Ainda no exemplo do casal, uma pessoa muito profunda e reservada pode acabar inibindo a criatividade e a vida social de seu cônjuge extrovertido.

O contrário disso, chamado na MTC de ciclo de contradominância, ocorre quando o Fogo em excesso drena a Água. O Fogo em excesso pode ser exemplificado por uma pessoa falante e "espaçosa" que quer toda a atenção para si e acaba por fatigar a pessoa de Água, que tudo absorve e fica exaurida energeticamente.

Água e Terra

Esses dois elementos úmidos trazem, em comum, muita emotividade e sensibilidade afetiva. Quando Água e Terra estão juntas, as emoções são o ponto central da relação. A personalidade Água, contudo, é mais ágil e adaptável, ao passo que a personalidade Terra é mais fixa e com tendências ao imobilismo. A Água é independente e gosta do movimento, a Terra, dependente e apegada. Em uma relação saudável, o indivíduo de Terra pode ajudar o indivíduo de Água a se centrar e se estabilizar (ciclo de controle da MTC).

Em relações desequilibradas, quando a pessoa Terra é muito dominante e a Água é mais fraca, esta pode ser drenada e retida pela Terra até desaparecer. Um exemplo deste caso é o de uma mãe Terra, superprotetora e, ao mesmo tempo, carente, que impede os movimentos de sua filha Água. Essa filha Água sente-se presa e sufocada debaixo da Terra, sem poder expressar sua verdadeira natureza.

Outro caso de desequilíbrio ocorre quando o ciclo é invertido, e uma pessoa de fraca personalidade Terra é inundada pelo forte indivíduo de Água. A personalidade Terra precisa de apoio e estabilidade, mas desestrutura-se frente ao dinamismo e à constante mutação do indivíduo de Água.

127

Água e Metal

Água e Metal são dois elementos *Yin*, frios e introspectivos. A relação se passa no mundo intuitivo de forma discreta, sendo a pessoa de Água mais emotiva, adaptável e instável e a de Metal mais fria, rígida e estável.

O elemento Metal gera a Água, ou seja, dizemos que o Metal é "mãe" da Água (Água brotando das fontes minerais). A pessoa de Água aproveita-se da presença do elemento Metal para repor suas energias. Dos elementos, o Metal é aquele que mais acumula energia, correspondendo à estação do outono e do recolhimento. Esse movimento é altamente desejável para a relação Água--Metal, pois agrega a energia necessária para a vitalidade pulsante da Água. Se a pessoa de Metal guarda toda essa energia para si, sem passá-la adiante, isso gera doenças e infelicidade. Para comunicar a enorme quantidade de força contida em si próprio, o indivíduo Metal, que é por natureza reservado e conservador, precisa de alguém Água, que suavemente desbrava novos caminhos e traz vitalidade e movimento para essa relação.

Água e Água

Dois elementos iguais, em princípio, são facilmente combináveis, pois encontram tantas semelhanças que tornam a comunicação direta e fluida. Duas pessoas Água são de fácil convivência, pois são ágeis, inteligentes, sensíveis e moldáveis. Misturam-se bem, entendem-se bem e tem um alto poder de energia criativa e adaptativa.

Entretanto, também existem algumas dificuldades de relacionamento com alguém muito parecido com você, pois a tendência será somar as qualidades e também os problemas. Para pessoas com boa consciência de si, reconhecer que os defeitos do outro são iguais aos seus pode ser um modo maravilhoso de crescimento pessoal. Para indivíduos pouco conscientes, um parceiro semelhante funciona como um espelho incômodo, mostrando defeitos que preferiríamos não ver.

Como a personalidade Água é sensível e fluida, a relação Água-Água é de poucas palavras e muitos sentimentos: bastante intuição ou *feeling* sobre o que o outro está Sentindo. Dificilmente duas pessoas Água magoam-se mutuamente, pois sentem (como o peixe sente a vibração na Água) o que o outro sente. Quando algo não vai bem, em Vez de brigas pode ocorrer uma reação de fuga dos dois lados. A personalidade Água abomina confrontos e escapa quando algo está difícil. A Água é *Yin*. Não há chispas ou discussões apaixonadas entre dois indivíduos Água. Se algo não vai bem, ocorre o recolhimento ou o êxodo.

Outra questão delicada de uma relação Água-Água é a fusão das duas personalidades em que, sem distinções, sem limites, a identidade individual fica diluída funcionando como um conjunto indiferenciado. Um exemplo de uma relação Água-Água indiferenciada é a do bebê com o útero materno. Ainda que a mãe não seja de personalidade Água, o feto relaciona-se com o útero e a placenta, esse meio aquoso. O feto não se distingue de sua mãe e sente tudo o que acontece no meio externo através das vibrações, dos neutrotransmissores e dos hormônios que passam pelo líquido amniótico.

Madeira e Fogo

Segundo a lei do ciclo de geração dos Cinco Elementos, a Madeira gera o Fogo, ou melhor, é mãe do Fogo. O indivíduo de personalidade Madeira é ativo, objetivo, prático, cheio de energia e de iniciativa e isso da energia (combustão) para quem é Fogo. A personalidade Fogo gosta de ação e precisa dessa fagulha para começar o seu *show*. Como a personalidade Fogo é dispersa, ela tem maiores dificuldades de construir tudo aquilo de que quer desfrutar, de modo que a Madeira permite-lhe conseguir seu palco e seus objetivos.

Uma relação típica de Madeira e Fogo é a de um executivo bem-sucedido (Madeira) que se enamora de uma moça (Fogo) atraente, engraçada, faladora e exuberante. Ele trabalha, constrói seu império e ela faz os contatos sociais, entretém os amigos e o meio social dele. Ela brilha, como sua joia preferida.

Como a Madeira gera o Fogo, a personalidade Madeira gosta de ver toda essa explosão de energia criativa e social. A pessoa Madeira tem dificuldade de relaxar e aproveitar o momento, e a pessoa Fogo a ensina como brincar prazerosamente. Juntos, Madeira construindo e Fogo agitando, eles magnetizam o ambiente e todas as pessoas em volta. Uma verdadeira dupla combustiva!

Madeira e Terra

Madeira e Terra estabelecem uma relação de controle e conflito, e encontramos essa dupla em muitíssimas relações humanas. A Madeira, como já foi dito, desbrava, constrói, planeja, cresce e vai aos céus. É um elemento *Yang* por natureza e gosta de ser ativa e produtiva. A Terra, por outro lado, nutre, enraíza, acalma, acalenta, cuida e freia as ações. Como a Terra tem a tendência ao imobilismo e ao acúmulo de riquezas em seu interior, é de suma importância que a Madeira venha agitar um pouco as coisas e retirar da Terra o que é necessário para ela (Madeira) crescer e gerar seus frutos.

Desse modo, a Madeira "controla" a Terra, impedindo que esta guarde toda a sua umidade e seu húmus para si. Sem o controle da Madeira, a Terra, que nutre, pode também apodrecer por excesso de umidade e de apego.

Entretanto, a personalidade Madeira tem uma tendência ao autoritarismo e ao despotismo e pode, em um determinado momento, exercer um controle exagerado (hiperdominância) sobre a Terra, exaurindo-a, Um exemplo é o de dois sócios: um ativo e dinâmico (Madeira) e o outro centrado e afetuoso (Terra). Sem o dinamismo da personalidade Madeira os negócios não andam, porém, em determinado momento, o sangue frio e a atividade frenética podem desgastar o afeto e a base estruturada que a pessoa de Terra fornece para esta dupla.

O contrário (ciclo de contradominância) ocorre quando a Terra está mais forte que a Madeira e passa a exercer controle indesejável e patológico sobre ela. Observa-se em uma relação de amigos, em que o indivíduo Terra é pegajoso e dependente e exaure o amigo Madeira, contando suas histórias intermináveis e culpabilizando a pessoa Madeira se ela não lhe dá a atenção que gostaria de receber. Um indivíduo Madeira mais enfraquecido fica irritado e nervoso, mas não consegue sair dessa relação indesejável e tediosa.

Muitos casais também observam essa dinâmica e podem oscilar, ora com o domínio invertido da Terra sobre a Madeira, ora com a hiperdominância da Madeira sobre a Terra: a pessoa Terra sente que dá todo o afeto, mas não o recebe em troca, e tem que aguentar os acessos de mau humor e raiva da Madeira, e o indivíduo Madeira sente-se preso e culpado pelas queixas da pessoa de Terra.

Madeira e Metal

Mais uma dupla conflituosa, pois pertence ao ciclo de controle da MTC. O Metal controla a Madeira (a lâmina do machado corta a Madeira).

O indivíduo Madeira quer ir aos céus, quer ganhar e crescer, quer estar na frente de todos e sua agressividade inibe os concorrentes e adversários. Para controlar naturalmente a Madeira, a ação do Metal é desejável. É o Metal que coloca os limites: morte, separação, corte, tristeza e luto fazem parte deste elemento. Uma pessoa Madeira que, em princípio, não quer ser detida em seu crescimento e em sua criatividade, é obrigada a deter-se frente às separações, aos lutos e aos cortes da vida, para entrar em contato com sua interioridade e sair da busca frenética por tudo o que está no mundo exterior. Somente diante dos grandes cortes e separações é que a Madeira diminui sua atividade e seu "fazer produtivo". Porém, o corte não pode ser duro demais (hiperdominância), do contrário, a Madeira perde seu ímpeto de viver e se "deprime", recusando-se a voltar às suas atividades.

Um exemplo da relação Madeira e Metal ocorre com um empregado Madeira, Cheio de ideias e vontades, agressivo e investidor, que tem que frear seu drive quando o chefe Metal não quer desperdiçar tanto dinheiro ou tem uma postura mais conservadora frente aos desafios empresariais. Esse corte nas ações obriga a pessoa Madeira a retroceder e a juntar forças em seu interior (como a poda de uma árvore, em que se cortam os galhos finos para que o tronco cresça com maior vigor). Se o corte for muito violento (hiperdominância), como no caso de uma demissão, pode-se cortar por completo a iniciativa da Madeira e jogá-la em um momento de perda de autoconfiança e de força de vontade, ambos relacionados à Vesícula Biliar (na MTC, elemento Madeira).

O inverso (ciclo invertido de contradominância) é também passível de ocorrer, não sendo nem bom nem desejável, pois mostra um desequilíbrio dos elementos, Quando a Madeira é forte demais, quebra a lâmina do Metal. Encontramos essa situação numa relação pai-filho, em que o pai é autoritário e castrador (Madeira) e o filho é metódico, introvertido, e guarda as emoções para si (Metal). Cria-se o famoso "complexo de castração" descrito por Freud, aqui promovido pela predominância desses elementos em cada um dos entes familiares envolvidos. O pai tica tomado por seu jogo de poder, e o filho, para sempre fechado em uma estrutura rígida, vê-se sem a possibilidade de transmutar-se para uma situação criativa.

Madeira e Madeira

Aqui, novamente, dois elementos similares se encontram. Não tão fluidos e fusionais como Água-Água, mas, sem dúvida, dois iguais: fortes, altivos, competitivos, investidores, desbravadores e ousados. Juntos, podem subir o monte Everest, montar grandes negócios, fazer fortuna, ter o melhor time esportivo. Uma ativa o dinamismo do outro, um impulsiona o outro, um admira o outro por suas capacidades.

Porém, é preciso cuidado: a competitividade deste elemento é alta e, quando não usada para o bem comum, pode se tornar destrutiva, como a árvore que cresce frondosa, contudo faz sombra às outras, matando os pequenos arbustos. Em um casal, essa combinação dinâmica pode facilmente ser desastrosa, pois a competitividade não enxerga a singularidade e a complementaridade entre homem e mulher. É necessário formar equipe para que o time jogue bem.

Fogo e Terra

Aqui, é o elemento Fogo que gera a Terra. Toda a agitação e o calor do indivíduo Fogo transformam-se em cinzas que enriquecerão a Terra com a afetividade a que ela tanto almeja. O Fogo e emoção e a Terra é pura ternura. A Terra é um elemento que centraliza e harmoniza. Após a combustão, a paixão, o movimento, a pulsação, vem a decantação (*coagulatio*) do elemento Terra, que acomoda tudo o que foi transformado pelo Fogo.

A pessoa Fogo é criativa, alegre, sedutora e não se restringe facilmente; já o indivíduo Terra é mais afetivo, de maneira delicada e duradoura. Os laços afetivos iniciados pela combustão do Fogo se aprofundam com o amor verdadeiro da Terra, que é o elemento central de todos os outros. A Terra é a grande mãe, mas para que ela assim o seja, é necessário que algo seja formado a partir do espírito criativo do Fogo (*Shen*).

Após uma grande paixão (Fogo), nascerão os filhos que precisam da estrutura, da preocupação e do cuidado de uma mãe atenta e carinhosa (Terra).

Fogo e Metal

O Fogo é o elemento mais representativo do *Yang*: quente, móvel, expansível, comunicativo, espiritual (*Shen*). O Metal e o mais *Yin* dos elementos: frio, imóvel, corporal (*Po*), ele se contrai, armazena a energia e a guarda para si. Sabe-se que o Fogo controla o Metal, pois com o calor do Fogo torna-se possível amolecer e moldar os Metais. Para um indivíduo Metal, reservado e introspectivo, a presença de alguém Fogo obriga-o a sair de seu casulo e liberar sua preciosa e criativa energia. O indivíduo Fogo agita o mundo organizado da pessoa Metal e amolece a rígida estrutura interior desta para que ela possa se liberar. Imagine-se uma alegre pessoa Fogo, artista e professor de dança latina, que conhece uma moça tímida, reservada, de muito valor interior, mas com imensa dificuldade de mostrar sua ginga e seu riso. O professor dançarino, alegre e entusiasta, ensina a moça tímida a dançar e esta pouco a pouco vai se soltando e se alegrando. A situação não é exatamente fácil para ela, que gosta de estar só e prefere lidar com a intuição e seu mundo interior do que com o contato físico, dinâmico e sensual da dança. O desafio, porém, lhe proporcionará momentos de alegria e prazer.

O Fogo, quando excessivo, funde todo o Metal, no chamado ciclo patológico de hiperdominância. Exemplificando: dois colegas de turma devem fazer um trabalho conjunto para apresentar ao fim do semestre letivo. Um deles e Fogo, exageradamente Fogo, e o outro Metal. O colega Fogo chega à reunião de trabalho e anima o ambiente, conta piadas, coloca música alta. O colega Metal faz sua pesquisa com seriedade e organiza-se para o trabalho, porém com a chegada do colega Fogo, o Metal dá risadas e se descontrai. Após algum tempo, a agitação e tanta que o indivíduo Metal começa a perder o foco. Passa-se o tempo e nada é construído, aliás, bem à moda do elemento Fogo, pois existe uma grande combustão e destruição do esforço reunido até então.

No caso da contradominância, em que existem um forte elemento Metal e um fraco elemento Fogo, o ciclo inverso se estabelece. Em vez de o Fogo derreter o Metal, é o Metal que esfria o Fogo e o apaga. Uma mulher (Metal) fria e metódica, reservada e fechada, porém de forte personalidade, pode esfriar as tentativas de seu marido (Fogo) de animar a casa, pedindo, a cada vez, que ele fale mais baixo, que desligue a música, ignorando suas brincadeiras e evitando o contato sexual.

Fogo e Fogo

Estes dois elementos iguais e explosivos, juntos, geram muita alegria, criatividade, paixão e animação. O Fogo facilmente se mistura com outro Fogo, e juntos tornam as Chamas mais altas e mais fortes. Se um bom amigo Fogo, sem inibições, é ótimo para animar uma festa, chamando todos para a pista de dança, batendo papo com todos e Quebrando o gelo inicial, imaginem dois amigos Fogo na mesma festa!

Um casamento de duas pessoas de Fogo é cheio de paixão e sensualidade e, pelo lado negativo, pode ser também explosivo, destrutivo, permeado de ataques de fúria e discussões acaloradas. Pessoas Fogo, quando não estão fortemente conectadas ao mundo espiritual (*Shen*), podem acabar buscando-o em bebidas e drogas que dão a sensação de leveza, de elevação o corpo, tirando-as da condição pesada de sua existência. Por isso é tão comum encontrar artistas envolvidos com o mundo das drogas, uma vez que eles estão sempre em busca do criativo e da sublimação, mas quando não encontram isso em si, acabam lançando mão de subterfúgios externos.

Terra e Metal

São dois elementos *Yin*, com pouca ou nenhuma mobilidade. Terra e Metal cumprem o ciclo de geração, em que a Terra alimenta o Metal (das profundezas da Terra surgem os minerais). O Metal e frio, metódico, organizado e intuitivo. Guarda imensa energia e riqueza em seu cerne, mas tem dificuldade de se mostrar e doar aos outros. Sua função, como a do outono, é recolher energia em seu interior e transmutá-la em sua essência. A Terra, estável, nutridora, amorosa e complacente, é a mãe do Metal e permite que, em seu interior, o Metal se forme e se enriqueça. A Terra, por ser *Yin* como o Metal, aceita seu imobilismo e sua quietude, necessários ao movimento natural do Metal.

O indivíduo Metal é tímido e conservador e sente-se à vontade com a presença constante e acolhedora da pessoa Terra, que também é conservadora e introspectiva. A pessoa Terra, por sua vez, alegra-se ao servir de amparo para alguém, e aceita o indivíduo Metal, em sua reserva e solidão, enchendo-se de compaixão e incentivando o movimento interiorizado do Metal. Uma mãe Terra regozija-se ao ver um filho ou filha Metal transformar o carinho e a base que ela lhe transmitiu em algo valioso (como o ouro, ou outro metal precioso). A Terra não se importa com a timidez e a aparente frieza do Metal, pois sabe que, em seu interior, reside sua verdadeira riqueza. O filho ou filha Metal, naturalmente, aproveita-se dessa postura maternal para descobrir sua riqueza interior, sem precisar provar nada ao mundo exterior. São dois introvertidos que se compreendem e não se cobram.

Terra e Terra

Duas vezes Terra, duas vezes Mãe-Terra, o mais protetor e apaziguador de todos os elementos. A pessoa Terra e carinhosa, cuidadosa, doce e dependente dos afetos e dos contatos humanos. Essa combinação é ideal para criar fortes laços afetivos e aprofundar as relações humanas (em direção às entranhas da Terra, criando raízes). Sem a umidade da Terra, não há ligação possível e o mundo torna-se seco e duro. Relacionar-se com o seu semelhante de Terra ajuda a criar um mundo de afeto e de segurança.

Contudo, a relação é muito *Yin*, faltam movimento, novidade e criatividade, e sobra dependência. Com marido e mulher que são antes de tudo pai e mãe, mas não encamam o papel sensual e sexual, a relação pode ficar amorfa e previsível. Terra sente-se à vontade com Terra, a linguagem comum é o afeto, porém o risco existente são a dependência mútua e a parada no crescimento.

Metal e Metal

Esta última dupla de iguais é uma dupla reservada, que se comunica pela intuição, sabendo um reconhecer o valor interior do outro. Ambos recolhem informações do mundo externo e compõem sua sabedoria a respeito do que os cerca. Armazenam a inteligência dos anos e das espécies e desligam-se do supérfluo e do inútil. Não gostam de perder energia em encontros sociais casuais. Não se mostram facilmente, escondem o "ouro" da vista alheia, mas observam tudo, nada lhes escapa e, juntos, compreendem a necessidade da calma e do isolamento.

O Metal, por si só, tem dificuldade para se misturar, mesmo entre seus iguais. Este elemento precisa do calor (do Fogo) para quebrar sua estrutura sólida e individualista. Portanto, a combinação de Metal com Metal não é óbvia e nem fácil, apesar de ambos compreenderem as razões do isolamento um do outro e não ficarem cobrando atitude, contato e presença. São seres solitários e intuitivos que se respeitam.

6

Sonhos e sua Interpretação na Medicina Chinesa

Trabalhando com os Símbolos

Na abordagem simbólica, o corpo e a mente são apenas dois aspectos de um mesmo símbolo. Entende-se que um sintoma está inserido em um contexto do qual ele não pode ser retirado. A abordagem simbólica é teleológica e sintética. Ou seja, quando alguém traz um sonho, um sintoma, uma doença, uma queixa, observa-se o que essa imagem pode acrescentar ao tratamento e à vida dessa pessoa.

Como foi visto, o corpo pode ser entendido de maneira simbólica. Um determinado sintoma, uma região do corpo, uma doença são dados que expressam também a realidade psíquica. Trabalhar com o corpo e por meio dele pode proporcionar grandes *insights* em direção às emoções e à mente. O corpo é uma conexão extraordinária com o inconsciente e com o desconhecido. Mas não é a única.

Outros símbolos podem ser extremamente úteis para ajudar a percorrer os caminhos que levam às porções desconhecidas da nossa psique. Os símbolos dos sonhos, das imagens e das fantasias de cada um, tão carregados de emoções e dos próprios desejos, apontam muitos caminhos diferentes dos convencionais e introduzem o mundo interior e desconhecido.

Sonhos

Os sonhos são o maior exemplo do universo simbólico e trazem em si verdadeiras mensagens cifradas. Desde a antiguidade, os sonhos fascinam o homem, que acreditava tratar-se de mensagens divinas que, decodificadas, poderiam ajudar a escolher caminhos ou mudar destinos. Um exemplo clássico é o sonho do Faraó sobre "as sete vacas gordas e as sete vacas magras", interpretado por José.

Muito já foi dito e escrito a respeito dos sonhos e, hoje, sabe-se que um sonho só pode ser analisado ou interpretado dentro de um contexto. Ou seja, inserido na história de vida da pessoa que sonha, no momento em que é sonhado e na dinâmica atual do sonhador e do seu meio ambiente. Os sonhos, segundo Jung, podem ser pessoais ou fazer parte do inconsciente coletivo. Os do inconsciente coletivo trazem imagens que não pertencem exclusivamente à vida ou à história de quem sonha, como, por exemplo, os sonhos de aviões caindo ou batendo, que algumas pessoas tiveram na noite anterior ao atentado às torres gêmeas de Nova Iorque.

Em minha prática como acupunturista, tenho o costume de pedir para que os pacientes tragam sonhos que consigam lembrar. Por vezes, são surpreendentes, do ponto de vista da dinâmica energética. Eles indicam os bloqueios do *Qi*, as deficiências, os excessos, os pontos nevrálgicos do desequilíbrio do paciente e ajudam a decifrar aspectos importantes e inconscientes.

Este livro se propõe abordar a medicina chinesa aproveitando o máximo possível dos significados simbólicos que ela oferece. Os sonhos que trago aqui são apenas ilustrações das possibilidades de ampliar o entendimento da dinâmica de cada paciente.

Estudos de Casos

1. Paciente Feminina, 35 anos

Apresentou este sonho cerca de três meses após o início dos sintomas de síndrome do pânico. Alguns meses antes, tivera um quadro de dengue, seguido de hepatite.

> Eu estava numa casa cujo assoalho era de tábua corrida bem rústica. Lembro-me também que havia um sótão repleto de livros antigos. De repente, houve um princípio de incêndio (não me lembro por que) e a tábua corrida começou a ficar quente sob os meus pés, subitamente, percebi que havia clareiras de fogo em alguns pontos. O curioso foi que, por de baixo do assoalho de madeira, que ardia consumido pela brasa, havia água, como se a casa fosse uma palafita.

Nesse caso, fica clara a alusão aos elementos Madeira, Fogo e Água. O elemento Madeira foi prejudicado pela hepatite e a paciente "queimou" a estrutura de sua casa. A Madeira indica o movimento vertical, como a coluna vertebral e aqui, essa coluna (que dá sustentação) desaparece. A Água é o elemento responsável pelo armazenamento da energia do corpo, abalado após a hepatite (consumo do *Yin* do Fígado, aumento do *Yang* do Fígado e, consequentemente, consumo do *Yin* dos Rins). A Água invade e ameaça subir, inundando a casa. A paciente, ao ter as crises de pânico, sente-se inundada de sensações incontroláveis que ameaçam sua integridade psíquica. O ataque de pânico é um quadro que ocorre em situações aparentemente normais, mas a pessoa sente-se insegura e ameaçada de morte. Para essa paciente é necessário construir uma nova casa, recompor o elemento Madeira e parar a combustão, para que a Água não inunde tudo.

2. Paciente Masculino, 37 anos

> Sonhei que estava morando em uma casa com piscina e ela estava suja, muito suja. Um amigo meu, que morava lá comigo, dizia que tínhamos de limpá-la.

Esse paciente referia dores fortes na coluna, tinha um deslizamento vertebral (espondilolistese), dores generalizadas no corpo, fadiga, indisposição, resfriados frequentes e, ainda, apresentava muita dificuldade em realizar seus projetos pessoais. Gostaria de procurar um emprego, mas tinha medo que a dor o limitasse e sentia-se cansado e indisposto a maior parte do tempo.

O sonho apresenta o elemento Água (a piscina da casa) muito sujo; não se pode usar a piscina. A Água é o grande reservatório de energia do corpo, armazena o potencial humano, a hereditariedade e a capacidade de realização. Nesse caso, ela está tão suja que não pode ser usada. Há claramente um quadro de carência energética (deficiência do *Jing* e do *Yang* dos Rins).

3. Paciente Feminina, 47 anos

No climatério, apresentando insônia, calores e dificuldade de concentração.

> Sonho que recebi um beijo na boca de um homem que não conheço, tudo acontece muito rápido e minha cabeça começa a suar. Quero pegar gelo na geladeira para atenuar o calor, mas como estou tonta, não encontro o caminho até a cozinha.

Essa paciente está com o quadro de "Calor no Coração" típico do climatério, quando há diminuição do *Yin* e o *Yang* sobe para o alto do corpo. A velocidade do sonho, o suor, a tontura e o arrebatamento do beijo são sinais do elemento Fogo. Nesse caso, como ela mesma aponta, ela precisa "esfriar" e, para tanto, é necessário aplacar o excesso do fogo que a deixa sem chão. Na medicina chinesa, isso seria feito ajudando a raiz, os Rins e aumentando a Água.

4. Paciente Feminina, 23 anos

Bulímica, procurou acupuntura para emagrecer.

> Sonhei que estava andando com um grupo de amigos em algum lugar do sertão. A terra estava seca e abria-se em rachaduras e eu caia em uma fenda da terra.

A terra seca indica o estado de desnutrição, o mau funcionamento do Baço e do Estômago e, ainda, o ambiente emocionalmente árido. Além disso, aterra não sustenta, não é um lugar seguro e engole a paciente. A bulimia é reflexo de uma relação ruim com o elemento nutridor (mãe, Terra), em que a paciente engole sem ser capaz de se nutrir. No decurso do tratamento, além do estímulo dos pontos do Baço e do Estômago, foi necessário fazer orientações dietéticas e dar suporte emocional à sensação de desamparo. A paciente começou a realizar algumas atividades que a ajudavam a cuidar de si mesma. Sentir que estava sendo cuidada com amor também foi um fator decisivo para a remissão da bulimia.

5. Paciente Feminina, 8 anos

Por volta dos 5 anos, teve um episódio de Glomerulonefrite Difusa Aguda (GNDA), que evoluiu para insuficiência renal, com necessidade de diálise.

> Sonho que estou passeando em uma cidade com meus pais. Uma enorme caixa d'água em forma de prédio estoura e a água sai como uma grande onda, encobrindo a cidade. Todos correm e vejo a água vindo em minha direção. Acho que sou engolida por ela, pois acordo com falta de ar.

O sonho é uma alusão clara ao elemento Água, que toma tudo, causando pavor e destruição. Na medicina chinesa, o medo e as doenças renais fazem parte do elemento Água.

6. Paciente Masculino, 67 anos

Deprimido há três anos, desde a morte da esposa, vem para ser tratado por medicina chinesa pois se recusa a ir a um psiquiatra ou psicoterapeuta. Após seis meses de tratamento, tem um sonho:

> Estou andando descalço por muitos quilômetros e carrego comigo uma mala enorme e pesada. Vejo um garoto que brinca na beira da estrada e tira do bolso um anel. É opaco, de ouro e tem algo

escrito na parte externa. Parece a aliança de casamento de minha mãe. Pego o anel e limpo na minha camisa até que brilhe. Como não tenho dinheiro, deixo minha mala em troca. O garoto diverte-se, jogando minhas roupas para o alto e vestindo minhas camisas, que são duas vezes o seu tamanho.

Os aspectos relacionados ao elemento Metal aparecem repetidas vezes. Ele carrega uma pesada mala, típico do apego da personalidade do elemento Metal. A mala será trocada por um anel de metal, do metal precioso e que se relaciona a uma aliança de casamento. O sonho fala de bens materiais e de outros bens, fala do apego, do esforço e da possibilidade de troca e de evolução. Ao receber um anel precioso do garoto, ele faz uma aliança consigo mesmo.

Após esse sonho, o paciente apresentou melhora progressiva, voltou a trabalhar e a se envolver em atividades sociais e aceitou sair de seu antigo apartamento. Nesse sonho tica muito claro o papel curador do si mesmo (*self*). A cura reside dentro de cada paciente e não fora dele.

Conclusão

Nos sonhos aqui apresentados, os elementos aparecem claramente e são indícios dos órgãos que estão em desarmonia e dos movimentos necessários para restabelecer a saúde. Esses sonhos podem ser relacionados diretamente com cada um dos Cinco Elementos. Nem sempre é assim. Muitos pacientes trazem sonhos de uma riqueza extraordinária e que falam indiretamente de tantos outros símbolos. Quero mostrar que, ocasionalmente, o inconsciente usa símbolos que são diretamente ligados à medicina chinesa e que podem ser de grande ajuda no decurso do tratamento.

Shen, o Espírito

7

O vento é o mesmo: mas sua resposta é diferente, em cada folha.
Somente a árvore seca fica imóvel, entre borboletas e pássaros.

Cecília Meireles

Shen, Hun, Po, Yi e Zhi

Shen, Hun, Po, Yi e *Zhi* são os aspectos mentais e espirituais da medicina chinesa. Cada um deles faz parte de um elemento ou símbolo e está contido em um órgão do corpo. Representam a mente, a consciência, a alma, os instintos, a intenção, a direção do pensamento e a vontade de viver.

Serão apresentados a seguir, um a um, esses conceitos, aos quais geralmente os estudantes de acupuntura dão pouca atenção, considerando-os apenas como curiosidade. A literatura a respeito é, muitas vezes, encontrada em textos taoístas, os significados desses termos são aparentemente herméticos e misteriosos. Contudo, sua compreensão é fundamental para aqueles que desejam conhecer a medicina chinesa em seu cerne, pois justamente aqui se encontra o seu espírito.

É importante ressaltar que *Shen, Hun, Po, Yi, Zhi* não são, de maneira alguma, entidades separadas entre si, mas fazem parte da mesma estrutura psíquica e espiritual do homem, com características que as distinguem, mas sem separá-las.

A Medicina Tradicional Chinesa (MTC) nasceu da filosofia taoísta. O ideograma do *Tao* pode ser lido como "a trajetória do homem superior" e *Tao* é traduzido, muitas vezes, simplesmente como "caminho". Caminho é entendido como uma direção, uma filosofia a ser seguida ou vivida, mas também como o rumo pessoal; o caminho do *Shen* (espírito). *Shen* é o homem superior. Portanto, seguir o *Tao* não é seguir uma doutrina alheia a si mesma, mas seguir um caminho individual e íntimo.

Na MTC, não só corpo e mente juntam-se em um só diagnóstico, em uma só classificação, mas, ainda, os aspectos sutis da espiritualidade humana.

Assim como os Cinco Elementos, os cinco aspectos que serão estudados a seguir estão distribuídos na roda do *Tai Chi* e, portanto, estão ligados a um órgão, a uma estação do ano e a um movimento específico.

Shen, o primeiro e mais mencionado, é o espírito, a consciência, ele está no alto, junto ao elemento Fogo e ao verão. Seu movimento é o de claridade, expansão e conexão com o alto, atributos da mente, da consciência e do espírito. Os outros, *Hun, Po, Yi* e *Zhi*, são desdobramentos do *Shen*.

Hun é a alma. Associado ao elemento Madeira e à primavera, ele faz o movimento de ascensão, de abertura e de crescimento.

Po é a alma corporal ou a trama e o arcabouço corporal. Encontra-se no outono, no elemento Metal. Seu movimento é o de descida e início do recolhimento, necessários para agrupar ou juntar a energia de sustentação do ser.

Yi está no centro, é o raciocínio e a lógica. Pertence ao elemento Terra e seu movimento é o de centrar ou de dar referência aos outros.

Zhi está no norte (hemisfério frio da China), seu elemento é a Água e sua estação é o inverno, o máximo do recolhimento, de onde surgirá a vida e sua força, a vontade de viver.

Shen

Shen é uma palavra usada na MTC com a conotação de mente, espírito e consciência. Apesar de englobar tantos conceitos em um, mostra que a mente, para a MTC, não é uma "máquina de pensar", que reside na cabeça e dita suas normas ao corpo. A mente é mais um aspecto da totalidade do ser humano. É a mente-consciência. *Shen*, no sentido de mente-consciência, significa a consciência em seu aspecto mais amplo. Ou seja, a que reside em cada pequena parte do nosso corpo, a consciência de quem somos, das nossas potencialidades e a consciência que desenvolvemos com nossas experiências de vida.

Contudo, *Shen* é, ainda, um indicador de saúde e pode ser avaliado pelo brilho dos olhos e do rosto, pela vivacidade expressa na maneira de cada um, ou seja, ter *Shen* significa ter vida, ter energia circulando, estar harmonizado, ter vitalidade. *Shen* e, portanto, uma das formas de energia (*Qi*); na MTC, uma energia mais sutil que outras formas, como o sangue ou o tônus muscular.

O Ideograma *Shen*

O ideograma de *Shen* tem um radical antigo *shi*, que mostra o céu acima e as estrelas, o sol e a lua abaixo. Isso pode ser interpretado como os "sinais do céu". Esses sinais do céu ou divinos conectam o homem com uma ordem celeste. Sinais que, recebidos e interpretados pelo homem, simbolizam seu espírito.

A seguir há o radical que simboliza duas mãos abertas que esticam uma linha, dando a ideia de expansão ou ainda de alguém que reza em relação a uma linha vertical (um eixo), lembrando-se de que o homem é um elemento entre o céu e a terra e que é, ao mesmo tempo, espectador e elemento ativo do Universo, *Shen* pode ser interpretado como aquele que cai dos céus e atravessa o corpo. Uma outra interpretação possível seria: as mãos que recebem a energia cósmica pela espinha dorsal (linha, eixo) e concentram-na em seu umbigo.

Ao juntar os dois elementos do ideograma, os sinais ou os poderes do céu (criadores) que se dirigem ao homem, e o homem que se dirige ao céu com suas mãos abertas, faz-se, assim, um eixo de relação entre o céu e a terra. Um eixo vertical ou uma comunicação entre o céu e a terra que é feita pelo homem. Pode-se extrapolar o "céu e a terra" para o alto e o baixo, a mente e o corpo, o espírito e a matéria. Isso é *Shen*.

A dinâmica de conexão entre o céu e a terra, tão bem expressada no ideograma *Shen*, pode ser vivida na experiência da meditação, em que a coluna se toma o eixo vertical, que recebe e circula a energia e as mãos são mantidas laterais, simbolizando a captação da energia celeste.

Como o *Shen* é traduzido ora como mente, ora como espírito, em língua portuguesa, alguns podem imaginá-lo como o espírito, que é o oposto ao corpo ou como o celeste em oposição ao terrestre. Esbarra-se aqui no problema da dicotomia entre corpo e mente ou corpo e espírito, presente na cultura ocidental. Entretanto *Shen*, na língua chinesa, não é, de modo algum, o espírito ou a mente em oposição ao corpo. Ele é o espírito vivo que mora no corpo e que rege suas funções, permitindo que a Vitalidade corporal se expresse, para que se possa experimentar e identificar a interação com o mundo e com si mesmo.

Afinal, o que é Shen?

Shen é um princípio criador e organizador. Cria e organiza o homem, comandando os aspectos múltiplos do corpo e a relação desse corpo e de todo o homem com o mundo. *Shen* dá origem ao funcionamento do corpo e da mente. *Shen* é o suporte da vida.

Segundo o Dr. Jean Marc Eyssalet, em seu livro *Dans L'Ocean des Saveurs, L'Intention du Corps, Shen* é[10]:

> • **No tempo**: O organizador de cada um de nossos instantes vividos e detentor da duração do nosso tempo de vida;

> • **No espaço**: O formador e transformador de todas as formas, da forma individual do nosso corpo e do nosso psiquismo, do como percebemos e testemunhamos as outras pessoas e coisas do mundo.

No céu, *Shen* é o obscuro, no homem ele é o *Tao*, na terra ele é o que atribui a forma, que faz as realizações concretas. Ele é chamado de "insondável do *Yin* e do *Yang*".

Shen é a escuta dentro da escuta. Ele exprime uma função. O *Shen* é a função de escutar, a de sentir, a de degustar, a de ver; em suma, funções que revelam a compreensão que temos sobre tudo que está a nossa volta e sobre nós mesmos. Essas funções são conscientes, presenciadas por um "eu" ativo, que sabe que vê, que sabe que escuta, que sabe que sente e assim por diante. Por isso, ele é chamado de consciência. A palavra consciência pode ter significados e níveis diversos de profundidade. Em última análise, ter consciência é estar presente no momento. Isso pode parecer fácil, mas, em geral, estamos apenas parcialmente presentes no aqui e no agora.

Enquanto você lê esta página, em que posição está o seu pé? Suas costas estão doendo? Quando escuta um paciente contando sua história, você é capaz de dizer como você, médico ou terapeuta, se sente naquele momento? Ou será que você parou de sentir a si mesmo para escutar o que o outro tem a lhe dizer? Todas essas nuances da consciência de si mesmo, do que o outro e do que o ambiente evoca em mim, são matizes de *Shen*. Nossa forma, como seres humanos, só existe no aqui e no agora. Todo o resto é a memória do que fomos ou a projeção do que seremos. *Shen* existe no momento em que você está lendo estas linhas.

Portanto, *Shen* influencia a forma corporal, a personalidade, a dinâmica energética, a relação do indivíduo com seu meio e o poder de mudança e de transformação presente em todos nós. Desse modo, o *Shen* é compatível com as nossas experiências passadas e acumuladas, com a nossa história. Em um capítulo anterior, sobre desenvolvimento do caráter segundo Freud e Reich, mostrou-se que o caráter (enquanto marca pessoal) forma-se a partir das experiências e da história de cada indivíduo. *Shen* é também caráter, mas além de caráter, como estrutura formal, é a própria possibilidade de transpor e ir além dessa estrutura pelas experiências da vida (por exemplo, ser mãe, mudar de profissão, fazer terapia, praticar esporte e assim por diante). *Shen* atualiza a nossa estrutura dia após dia.

Shen é um ponto de vista, é "ser", segundo uma determinada perspectiva. Quando olhamos em volta e vemos a nós mesmos e, ainda, percebemos tudo o que está ao nosso redor, esse olhar possui uma marca. O meu olhar em relação ao ambiente é diferente do seu, e cada ser humano possui um modo específico de ver a si e ao seu meio. Este olhar único é o que nos faz intimamente diferentes. Eu não sou diferente de você apenas pelas roupas que uso, pela minha profissão, pela família de onde venho, pelos lugares aonde fui ou pelo que fiz ou deixei de fazer durante a minha vida. Que impressões eu tenho de cada lugar por onde passei? Qual foi e qual é minha percepção do mundo? Essa é a minha marca, não há duas iguais.

Sabemos, racional e instintivamente, que cada um tem sua marca pessoal, mas nessa cultura de massificação perdemos lentamente nossa identidade e ficamos presos aos "ter de" do dia a dia. Ter de comprar uma roupa bonita, o carro do ano, ter filhos saudáveis e inteligentes, adaptar o corpo às tendências vigentes da moda e da beleza, ganhar a Vida em um mercado de trabalho difícil etc. Aos poucos, vamos nos esquecendo de certas necessidades vitais e únicas que mantêm aceso o brilho nos olhos, o *Shen*. Se cada um tem uma marca pessoal e experimenta o mundo de modo diverso, a natureza é "experimentada" de bilhões de formas diferentes, portanto assume esses bilhões de formas. Nossa diversidade pessoal afeta a do Universo.

Como se forma o *Shen*

A formação do *Shen*, segundo a MTC, ocorre no momento de união do óvulo com o espermatozoide, do encontro da energia da mãe e do pai, a partir do qual se forma um novo ser e uma nova consciência. Mais precisamente, o *Shen* forma-se a partir do encontro do *Jing* (energia essencial ou essência) dos pais, que dá origem ao novo ser. Em cada novo órgão formado, aloja--se uma parte do *Shen*. O *Shen* está, portanto, relacionado ao *Jing*, que é a "essência" da energia de cada indivíduo. *Jing*, ou essência vital, é também a base do corpo, é a raiz da mente. Isso significa que a "mente" ou o "espírito" estão intrinsecamente enraizados no corpo. Se a pessoa não tiver energia suficiente e se seu *Jing* estiver debilitado, o *Shen* também ficará perturbado.

Em cada *Zhang* (órgão), o *Shen* recebe um nome e características especiais: no Pulmão está o *Po*, no Baço, o *Yi*, no Rim, o *Zhi*, e no Fígado, o *Hun*. Mas antes do *Shen* dividir-se em várias formas e antes mesmo de aparecerem os *Zhang*, já existe o *Shen*, pois ele é a própria força organizadora da vida. Os cinco *Zhang* são um desdobramento da consciência no espaço e no tempo. Não se deve considerar que *Hun* ou *Yi* são diferentes de *Shen*; eles são simplesmente aspectos específicos do psiquismo, com funções diversas entre si.

Curiosamente, o *Shen* coordena justamente a concepção, a passagem do espírito imaterial à matéria e ao corpo, a passagem da energia e do desejo à "forma", por meio dos pais. Ele é criado pela união do *Jing* dos pais, mas ele também rege essa união. O mistério do *Shen* é ser capaz de coordenar sua própria concepção!

O encontro do *Jing* dos pais pode ser simbolizado pelo encontro do céu e da terra, do *Yang* e do *Yin*, trazendo novamente a totalidade. A força do *Shen* depende da força do *Jing* dos pais, mas também do desejo dos pais. O momento da concepção é fruto de uma grande quantidade de energia e reflete justamente essa quantidade e essa qualidade.

Shen é produzido por *Jing*, esses dois aspectos são inseparáveis. Assim sendo, o espírito nasce da matéria essencial (essência) e vem junto com a formação dos genes, com a hereditariedade e com a história que é vivida desde o momento da concepção. O espírito ou consciência, na MTC, começa a existir na concepção e transforma-se a cada nova experiência.

As novas vivências são pequenas mortes, pois significam transformações do *Shen* que, ao ser modificado, para de ser o que era para tornar-se algo novo, acrescentado pela experiência. A palavra experiência faz pensar em grandes acontecimentos da vida, como: escolha profissional, viagens, cursos, casamento, nascimento de um filho. Realmente, a mulher que dá à luz um filho transforma-se em mãe e tem, a partir daí, uma visão bastante modificada do mundo. Contudo, experiência é qualquer acontecimento, não só os "grandes" ou importantes. Experimentar é um fato constante durante a vida, como comer diferentes alimentos, sentir o frio batendo no rosto ou o calor queimando a pele em um dia quente de verão. Sentimos essas experiências corriqueiras, mas não paramos para apreciá-las. Querendo ou não, elas nos transformam a cada instante; pequenas transformações, pequenas mortes e pequenos renascimentos.

Shen **e neocórtex**

Como vimos, o *Shen* é responsável pela mente e suas funções; consciência (vigília), percepção, alerta, julgamento, interpretação, associações, memória, inteligência, cognição, capacidade exploratória, domínio dos impulsos, sono, *insights*, juízo, humor, conhecimento, adaptação, assimilação das experiências, criatividade, armazenamento e uso das informações, autoconhecimento e evolução. Sabe armazenar as experiências e usa-las quando necessário para agir ou para avaliar uma situação. Propicia ampla capacidade de adaptação e é capaz de colocar as "coisas nos seus devidos lugares", pois sabe dimensionar a importância delas. Se o *Shen* estiver alterado, essas leituras também serão distorcidas e a realidade poderá parecer ameaçadora, muito diferente do que é, e o indivíduo não suportará as pressões. Nas novas situações vividas, referências internas ativadas pelo *Shen* são constantemente buscadas.

As funções mentais atribuídas ao *Shen* podem ser relacionadas às funções do neocórtex, mas isso não significa que o *Shen* é apenas a mente ou o neocórtex. Como já foi dito, ele é o espírito que ilumina e guia a vida.

O neocórtex foi um salto evolutivo que ocorreu na espécie humana e trouxe consigo a possibilidade de consciência, a noção do tempo e do espaço, a cognição, a tridimensionalidade. Quando o homem ficou em pé e ampliou seu campo de visão, ele pôde adquirir a noção do antes e do depois, do espaço e do tempo, do olhar para trás e do olhar para frente. Seu cérebro passou a receber uma nova quantidade e qualidade de informações e o neocórtex foi formado. O neocórtex possibilita processos cognitivos superiores do tipo lógico, o entendimento de causa e efeito e a metacomunicação. As informações chegam ao neocórtex via sistema reptiliano e límbico. O sistema reptiliano percebe o ambiente, o sistema límbico sente o ambiente e dá o colorido emocional, o neocórtex interpreta as informações. O neocórtex é o centro de associações e de Integração das informações.

Onde mora o *Shen*

O *Shen* aloja-se no Coração. O Coração é o órgão que funciona como receptáculo das funções ativas da consciência, ele abriga ou expressa sentimentos, emoções, desejos mais profundos, imaginação, intelecto e memória dos eventos passados. Como um copo ou cálice, o Coração contém o sangue e o *Shen*, que são o seu conteúdo, seu vinho sagrado.

Além disso, o Coração é o único órgão na língua chinesa que não apresenta em seu ideograma o radical comum *Rou*, que significa carne. Os outros órgãos do corpo como o Fígado e o Baço têm sempre, na escrita chinesa, o radical "carne", que indica sua posição fixa. Já o Coração é um órgão dinâmico, além do lado esquerdo do peito, ele também está, segundo os chineses, em vários lugares, pois parte do que é chamado de Coração na MTC inclui os vasos sanguíneos. Ou seja, ao se alojar no Coração, o *Shen* não está em um lugar fixo, mas circula como o sangue nos vasos. Ele está em todo o corpo, pois o sangue dos vasos irriga tudo, da pele aos olhos. *Shen* é, portanto, uma atividade dinâmica que está na essência do Coração. Adquire-se e desenvolve-se a consciência interagindo com o mundo e com os próprios órgãos e o *Shen* está presente em cada um deles.

Olhos para Ver; Ouvidos para Escutar...

Para muitos, Viver é realizar algo. Como diz o ditado popular: "Plantar uma árvore, escrever um livro e ter um filho". Viver, entretanto pode ser bem mais simples que tudo isso; é estar presente e atento. A cada dia me encontro com muitas pessoas. A cada encontro, minha energia, a energia do meio e a da pessoa que encontro transforma-se com o diálogo que se estabelece entre nós. *Shen* (consciência) surge no momento da concepção, mas continua surgindo a cada novo encontro. A cada encontro, toda a realidade em torno de mim se modifica e cria-se uma realidade nova, com alguns aspectos antigos e outros novos. A possibilidade de estarmos inteiramente presentes na situação que estamos vivendo e, por si só, uma razão para viver.

Há um termo muito usado no *Tao*, que se chama *wu wei*. *Wu wei*: a não ação ou agir sem agir. Como posso agir sem agir? Mesmo quando estamos parados, nosso sangue continua correndo nos vasos e o *Qi* circulando nos meridianos. Ou seja, agimos sem agir. Somos sem precisar fazer nada de especial para podermos ser. Quando recebemos um paciente e esperamos que ele nos conte a sua história, tentamos escutar sem preconceitos, apenas com ouvidos, mente e coração abertos. Este é um exemplo de ação sem ação. Estamos presentes, mas observamos a cena que se desenrola em nossa frente; não temos respostas prontas, pois ainda nem escutamos a pergunta. As respostas surgem do próprio encontro, a ação verdadeira organiza-se no momento, ela é justa, exata; agimos de acordo com o que se propõe, com um movimento natural, com autenticidade.

Como treinar nossa escuta, parar de fazer tantas coisas sem sentido, deixar acontecer e saber o momento certo de agir com autenticidade? A cada instante podemos treinar a nossa presença. Pergunto-lhe agora: o que você está ouvindo enquanto lê este livro? Como está o seu corpo? O que veem seus olhos? Outro meio de treinar a escuta, o olhar, a presença é a meditação. Segundo os taoistas, praticando-a podemos restabelecer o contato com a consciência sutil ou espiritual. A meditação, antes de tudo, ensina a ficarmos sós e silenciarmos para realmente começar a escutar. Não precisamos sentar e cruzar as pernas para meditar, porém, a meditação "sentada" é um bom treino de escuta, que depois se perpetua por toda a vida. A meditação ajuda-nos a perceber a nós mesmos e ao outro, mas podemos estar atentos e presentes em cada momento de nossas vidas dançando, trabalhando, rindo de uma piada, sentindo amor, reencontrando um amigo.

A Doença e o Shen

Shen, como consciência, representa a origem da psique. Surgem as perguntas quem sou, de onde venho, para onde vou. A partir da corticalidade, o ser humano ganha a possibilidade de saber que ele existe e quais são as suas interações com o mundo, podendo alterar sua história natural.

O homem adquire, com a consciência de si, não só a potência criativa, mas também as doenças mentais e os desequilíbrios de origem psíquica. Por utilizar a sua energia como força de trabalho e canalizá-la para construir a sociedade, alguns dos impulsos primitivos podem gerar somatizações e neuroses. Segundo Reich: "cada organização social produz as estruturas de caráter de que necessita para existir"[11].

Todavia, as doenças produzidas pela mente e pelas emoções têm como tratamento o próprio *Shen*. Na MTC, não há divisão entre o corpo e a mente, portanto, *Shen* também é uma força curativa para as doenças físicas.

O Capítulo 26 do *Su Wen* pertencente ao *Nei Ching*, considerado o primeiro livro da MTC, mostra claramente a importância do *Shen* no tratamento. Vejamos, um pequeno trecho[3]:

> *Qi Po* disse ao Imperador Amarelo: "A fim de tornar a acupuntura completa e eficaz, deve-se curar primeiro o espírito (*Shen*)? Um médico de alto nível pode concentrar sua mente no tratamento, ele não pode ouvir nenhum ruído perturbador, não pode ver coisas irrelevantes, tem a mente aberta e é capaz de compreender com clareza a essência da doença, que dificilmente se pode exprimir com palavras. Quando algo é examinado por muitas pessoas, mas só uma delas pode compreender com clareza, então esse algo que estava na obscuridade se torna claro como o dia, assim como as

nuvens que são levadas embora pelo vento; isso é o assim chamado espírito (*Shen*)".

Em outra tradução do *Nei Ching*, há o mesmo trecho, dito com palavras diferentes:

O que é o espírito? O espírito (*Shen*) não pode ser escutado nem ouvido. O olho deve ser brilhante de percepção e o coração deve ser aberto e atento para que o espírito se revele subitamente pela consciência de cada um. Não se pode exprimir pela boca, só o coração sabe exprimir tudo quanto pode ser observado. Ao se prestar muita atenção, pode-se saber subitamente, mas também se pode perder de repente esse saber. Mas *Shen*, o espírito, torna-se claro para o homem como se o vento tivesse varrido as nuvens. Por isso se fala dele como espírito.

Essas duas versões do *Nei Ching* dizem claramente que o tratamento da acupuntura é eficaz quando se é capaz de compreender intuitivamente o *Shen* (espírito e consciência) do paciente. Essa compreensão é feita com o coração aberto e receptivo. Para isso, o acupunturista deve trabalhar sua consciência, sua percepção, sua intuição e seu amor, que são atributos do Coração. Além disso, fica claro que as doenças, segundo a MTC, têm uma raiz no mental e no espiritual e que este é o passo inicial do tratamento. Tratar apenas o físico não surte o efeito desejado, pois a doença continua existindo. O *Shen* do paciente é capaz de mobilizar as forças curativas.

Shen, o Maestro

Migaud e Eyssalet referem-se ao *Shen* como um maestro que precisa de silêncio para organizar a orquestra e fazer um belo concerto[12]. A música tocada depende de todos os instrumentos afinados e coordenados: o concerto e parte do concerto do Universo. O *Shen* faz a correta interpretação das partituras, propondo harmonia, ritmo e beleza a música. Mas como a todo maestro, lhe é permitida a livre interpretação e variação do tema; o resultado é único e imprevisível.

Shen é imortal, divino; ele é a força que mantém a vida e dá impulso ao *Qi*. *Shen* é também silêncio e vazio. O vazio inicial que será preenchido pela vida. Ele é, como diz Eyssalet, "a nossa natureza íntima associada ao nosso destino, ou a nossa história". Em psicologia, *Shen* é o nosso *self* (si mesmo), que é o nosso centro orientador e organizador, inserido dentro do contexto de nossas vidas (história, caráter, complexos). *Shen* orquestra a vida psíquica e naturalmente influência o corpo e a relação entre o físico e o psíquico.

No sentido de *self* (si mesmo), *Shen* executa um plano de vida que transcende a vida individual. Como se a natureza quisesse testar e experimentar a si mesma utilizando as experiências de vida, dos olhos, dos sentimentos de cada ser humano. Isso tudo faz parte de um desenvolvimento coletivo, o *Shen* conecta o indivíduo ao todo, ao coletivo. Ligando-se a verdadeira natureza íntima, pode-se sentir a vida pulsando e entender o sentido profundo da existência humana. As dificuldades, complexos, sofrimentos podem ser equilibrados com a força de vida que emana do *self* e a verdadeira natureza individual pode vir à tona.

Corpo, Morada e Expressão do Espírito

O corpo é uma morada e protege o espírito. Muitas vezes, identificamo-nos de maneira negativa com nosso corpo, achamo-nos gordos ou magros demais, velhos ou doentes e ressentimo-nos dele. Acreditamos, ainda, que o corpo limita nosso espírito, impede-nos de realizarmos tantas coisas e de vivermos mais e melhor. Contudo, considerando o corpo como uma proteção ao espírito, esta perspectiva muda. Além de morada do espírito, o corpo é, na medicina chinesa, a sua via de expressão. Portanto, nada mais sagrado que o corpo, com suas imperfeições e limites, pois é ele que nos permite experimentar o mundo e ser.

8

Hun, Po, Yi, Zhi

Diferentes Aspectos do Shen

Hun

Hun pode ser traduzido por alma etérea ou, segundo os caracteres chineses, nuvem, instabilidade, sopro, algo flutuante e, portanto, alma/espírito ou movimento sutil.

Hun aloja-se no Fígado e, como o próprio Fígado, tem como características o movimento, a ação, o fluxo livre de energia. É responsável pelo relacionamento do indivíduo com o mundo e por sua capacidade de projetar seus pensamentos para fora.

O Ideograma Hun

O ideograma *Hun* tem um radical *Gui*, que representa um pequeno fantasma ou nuvem. Esse fantasma pode se comunicar; ele fala. O ideograma mostra uma pequena nuvem que fala.

A pessoa que fala pode se relacionar com outras e estabelecer uma comunicação. Comunicar-se permite ao ser humano exprimir seu mundo interno para o externo. O *Hun* faz justamente essa ligação entre o interno e o externo. *Hun* está ativo no nascimento, quando a criança dá o primeiro choro, e também no momento em que ela começa a falar e a conhecer o mundo com a ajuda de seu pai (é um novo nascimento, uma nova abertura para a vida a para o mundo). Ou seja, *Hun* é o nascimento a todo instante. Ele é a referência do pai, do crescimento e da relação com o mundo exterior. Os sonhos, a imaginação e a linguagem vêm do *Hun*. O nome próprio, a comunicação, as leis, a voz e a possibilidade de expressão individual vêm da linguagem.

Funções do *Hun*

Hun, como o grande general, é capaz de prever, ver antes que se realize. É por isso que está ligado às premonições e aos sonhos, pois o *Hun* percebe o movimento energético (fluxo livre de energia), antes que apareça no meio ambiente. *Hun* confere a capacidade de planejar, traçar objetivos e metas na vida. O indivíduo que se sente perdido ou sem rumo tem o *Hun* solto, desprendido do corpo. Por outro lado, quem tem boa capacidade de planejamento e consegue dar sentido a sua vida tem o *Hun* enraizado.

O *Hun* governa as pulsões de vida e de movimento, permite a comunicação, a expressão de vontades e ideias, ativa a capacidade de relacionamento. A vida em comunidade obriga a educação de nossos impulsos primários. Quando recebemos uma educação muito rigorosa ou quando a realidade nos impõe muitas limitações, isso se refletirá no *Hun*, que terá seu movimento refreado e represado, podendo, posteriormente, gerar doenças físicas e psíquicas.

O *Hun* tem a capacidade de ir e vir, o que possibilita projetar e também receber as projeções dos outros. Esse movimento é o que proporciona as relações em que focamos os outros e, depois, a nós mesmos (assim como o bebê que, ao mamar, fixa o olhar no rosto de sua mãe e, depois, retorna à ponta de seu nariz, próximo ao seio). O movimento descrito possibilita a interação com o outro, seguido de recolhimento e interiorização. Quando esse movimento não ocorre, o indivíduo pode ficar preso em si mesmo (ensimesmado) ou no outro extremo, focado somente no exterior, sem capacidade de introspecção.

As impressões, as sensações, as emoções e, finalmente, o pensamento verbalizado sucedem-se e apresentam-se em um ritmo particular, coordenados pelo *Hun*.

Como foi visto, o momento do nascimento, com todas as suas experiências sensoriais diversas e totalmente novas para o bebê, tem importância fundamental na dinâmica do *Hun*, pois este coordena a passagem do universo interno (uterino) para o externo. Além disso, o primeiro choro e os olhos, que se abrem ao mundo pela primeira vez, são funções do *Hun*. As experiências traumáticas de parto, que vão desde casos mais graves, com distocia e risco à vida, até os mais leves (excesso de estímulos, como luz, sons, ambiente frio, cirurgia cesariana, falta de contato com o corpo materno), serão vistos e guardados pelo *Hun*, que armazena todas as informações, formando, assim, um arcabouço para a estrutura emocional.

Do ponto de vista somático, o *Hun* dá conotação emocional às experiências físicas. No caso, o sistema nervoso autônomo ou neurovegetativo é ativado pelo *Po*, mas o *Hun* é que distinguirá o desprazer do prazer e fará um movimento em direção ao último. O *Hun* proporciona o movimento de tensão e relaxamento, o pulsar natural de energia do corpo e da mente. Quando este "pulsar" é alterado (nas estases do *Qi* do Fígado, por exemplo), pode ocorrer a formação das couraças musculares de Reich. Portanto, o *Hun* tem uma estreita relação com a estrutura de caráter.

O Fígado pode exteriorizar sua energia por meio do *Wei Qi*, que é a energia de defesa. Desse modo, o *Hun* também faz parte da estrutura de defesa que, com a agressividade do Fígado, e capaz de traçar os limites de proteção e conquistar novos territórios.

O *Hun* é responsável pela respiração nasal. Representa o ímpeto da inspiração, ou seja, é a energia que dá o movimento necessário a inspiração. O *Hun* põe em movimento a roda dos Cinco Elementos, pois é a primavera, o começo, o nascer do sol.

Hun, o Etéreo e o Inconsciente

Acredita-se que o *Hun* volte aos céus quando a pessoa morre. O *Hun* é *Yang*, indicando o movimento ascendente do *Shen*, pois tem tendência a subir aos céus. *Hun* dá movimento a mente, que alia o pensamento a intuição. *Hun* é a porta entre o inconsciente pessoal e o inconsciente coletivo. Possibilita a comunicação não verbal e oferece uma percepção não racional do meio ambiente pela sensibilidade e pela intuição, está ligado ao cosmos, à rede de conexões que existe entre nós e o Universo. Sua relação com o espaço e o tempo é tênue, tudo é relativo para o *Hun*, sua lógica não é linear, mas circular.

O ciclo sono-vigília faz parte da dinâmica do *Hun*. Segundo o livro *O Segredo da Flor de Ouro*: "De dia ele (*Hun*) mora nos olhos e de noite, no fígado. Morando nos olhos vê, alojado no fígado, sonha". O brilho dos olhos é a expressão do *Shen*, como já foi visto anteriormente, mas através dos olhos são captadas as imagens que se conectam ao *Hun*. Quando os olhos se fecham ao mundo exterior, eles veem o mundo interior.

Como o *Hun* está ligado ao inconsciente (pessoal e coletivo), aos sonhos, aos arquétipos, às fantasias, ele armazena todas as experiências desde a concepção, a vida intrauterina, o parto, as vivências da infância e as atuais. É responsável pela memória inconsciente. Acumulando as experiências passadas e as mudanças sucessivas durante a vida, o *Hun* acaba interferindo constantemente no futuro. Como general, ele analisa o presente e planeja o futuro. Quando emerge na consciência, pode influenciar o comportamento, como os complexos descritos por Jung, que, parcialmente inconscientes, podem atuar quase de maneira autônoma e incontrolável. A mente (*Shen*) tem de estar bem equilibrada para lidar com os conteúdos inconscientes (*Hun*) que eventualmente venham à superfície. Quando *Hun* e *Shen* estão desequilibrados e em desarmonia, a pessoa não consegue avaliar o sentido emocional dos fatos, pois é o *Hun* que dá significado às emoções. Assim sendo, não se pode deixar de dizer que o *Hun* comanda as relações interpessoais. O *Hun* tem a capacidade de enxergar e ver além dos significados aparentes e atribuir valores aos fatos.

Hun influencia os sonhos e as fantasias. Em pessoas com baixa energia *Yin* do Fígado, há mais chance de se perder em devaneios. Quem tem *Hun* bem equilibrado é capaz de manter seus sonhos sem perder a direção e sem se perder neles.

Hun **e a Doença**

O *Hun* vem principalmente da interação do pai com a criança, estabelecida três dias após o nascimento. Mobiliza a coragem, a vontade de viver e descobrir o mundo. O *Hun* é dinâmico e incita a pessoa a fazer mudanças. Problemas com o *Hun* manifestam-se por meio de pesadelos, terror noturno, sensações de "sair" fora de si durante o sono, de estar flutuando e não conseguir voltar ou acordar, indecisões, desapego à vida e tendências suicidas. O uso de drogas e álcool pode danificar o Fígado e desalojar o *Hun* de sua morada. Tem-se a sensação de estar flutuando e de não conseguir voltar ao corpo ou à realidade. Alterações do *Hun* levam à irritabilidade, agressividade, raiva, frustração, hostilidade e, no outro polo, culpa, baixa autoestima, perda da motivação e tédio.

Se estiver desequilibrado, o *Hun* pode gerar alterações no *Shen*, tais como cone fusão mental, insônia e diminuição da consciência de si e dos outros. Refere-se, aqui, à capacidade de ver a si próprio e ao mundo de uma maneira realista e não fantasiosa.

Exercícios de visualização ou imaginação ativa podem ser usados para ajudar indivíduos que ficam presos a uma imagem ou fantasia. Nos exercícios de visualização, trabalha-se com a capacidade do *Hun* de fantasiar e projetar. Esses exercícios são muito bons para ajudar a pessoa a continuar transformando suas imagens internas, dando um rumo a seus sonhos e pensamentos (liberam o fluxo de *Qi* estagnado).

Hun e a Canalização da Libido

No *Hun* reside o potencial humano de transformar o impulso (a energia instintiva e impulsiva) em força e ação. O homem consciente é capaz de controlar seus impulsos primitivos e usar sua energia como força de trabalho, força modificadora do ambiente, e condicionar sua energia para a construção da sociedade e suas regras. Como já foi dito, esse processo foi chamado por Jung de canalização da libido. Porém, essa mesma força que vem de *Hun* pode se transformar em desorganização, em busca frenética pelo prazer e dispersão da energia original.

O ser humano pode utilizar as forças instintivas transformando-as, mas também pode sucumbir a elas. Entregando-se à força dos impulsos, ele busca satisfazer seus prazeres acima de tudo, com uso de drogas, bebidas, relações sexuais ilimitadas e assim por diante. Contudo, aquele que é capaz de usar a força transformadora do *Hun* caminha no sentido da sua própria evolução e contribui para a evolução da humanidade.

Po

Po é a camada mais primitiva da consciência e é também chamado de alma corporal. Está relacionado aos reflexos, aos sentidos e aos instintos. Controla também os esfíncteres e o reflexo do orgasmo. É responsável pelas reações de luta e fuga, por ataques de pânico, por atos impulsivos. Durante a reação de luta ou fuga, observa-se que o medo pode levar a uma resposta ora incontinente, ora de Obstipação e retenção urinária. *Po* controla essa resposta esfincteriana.

Po é o aspecto da consciência que se aloja no Pulmão, no tórax. O Pulmão é um centro de distribuição e difusão de energia, como um mercado, em que se pode abastecer-se de mantimentos. O Pulmão é chamado de Ministro, que, em um governo, é quem administra os bens do Estado. O ar e a energia provenientes dos alimentos deverão passar pelo Pulmão para serem distribuídos pelo corpo. O próprio pulso, que é um dos meios utilizados no diagnóstico da medicina chinesa, indica como está a energia do indivíduo. O pulso radial encontra-se no meridiano do Pulmão, ou seja, o estado energético é avaliado pelo *Qi* do Pulmão.

Chamado de "alma corpórea", *Po* é um espírito estruturante, que ajuda na condensação das energias para a formação da estrutura de cada ser, proporcionando sua individualidade.

O Ideograma Po

Assim como *Hun*, o ideograma de *Po* apresenta em seu radical a imagem de *Gui*, que significa um fantasma ou uma nuvem. Essa nuvem pode ser interpretada como uma trama, na qual se constitui uma forma, ou seja, um espaço que possibilita a formação do corpo humano. A força que elabora o formato do corpo é chamada de *Po*, ou alma corpórea. *Po* é a parte do espírito inseparável do corpo e vai para a terra após a morte. É chamado de espírito terrestre, por isso é considerado um fantasma, em oposição ao espírito celeste, que sobe aos céus. *Po* é também traduzido como vigor, animação, vida e corpo.

Vê-se no ideograma de *Po* a luz da aurora ou a cor branca: *Bai*. Branco é encontrado no leite materno, nos ossos, nos dentes, no esperma e no sistema nervoso.

Branco, nesse caso, está associado àquilo que dá estrutura, forma e densidade corporal. Branco pode ainda lembrar a pureza, a simplicidade e a luz do dia (em oposição ao período noturno, regido pelo *Hun*).

Funções de Po

O *Po* dá ao corpo a capacidade de coordenação motora, de equilíbrio e agilidade física, o arco reflexo. Os cinco sentidos, todos os movimentos reflexos, os impulsos e as sensações corporais correlacionam-se diretamente ao *Po*. No adulto, o *Po* orienta no sentido de manter a forma, que se renova a cada instante. Ou seja, comendo, dormindo, preservando-se dos perigos, mantendo-se vivo. *Po* regula, portanto, a homeostase física.

Se, a partir da força do *Po*, é que o indivíduo tem vontade de comer, dormir e escolher aquilo que ajudará a dar forma a seu corpo durante a vida, essa força ajuda a constituir o eu e é, portanto, uma força egocêntrica. Um *Po* bem equilibrado proporciona um ótimo funcionamento fisiológico do organismo, regido pela respiração (que é uma das funções do Pulmão). Por outro lado, por representar essa força egocêntrica e individualizadora, um *Po* em desequilíbrio desconecta o homem do meio ambiente e torna-o egoísta e individualista.

O *Po* é extremamente importante durante toda a gravidez e os primeiros anos de vida, quando o corpo do bebê está se formando. Ele provém inicialmente da mãe e depois da própria criança, tomando-se seu arcabouço de sustentação para o resto de sua vida. Esse poder de dar forma vem da mãe, faz parte das características do feminino. Assim, na mulher predomina o sangue (substância) e, no homem, o *Qi* (energia). A mulher que tem uma boa relação com sua gravidez, ou seja, com sua nova forma (*Po*), transmitirá uma boa marca para seu bebê. O *Po* da mãe organiza o *Po* do feto que, por sua vez, aproveita o sangue e o oxigênio do cordão umbilical para nutrir-se e estruturar-se. A função da mãe consiste tanto em gerar (dar forma), como deixar nascer (desapego à forma). Essas são características do elemento metal, que acumula energia e dá o formato e, depois, transforma-se, gerando energia criativa.

O *Po* está intimamente ligado ao *Jing* (essência) armazenado nos Rins; um influencia o outro. Deficiência de *Jing* acarreta respostas reflexas lentas e deficitárias. O *Po* faz a ligação do plano vertical do homem, unindo os três aquecedores; o *Jing* une o alto e o baixo.

Os sentidos são regidos pelo *Po*, embora cada um deles possa estar relacionado a um elemento diferente. A sensação de coceira, formigamento e também de dor, as primeiras sensações ao se fazer acupuntura, a resistência elétrica superficial da pele e a pele em si são atributos do *Po*.

O *Po* é uma manifestação do sopro de vida, pois reside nos Pulmões e está intrinsecamente ligado à respiração. Emoções como a tristeza e o pesar podem afetar o *Po* diretamente.

O Pulmão abriga o *Po* e relaciona-se com a pele; portanto, pele e *Po* são duas manifestações do elemento Metal. O *Po* funciona como uma espécie de camada protetora do organismo que está intrinsecamente ligada à pele. Sendo a pele a separação entre o organismo e o mundo externo, pode-se entender como o *Po* regula a integridade e a identidade pessoal. Os indivíduos que têm o *Po* forte não são tão influenciados pelo meio externo, pois podem encontrar facilmente sua homeostase (equilíbrio) interna. Por outro lado, quem tem o *Po* debilitado pode ficar mais propenso a contrair doenças, sentir-se fraco ou cansado e perder energia nas relações e no contato com outras pessoas. A energia de nutrição (*Ying Qi* ou *Iong Qi*) está intimamente ligada ao *Po*, pois ao nutrir o corpo inteiro, ajuda na sua função estruturante. Em resumo, o *Po* é responsável pela vida, pela integridade física e pelo instinto de autopreservação.

Po **e** Id

Ao descrever o *Hun*, foi citado que ele estava conectado aos impulsos e instintos do inconsciente. O *Po* é diferente do *Hun*, pois ele é o instinto puro; não projeta, não elabora, não fantasia e não gera o movimento evolutivo que é observado no *Hun*.

O *Po* é mais objetivo e simples, mais primitivo e instintivo. Corresponde, de certo modo, ao *Id* da psicanálise e ao cérebro reptiliano. Seguindo os impulsos, o *Po* pode muitas vezes ser o causador de explosões, sustos, sobressaltos, reações espontâneas, irracionais e instintivas.

Po **e o Cérebro Reptiliano**

Soulié de Morant refere-se ao *Po* como a inteligência animal profunda das células. Essa inteligência instintiva é equivalente ao cérebro reptiliano.

O cérebro reptiliano corresponde anatomicamente aos núcleos da base e à sua função. No reino animal, inclui a possibilidade de escolha de território, de caça, de competição pelo lugar no grupo e escolha do parceiro para cópula. Por meio do sistema reptiliano, adquire-se a capacidade de imitação, os atavismos. Pela repetição, mantém-se a identidade do grupo social e do indivíduo. A comunicação é feita por padrões de atividades, ou seja, cada um cumpre seu papel no grupo e tem um comportamento esperado e, assim, proporciona-se uma organização rígida e sequencial.

O cérebro reptiliano ativa a resposta instintiva que, no contato com o meio, gera o reconhecimento de agressões e perigos e possibilita a luta ou fuga, como reação de defesa e adaptação. Entretanto, ele não permite o reconhecimento do outro no relacionamento afetivo.

No reino animal, o cérebro reptiliano predomina nos répteis, pássaros e peixes. Nos mamíferos, está menos desenvolvido e divide seu espaço com o sistema límbico e, no homem, divide ainda com o neocórtex.

Relação e Comparação entre Po **e** Hun

Segundo a filosofia chinesa, encontram-se duas "almas" nos seres humanos: *Hun* e *Po*. Qual a diferença entre as duas?

Hun é a alma espiritual ou etérea e *Po* é a alma animal ou instintiva. As duas estão em constante inter-relação e a saúde física e psíquica depende dessa relação harmônica. No momento da morte, existe uma separação das duas almas: o *Hun* desprende-se do corpo e vai aos céus e o *Po* volta a terra. Como na morte *Po* e *Hun* se separam, pode-se entender que a vida depende da relação entre elas. A vida é resultado do casamento de *Hun* e *Po*.

Po é o movimento do *Yang* em direção ao *Yin* (outono), que se revela no conter, prender-se a, reter, proteger e acumular. *Hun* é o movimento do *Yin* em direção ao *Yang* (primavera) e apresenta-se como ação e expansão. *Hun* é de dentro para fora e *Po*, de fora para dentro.

Hun é responsável pelo movimento de ir e vir em relação ao *Shen*, que é um movimento horizontal de fora para dentro e de dentro para fora. O movimento "horizontal" é o mesmo do ser que se relaciona com outros seres e com seu meio ambiente. *Po* realiza um movimento de sair e entrar em relação a *Jing*, que é vertical, de cima para baixo e de baixo para cima (basta analisar a relação dos Pulmões e dos Rins). O movimento "vertical" é o mesmo do homem em relação a si mesmo, pois estabelece a comunicação dos diversos níveis corporais como a mente, o tórax e a pelve, assim como a relação interna da emoção com a razão e o instinto.

Está escrito no Su Wen: "A mãe é a base e o pai é a coluna". A mãe forma a estrutura do corpo da criança, durante a gestação, por meio do *Po*. Por meio do *Hun*, o pai ordena e dá sustentação.

Para Richard Wilhelm e Carl Gustav Jung, o *Po* corresponde à anima no homem e ao eros na mulher; o *Hun* corresponde ao *animus* na mulher e ao logos no homem[13]. De fato, esses conceitos da psicologia analítica podem ser utilizados, entretanto, *Hun* e *Po* são mais que logos e eros ou anima e *animus*.

Hun é o aspecto *Yang*, mais espiritual e expansivo. Sendo *Yang*, ele cria ação, movimento e segue as mudanças de *Qi*, o fluxo de *Qi*. Sua direção é ascendente. *Hun* refere-se à relação do consciente/inconsciente; é ele que retorna aos céus no momento da morte, que comanda os sonhos, que tem a capacidade de sair do corpo. Seu desequilíbrio leva à insônia, ao sonambulismo, à perda de objetivo e a confusão. *Hun* constitui a imagem interna, o conteúdo.

Po tem natureza corporal e refere-se à força do corpo. Ele é substância e estrutura. Tem a capacidade de contrair o *Qi*, por isso, é um aspecto *Yin*, de recolhimento. Sua direção é descendente e para dentro. Sua ação é imperceptível, é a ação sem movimento. Como estão ligadas ao *Jing* e à sustentação do corpo, as desarmonias do *Po* geram perda de vigor e vitalidade. No momento da concepção, o *Po* passa a existir e, na morte, retorna a Terra. *Po* é a forma.

Yi

Yi significa intenção e ideação, sentido, sugestão, inclinação, sentimento, opinião, ideias e pensamento. Alguns autores traduzem *Yi* estritamente como pensamento, mas, em chinês, pensamento é *Si*; *Yi* tem significado mais abrangente que *Si*. *Yi* é a direção do pensamento. *Yi* dá lucidez à consciência, ele é a compreensão e proporciona a sabedoria e o julgamento.

Yi e o aspecto mental que simboliza o centro do *Shen*. Na linguagem moderna, *Yi* não é apenas memória e ideia; é, ainda, a imagem corporal, que faz com que nos reconheçamos como nós mesmos. Por isso doenças como bulimia e anorexia levam a pessoa a ter distúrbios da sua imagem corporal, são relacionadas ao Baço, na Medicina Chinesa, pois o Baço abriga o *Yi*.

O Ideograma Yi

Seu ideograma apresenta um homem seguramente posicionado sobre suas duas pernas e com os dois braços esticados, lembrando que o homem é o elemento do centro, entre o céu e a terra. Embaixo da figura do homem, tem-se a imagem de uma boca e, embaixo desta, a imagem do coração. Todos esses elementos em conjunto dão ao ideograma o significado de "o som do coração" ou "o canto e o som que o coração do homem registra". O pensamento exprime justamente aquilo que o coração (mente e espírito) apreende. Pode-se perceber um som ou uma intenção de outra pessoa com o coração. Por detrás das palavras há o som. A palavra dita pode ser doce, mas se o som for intenso, entende-se a mensagem das entrelinhas. *Yi* é capaz de captar a mensagem e decodificá-la.

O *Yi* aparece na vida da criança na fase em que ela ainda não fala, mas já escuta e é capaz de distinguir a diferença de tons da voz materna. A comunicação é pré-verbal, mas já inclui os sons, os gestos e emoções.

Funções do Yi

Yi significa direção do pensamento e intenção. O Yi contém memórias corporais, ou seja, experiências que foram armazenadas no corpo; ele guarda as imagens, as ideias e as intenções. É capaz de repetir as imagens e, desse modo, formar o pensamento, que é uma espécie de traço pessoal. Inicialmente, o pensamento é feito por meio das imagens que, posteriormente, irão adquirir uma forma e serão transformadas em ações ou planos. Yi estrutura e organiza os traços e as marcas pessoais e dá forma à inspiração, à criatividade.

O Yi é responsável por opiniões, pensamentos, pela abstração, pela lógica, pela capacidade de decorar (memória) e pelo conhecimento que pode ser traduzido em palavras. A criança é capaz de aprender rapidamente, pois com a ajuda do Yi ela abstrai, memoriza e, principalmente, capta as intenções. Ela retém o sentimento associado às ideias, é capaz de perceber o som do coração, a linguagem não verbal.

O Yi possibilita não somente o entendimento da linguagem não verbal (do corpo, dos gestos etc.), como também sua expressão. Esta é a expressão de todo o corpo.

Se o Yi se aloja no Baço e pertence ao elemento Terra, então, tem, assim como a Terra, a função de recepção, de acolhimento e de nutrição. Ele fornece o alimento para o Shen, ou seja, dá todas as informações armazenadas em sua memória para que o Shen possa agir no momento atual, em concordância com as experiências passadas.

Quando o Yi está desequilibrado, ocorre obscurecimento (obnubilação) do Shen, pois as informações fornecidas são distorcidas. Neste caso, podem-se turvar a intuição e a visão. Encontram-se duas situações opostas de desequilíbrio do Yi:

1. Quando o Baço está em plenitude, a pessoa fica inundada de ideias e pensamentos, mas sem poder usá-los a seu favor. Desse modo, os pensamentos são obsessivos e repetitivos e pouco criativos.

2. Outro problema frequente do Yi ocorre quando o Baço está deficiente e o indivíduo tem dificuldade de se concentrar, de memorizar e de ter um raciocínio lógico, como um tipo de astenia mental.

Baço e Pâncreas são considerados sábios e ajudam a ordenar e descriminar intenções e ideias. Essa organização é, até certo ponto, desejável: sem ela seria o caos, não haveria o pensamento ordenado. Porém, muitas vezes, a organização torna-se excessiva e pode parar o movimento (de Qi).

Quando o fluxo natural do *Qi* é interrompido, cria-se uma repetição de padrões. Se um indivíduo é conduzido somente pela razão, torna-se prisioneiro do destino e da forma, mas se houver possibilidade de estar desperto, presente, a forma é apenas passageira e o *Shen*, como espírito criativo, pode manifestar-se. Ou seja, a organização fornecida pelo *Yi* deve servir de base para a criatividade do *Shen*, sem aprisioná-lo.

Pensamento, Reflexão e Inteligência

O pensamento é chamado de *Si* e a reflexão, em chinês, é *Lu*.

No pensamento, as ideias encontram uma base, um chão (a terra) e se estabelecem. Uma ideia que predomina e se instala na mente é o "querer", que depois se modifica. Isso é chamado de pensamento. O pensamento, *Si*, é um desencadear de ideias, como um trem em movimento ou um macaco, que apanha uma fruta, depois outra e outra. O pensamento parece jamais se concluir: transforma-se em novos pensamentos e em novos quereres. Esse processo é semelhante ao da digestão: uma ideia é assimilada e daí surgem novas ideias uma após a outra. Quando há má-digestão, pode-se ficar horas e horas "ruminando" ideias que não alimentam, que são infrutíferas e indigestas. Quando a digestão é boa, as ideias alimentam e pode-se seguir em frente.

Já a reflexão tem um ideograma que representa um tigre, ou as listras de um tigre sobre o caractere de pensamento. O tigre é capaz de percorrer grandes distâncias, pulando e aterrissando precisamente sobre o solo. A reflexão, portanto, é semelhante a um tigre faminto que caminha na planície, é um pensamento que alcança o que está distante.

A inteligência, por sua vez, é marcada por ideias ou reflexões que são capazes de retornar ao ponto de partida. Elas retornam aos Rins, completando o ciclo dos cinco movimentos. O tigre vai e volta e as reflexões não são feitas em vão, pois alimentam, abastecendo com criatividade a bateria de energia do corpo. A inteligência não só gera criatividade, como também capacidade de adaptação.

Zhi

Zhi é a Força de Vontade, que pode ser vista como sinal de vitalidade. É a potência, a aspiração do coração, a ambição, o interesse, o poder criador e de adaptação presente em cada um de nós.

O *Zhi* aloja-se nos Rins, que são a base da ancestralidade, das tendências, dos condicionamentos e também do desejo.

O Ideograma *Zhi*

O ideograma para *Zhi* pode ser dividido em duas partes. A superior representa um homem de pé, como um soldado, um oficial ou um homem de virtude, coragem e sabedoria. Na parte inferior, há o radical de *Xin*, o coração. Ou seja, *Zhi* é um homem de pé sobre o coração ou o "coração do guerreiro", mostrando a força dessa posição como "coração valente".

O homem que fala para uma multidão é capaz de juntar as pessoas a partir do poder do seu coração. Esse poder está associado ao desejo, a vontade e à persistência de uma intenção, que são sinônimos de *Zhi*. O homem que reúne os outros a partir de seu ideal pode representar um líder que une o povo, ou a voz interna que reúne as forças pessoais para realizar um objetivo.

Etimologicamente, a parte superior do ideograma foi substituída por um pequeno broto em crescimento mostrando a força da vida, a vitalidade. Esse pequeno broto pode ser visto ainda como um símbolo fálico. E, finalmente, há o radical *Sheng*, associado ao movimento.

Todos esses elementos compõem o significado de *Zhi*: o coração valente, a vitalidade e o movimento do coração. *Zhi* foi traduzido para a língua portuguesa como "Força de Vontade" ou "capacidade de realização".

Funções do *Zhi*

Por meio do *Zhi* se junta o "povo" ou a força dos Rins para realizar as aspirações profundas, o potencial e o sentido da vida de cada um, o *Tao* pessoal. Não se trata da simples Força de Vontade dos pequenos atos cotidianos; o *Zhi* é a força de viver. O *Zhi* gera o movimento do *Tao* e, portanto, é a base para o funcionamento do *Shen*.

Como o *Zhi* se aloja nos Rins, ele permite a realização das aspirações pessoais utilizando-se da energia da "bateria do corpo". O *Zhi* possibilita a concretização de um projeto levando em conta a hereditariedade e o potencial de cada um. Os Rins e o norte são, na Medicina Tradicional Chinesa, a raiz, o chão, a base. O *Zhi* é, portanto, o chão, o que enraíza o *Shen*.

Com a ajuda dos Rins, o *Zhi* pode ajudar a descer o *Qi* para os membros, originando o movimento que é a passagem da intenção para a ação.

Na mulher, o ciclo de desenvolvimento e de amadurecimento ocorre a cada sete anos (7, 14, 21, 28, 35, 42, 49 anos...). Esses são anos importantes no amadurecimento sexual, na menstruação, na obtenção da força muscular máxima e na menopausa, marcando diversas fases da vida da mulher. No homem, segundo a MTC, esses ciclos ocorrem a cada oito anos. Os ciclos do tempo estão diretamente ligados à energia armazenada nos Rins, pois dizem respeito à vitalidade, à fecundidade, ao vigor e à força realizadora. *Zhi* é o responsável direto pelos ciclos da mulher e do homem.

As alterações do *Zhi* podem gerar medo, sentimento de inferioridade, timidez, desconfiança e, no polo oposto, sentimento de superioridade, autoritarismo e falta de limites.

Quem tem o *Zhi* forte está mais protegido contra doenças autoimunes ou contra o câncer, pois a Força de Vontade se expressa também como força de vida. Essa força vital depende da transmissão feita pelos pais, dos gametas e também dos eventos da gravidez, como foi visto no capítulo sobre a água na MTC.

A Força de Vontade (*Zhi*) inclui objetivo, intensidade e direcionamento da atenção e da energia a ser investida em algum projeto. Porém, a Força de Vontade (*Zhi*) não significa apenas o desejo ativo de realizar algo; pode ser também a vontade passiva de estar vivo, a força que traz a alegria de estar simplesmente vivo. Alguns tipos de depressão não associados a traumas evidentes ou eventos desencadeadores, causados pela falta de vitalidade suficiente (estamina) para continuar a viver e achar a vida interessante; falta *Zhi*.

Zhi é o poder de adaptação e transformação adequado à realidade (quantidade e qualidade de energia dos Rins) de cada pessoa.

Relação entre *Yi* e *Zhi*

O termo *Yi Zhi* ou *Zhi Yi* aparece muitas vezes como um só conceito, pois se refere a intenção (*Yi*) e à vontade (*Zhi*). Segundo o Capítulo 8 do *Ling Shu*, a intenção (*Yi*) ou ideia pode se tornar permanente (sendo realizada) se houver determinação ou vontade (*Zhi*). Esse é um movimento que se inicia no coração, que precede o pensamento e a ação voluntária. É um impulso vital.

A Inter-relação dos Cinco Movimentos

Lembrando, mais uma vez, que *Shen*, *Hun*, *Po*, *Yi* e *Zhi* pertencem aos Cinco Movimentos (*Wu Xing*). Observa-se, naturalmente, uma inter-relação entre eles, nos chamados ciclos de geração e de controle.

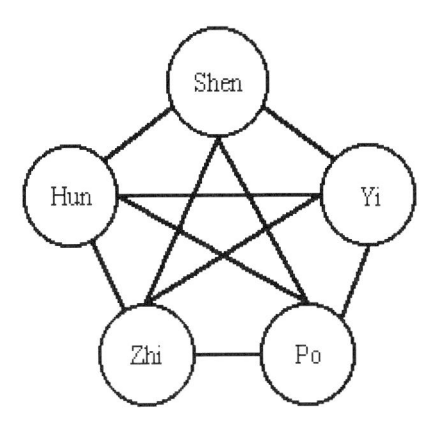

Desse modo, sabe-se que cada um dos aspectos citados influencia diretamente ou indiretamente os outros. Assim, a saúde, a consciência, a vitalidade, os sonhos, os instintos, as ideias e o espírito dançam suavemente em conjunto, ao som da mesma música.

A alma individual é um passageiro no carro do corpo material e a inteligência é o condutor. A mente é o instrumento de direção e os sentidos são os cavalos. O eu é, desse modo, o desfrutador ou o sofredor na associação da mente e dos sentidos.

Bhagavad-Gita

Parte 2

Distúrbios Psíquicos na Medicina Chinesa

Fatores de Adoecimento

9

Introdução

Os fatores de adoecimento na Medicinal Tradicional Chinesa (MTC) apontam para duas direções: interna e externa. O indivíduo pode adoecer por deficiência de seu sistema de defesa (meio interno) ou por sofrer muitas agressões do ambiente em que vive (meio externo). Os fatores internos consideram a estrutura genética e hereditária, o modo de vida e os sentimentos. Os fatores externos dependem do clima, em suas manifestações diversas e do meio ambiente. Deve-se considerar, ainda, que se pode adoecer no físico, na mente ou em ambos.

Por que a Alteração de *Qi* afeta a Mente ou o Corpo?

Na medicina chinesa, observa-se, por exemplo, que certas pessoas com baixa energia dos Rins têm um desenvolvimento normal do aparelho psíquico, porém apresentam sérias doenças físicas, como distrofia muscular, doença desmielinizante etc. Outros são fisicamente saudáveis, trazendo, contudo, distúrbios psíquicos graves. E muitos têm os dois problemas concomitantemente. Tudo leva a crer que, em tal caso, a deficiência de energia renal pode expressar-se no polo psíquico ou físico ou, se for muito intensa, em ambos, e isso varia de indivíduo para indivíduo.

A partir do advento da abordagem psicossomática e das muitas terapias com enfoque corporal, passou-se a acreditar que as doenças físicas como gastrite, dores articulares, cefaleia, doenças intestinais e até mesmo o câncer teriam como base alterações emocionais. Até certo ponto, isso é importante para que se possam observar as doenças com novos olhos, talvez mais otimistas, uma vez que o paciente tem importante papel a cumprir na profilaxia e no tratamento dos problemas que antes só o médico resolvia. Contudo, o exagero dessa visão pode levar a algumas colocações falsas: "a pessoa tem gastrite porque é nervosa" ou "meu irmão tem câncer, pois está muito magoado" etc. Aquele que acredita nisso tende a crer que tudo se resolve com a cabeça. Ao ficar doente, a culpa será enorme, pois algo de muito errado estaria acontecendo em sua mente e seu coração. O fato é que não é bem assim: pessoas muito bem resolvidas emocionalmente também têm câncer, obesidade, gripe, dor etc.

A visão que a medicina chinesa propõe é a do todo, dos vários fatores causadores de doença que podem agir tanto em um corpo mais frágil como em outro mais fortalecido. A saúde depende das inúmeras interações possíveis entre o ambiente, as emoções, a alimentação, o estilo de vida e a inevitável vulnerabilidade do ser, pois a condição humana inclui a doença e a morte.

Considerar que certos tipos de doentes têm apenas doenças mentais e outros, somente doenças físicas, cinde-se mais uma vez o corpo e a mente. Aqui, novamente, tudo indica que corpo e mente são apenas dois aspectos de um mesmo organismo, que não podem ser divididos arbitrariamente.

Na MTC, entende-se a palavra saúde como o resultado do equilíbrio entre o *Yin* e o *Yang*. Quando estes estão em desequilíbrio, observa-se o processo de adoecimento. A doença não surge de uma hora para a outra; é fruto de uma sucessão de experiências estressantes acompanhadas por uma fragilidade do mecanismo de proteção. Esse processo pode começar a ocorrer no adolescente e só se manifestar na idade adulta ou na velhice. Muitos eventos ficam internalizados e, em uma situação específica, podem ser reativados como um alarme, desencadeando uma reação em cascata que culmina com a doença.

O equilíbrio existente entre o *Yin* e o *Yang*, entre o indivíduo e o meio e entre os *Zang Fu* não é estático, mas dinâmico como a própria natureza. Para que ocorra o adoecimento, é necessário que o corpo perca o seu poder de adaptabilidade ao meio externo. Isso pode ocorrer por:

- Diminuição da Energia Vital e do *Qi* correto, em que o corpo não possui resistência adequada para defender-se.

- Excesso de agentes patogênicos (também chamados de *Xie* ou Energia Perversa).

Ou seja, o desequilíbrio levando à doença depende da interação entre o "correto" e o "perverso". O *Qi* correto, por sua vez, depende dos seguintes fatores:

- Alimentação.

- Resistência adquirida por treinamento (exercícios).

- Constituição física (hereditariedade).

- Meio circunvizinho (estabilidade ambiental).

- Estado mental.

O estado atual do paciente não é, muitas vezes, indicativo da origem da sua doença. Assim, uma pessoa pode ter quadro de asma que não se desenvolveu necessariamente por alteração no *Qi* do Pulmão, mas por deficiência crônica de *Qi* do Rim que, por fim, levou ao desequilíbrio do Pulmão. Entender a raiz da doença possibilita tratar a verdadeira causa, seja ela psicológica ou física.

Nem sempre o que leva a uma doença psíquica e um fator psicológico, como nem sempre o que leva a uma doença física é um fator externo. Um quadro de fadiga e obesidade pode desenvolver-se após longo período de estudos para o vestibular. Um estado depressivo pode ter como origem alimentação desregrada, hemorragias ou partos. Assim, torna-se necessário entender o processo de adoecimento e suas causas para abordar corretamente o desequilíbrio atual. O tratamento, na medicina chinesa, necessita muitas vezes de mudanças de hábitos de vida, que são cruciais para o restabelecimento da saúde. Os fatores de adoecimento podem ser externos, internos, ou nem internos ou externos:

Fatores externos. Incluem as alterações climáticas da natureza, bem como as mudanças das estações do ano. Frequentemente, os fatores externos referem-se a patógenos como vírus, bactérias que vêm de fora do corpo. Também chamados de "seis excessos", os fatores externos são: Vento, Frio, Calor ou Fogo, Umidade, Secura, Canícula (calor do verão). Podem atacar o corpo isoladamente ou combinando-se um com o outro (por exemplo: Vento--Frio, causando resfriado).

Quando o homem é capaz de se adaptar às variações climáticas, os fatores externos não são considerados patogênicos, caso contrário, ele adoece e, então, esses fatores passam a ser chamados de patogênicos externos.

Cada um dos fatores externos causa um tipo de desarmonia ou doença. Pode-se diferenciá-las por meio da história do paciente, do exame físico, do seu pulso e da sua língua. Os fatores externos têm ainda a possibilidade de alojarem-se no organismo causando, mais tarde, doenças internas, desequilíbrios graves físicos ou psíquicos.

Fatores internos. Referem-se às emoções. Estas fazem parte integral da vida humana e, em princípio, não são causadoras de doenças, mas quando são muito intensas ou permanecem por um longo período, podem tornar-se fatores de adoecimento.

As emoções são consideradas fatores internos de adoecimento e podem gerar desarmonia nos *Zang Fu* (órgãos e vísceras), levando à doença. Do mesmo modo, os *Zang Fu* desarmônicos geram emoções alteradas e distorção da realidade. Habitualmente, um afeta o outro, assim como o *Yin* afeta o *Yang* e vice-versa.

As principais emoções estudadas na MTC são: alegria (superexcitação), raiva (ira), tristeza (melancolia), pesar, preocupação, medo e, ainda, o choque (pavor). As emoções afetam diretamente os *Zang Fu,* o *Qi* e o sangue e, por isso, são consideradas como fatores internos de adoecimento.

Fatores não externos nem internos. Incluem uma gama variada de componentes, tais como: alimentação, ocupação, excesso de trabalho, de exercícios físicos, de relações sexuais, traumas e epidemias.

Como já citado, todos os fatores perversos internos, externos e não externos nem internos são potenciais causadores de doenças ou desequilíbrio energético., Entretanto, dependendo de sua própria força e da resistência do organismo do paciente, podem ser insuficientes para provocar patologias. Cada um dos fatores de adoecimento será estudado, isoladamente, para melhor entendimento da etiopatogenia em medicina chinesa.

Fatores Internos

Os sentimentos são intrínsecos à natureza humana e não podem ser considerados por si só agentes patogênicos. Todavia, diante de uma situação que leve o paciente a emoções extremas como a raiva, a alegria, a tristeza, o medo ou a preocupação, os sentimentos afetam o equilíbrio interno do paciente gerando alteração no fluxo de *Qi* e *Xue* (energia e sangue) e ferindo diretamente os *Zang Fu* (órgãos e vísceras). Portanto, todo médico deve estar sempre atento ao aspecto emocional de seu paciente, que pode ser gerador de patologias internas ou perpetuador de doenças já existentes.

Medo

O medo é necessário como proteção em situações ameaçadoras. O medo ajuda o homem a identificar os perigos e a adaptar-se corretamente ao ambiente e às situações externas. Ele tempera a impulsividade, aumentando o tempo entre a intenção e a ação.

Contudo, quando em excesso, na situação de pavor ou pânico, o medo impede totalmente a ação, paralisando e tirando a vontade de agir. Os sintomas comuns dessa situação incluem as incontinências urinária e fecal, resultado da liberação esfincteriana. O medo altera diretamente os Rins e pode também afetar o Coração e o *Shen*, causando desarmonia interior, fobias, autoinibição e queda da autoestima. O medo é responsável pela alteração do fluxo de *Qi*, fazendo-o descer.

Alegria

A alegria pode ser sinônimo de satisfação e de felicidade, proporcionando equilíbrio do *Shen* e do Coração. Todavia, quando em excesso, pode criar o estado de superexcitação que consome *Qi* e afeta o Coração. Como resultado, o *Shen* perde sua base e o paciente não consegue se concentrar, podendo alternar estados de mania e depressão. A alegria é responsável pela dispersão de *Qi*.

Tristeza e Pesar

A tristeza é uma emoção que possibilita entrar em contato com a limitada condição humana e elaborar as perdas pessoais e as separações (de outras pessoas, de fases da vida e de objetos conquistados). Ela permite a introversão e a aceitação das mudanças da vida e não deve ser considerada anormal ou indesejável. Nos dias de hoje, em que só o sucesso e a ascensão são considerados positivos, a tristeza é vista e medicada como doença. Na medicina chinesa, a tristeza simboliza importante movimento para dentro, de recolhimento, devendo ser respeitada como tal.

Já a tristeza profunda e prolongada leva o indivíduo ao estado depressivo. A incapacidade de realizar-se pode causar a sensação de impotência e desânimo permanentes. O pesar e a mágoa alteram o Pulmão e, consequentemente, o *Zhang Qi* (Energia do Tórax), resultando na diminuição da respiração e da energia como um todo, que é a própria expressão da depressão. A tristeza profunda é responsável pela diminuição do *Qi*.

Preocupação e Excesso de Pensamentos

Os pensamentos fixos levam à obsessão, às regras rígidas e à perda da flexibilidade. A preocupação e o excesso de ideias fixas alteram diretamente o Baço, que é o órgão responsável pelo transporte e pela transformação de energia. Ocorre uma "indigestão mental" ou ruminação constante dos pensamentos. Assim, por meio da preocupação e da obsessão, o paciente estagna a circulação de *Qi*.

Raiva e Ira

A agressividade é outra emoção altamente necessária para a sobrevivência e a adaptação do homem. Não a agressividade destrutiva, mas sim aquela construtiva, a que permite ao ser humano derrubar uma árvore para fazer uma casa: a agressividade que impulsiona as novas ideias e a vontade de construir e crescer. O indivíduo incapaz de expressar agressividade não consegue conquistar seu espaço pessoal e sucumbe perante a vontade dos outros e as adversidades da vida.

Naturalmente, sabe-se que a raiva e a ira são manifestações extremas da agressividade e que, em vez de ajudar, levam à desarmonia interna. A raiva explosiva gera alteração na função do Fígado e, como consequência, impede o fluxo de *Qi*. Os sintomas associados a esse estado são irritação, opressão torácica, distensão abdominal, síncopes. A ira é responsável pela ascensão de *Qi* e pode formar o *Qi* contracorrente.

As alterações dos *Zang Fu* também geram emoções ou padrões de comportamento alterados:

Qi do Rim

Vazio: Gera o medo que leva à indecisão.
Plenitude: Causa o autoritarismo e a extravagância.

Qi do Pulmão

Vazio: Gera a angústia e a depressão.
Plenitude: Provoca a superexcitação.

Qi do Fígado

Vazio: Produz a indecisão.
Plenitude: Cria a raiva.

Qi do Coração

Vazio: Leva ao choro.
Plenitude: Gera a mania.

Qi **do Baço**

Vazio: Gera a astenia mental.

Plenitude: Leva a obsessão.

Fatores Externos Vento

O Vento e o *Qi* predominante da primavera, podendo ocorrer também em outras estações do ano. O Vento é um veículo para a entrada de outras Energias Perversas (Vento-Frio, Vento-Calor etc.).

O Vento e *Yang*, relaciona-se aos movimentos e às rápidas mudanças de estado, está ligado à parte superior do corpo. Tem o poder de abrir os poros, de fazer escoar e está em constante transformação.

O Vento, como fator climático, é considerado Vento externo, em geral relacionado aos estágios iniciais de doenças infecciosas. Ele invade o corpo e altera a função dos Pulmões, prejudicando a dispersão de *Qi* e, consequentemente, atingindo o fluxo do *Wei Qi* (Energia de Defesa).

Frio

O Frio é o *Qi* predominante do inverno. Distingue-se em Frio externo e interno. É difícil, muitas vezes, diferenciar o Frio interno do externo, pois as duas formas podem aparecer juntas, uma vez que o Frio interno (causado pela diminuição do *Yang*) facilita a entrada do Frio externo.

O Frio é *Yin*, relaciona-se à diminuição da atividade *Yang* (aquecimento, movimento e transformação, retenção e proteção), a contração e a estagnação, causando a diminuição de *Qi* (Energia de Defesa), altera o Baço, diminui o transporte e a transformação e provoca a dor.

O Frio externo penetra no corpo após a exposição à baixa temperatura, a chuva e a transpiração e, logo em seguida, ao frio.

Calor-Fogo

O Calor é o *Qi* predominante do verão. É importante notar que Calor refere-se ao agente perverso externo, enquanto que Fogo é um estado interno gerado pela hiperatividade ou por desequilíbrios dos *Zang Fu* (excedente de *Qi*).

179

O Calor-Fogo é *Yang*. Eleva-se à parte superior do corpo, tem a capacidade de dispersar o *Qi* e pode agredir o *Shen*. Diminui os líquidos orgânicos e o *Yin*. Quando em grande quantidade, produz o Vento interno e agita o sangue. As doenças produzidas por ele ocorrem com exposição a altas temperaturas, em locais abafados e não ventilados e no caso de insolação.

Umidade

A Umidade está relacionada ao clima úmido (na China, corresponde à época entre o verão e o outono quando ainda é calor, mas há abundância de chuvas).

A Umidade é *Yin*. Pesada, turva e impura, responsável pela viscosidade e estagnação: obstruindo a circulação de *Qi*.

A Umidade externa atrapalha o bom funcionamento do Baço, que não mais cumpre as funções de transporte e transformação (*Qi Hua*). Por outro lado, quando a magia do Baço está enfraquecida, a Água-Umidade não se transforma, o que facilita a entrada de Umidade externa.

A Umidade decorre da exposição ao clima úmido: tomar chuva, morar em locais úmidos, vestir roupas úmidas e suadas.

Secura

A Secura é o *Qi* do outono (na China, o outono é uma estação extremamente seca).

A Secura é *Yang*. Consome os líquidos orgânicos (*Tin Ye*), ataca principalmente o Pulmão, que é muito sensível a Secura e, assim, prejudica sua função de purificação e descida de *Qi*, além da distribuição de energia pelo corpo.

O clima muito seco possibilita a penetração da Secura no organismo.

Canícula (Calor do Verão)

Ocorre no verão e só é encontrada nessa estação e em países onde o verão é muito quente.

A Canícula é *Yang*, é um calor exacerbado. Desloca-se ferindo os líquidos orgânicos, diminuindo o *Qi*. Abre os orifícios da pele e sua origem é unicamente externa, não existindo a Canícula interna.

A Canícula é fruto do calor excessivo e da insolação.

Fatores não Externos e não Internos

Alimentação

Quando irregular (tanto em quantidade como em qualidade e também em regularidade de horários), a alimentação pode ocasionar uma série de distúrbios como:

- *Insuficiência de ingestão alimentar:* Causa fraqueza do Baço--Pâncreas e do Estômago, levando à deficiência de *Yin* e do sangue.

- *Excesso de ingestão alimentar:* Altera os Intestinos e o Estômago, provocando a diminuição do *Qi* do Baço-Pâncreas.

- *Alimentação gordurosa, muito condimentada e álcool:* Geram Calor, Umidade e mucosidade, podendo causar estase de *Qi*.

- *Alimentação crua e fria:* Produz Frio-Umidade interno, enfraquecendo o *Yang* do Baço-Pâncreas.

- *Abuso de sabores específicos:* Pode lesionar um *Zang Fu* determinado.

- *Alimentação desregrada (sem horário, sem concentração ao comer; etc.):* Altera a digestão e o Estômago, provocando turvação e obnubilando o *Shen*.

Fadiga

- Excesso de esforços físicos leva ao esgotamento de *Qi*.

- Excesso de esforço mental (pensamento, racionalização) consome o *Qi* e o sangue e altera o *Shen*.

- Excesso de atividade sexual debilita o *Jing* (essência) dos Rins.

Outros

- Traumatismos.

- Doenças infectocontagiosas, epidemias.

- Intoxicações.

181

- Tratamentos com uso de quimioterápicos, antibióticos e outras drogas, além do uso de fitoterápicos mal indicados.

Vimos uma breve introdução aos fatores de adoecimento da MTC. Na visão chinesa, a saúde e a doença são frutos do constante intercâmbio entre o homem e a natureza, pois os fatores externos são tão importantes quanto os internos. A integridade física e mental de uma pessoa depende do que em MTC se chama "Três Tesouros": a essência ou o *Jing*, o *Qi* e a mente ou o *Shen* e da relação do homem com o seu meio. Para manter a saúde, é necessário uma boa constituição (que depende da herança dos pais e da gestação), um bom ambiente e ainda de uma vida psíquica saudável.

Quando nos consideramos parte do ambiente em que vivemos, passamos a ter visão ecológica do mundo, pois somos um elemento integrante dessa ecologia.

Psicopatologia na Medicina Chinesa

Introdução

Os textos clássicos da Medicina Tradicional Chinesa (MTC) mostram as doenças mentais como fruto de desequilíbrios ligados ao Coração, a morada do *Shen* ou consciência; ou ao Fígado, responsável pelo fluxo de *Qi* e das emoções. Praticamente, todas as síndromes mais importantes que incluem insônia, ansiedade, mania, depressão, histeria e psicose têm como base alterações do *Shen*, do Coração e do Fígado. Será apresentada, no próximo capítulo, a visão clássica com a diferenciação das síndromes dos *Zang Fu,* diagnóstico e tratamento.

Neste capítulo, propõe-se um novo enfoque. Cada elemento tem um lugar central na formação da psique e pode agir, portanto, na gênese das psicopatologias. Como as doenças mentais são complexas, assim como o ser humano, também suas etiologias são multifacetadas e qualquer tentativa de classificação torna-se uma simplificação exagerada do quadro real. Todavia, a utilização desse recurso de análise individualizada possibilita a compreensão dos elementos constitutivos, um a um, para, depois, esboçar-se uma síntese.

Elemento Água

Psicopatologia e Água: Considerações Gerais

Todos têm algum tipo de deficiência de energia do Rim, pois naturalmente ao longo dos anos a bateria energética do corpo vai se desgastando e não consegue sustentar os desequilíbrios internos. Entretanto, indivíduos considerados mentalmente sãos mantêm um mínimo de energia renal que sustenta sua sanidade. A energia do Rim é fundamental como força de coesão do Ego, mas mesmo que alguém apresente baixa energia renal, esta não será necessariamente tão baixa a ponto de levar ao desenvolvimento de uma psicopatologia.

O movimento da Água é o da força primordial que mantém a integridade e o equilíbrio, estabelece as raízes, junta as forças e faz reservas. Essa capacidade reflete-se diretamente na habilidade de adaptação diante das mudanças e das dificuldades da vida.

As patologias da Água caracterizam-se por perda de direção, incapacidade de completar ações, medo, fixação e radicalismo.

Antes de iniciar a descrição das doenças mentais, é importante ressaltar que algumas doenças neurológicas, que até certa época foram abordadas pela psiquiatria, também se enquadram no diagnóstico de "deficiência de energia do Rim" na MTC. São elas: malformações neurológicas (anencefalia, hidrocefalia), doenças genéticas (síndrome de Down), autismo, retardo mental, entre outras. Caracterizam-se por uma profunda deficiência de energia do Rim, lembrando sempre que o Rim é responsável pela formação do "mar da medula", que é o cérebro.

Na mesma linha de raciocínio, as doenças psiquiátricas, como a esquizofrenia, a psicose infantil, as psicoses no adulto, os desvios de personalidade e de adaptação social (psicopatias, sociopatias, fobias sociais etc.) também provêm da deficiência grave de energia do Rim. Nas doenças mencionadas, pode-se ou não encontrar alterações neurológicas, anatômicas ou bioquímicas, mas, para a medicina chinesa, isso não importa por serem o mesmo tipo de deficiência. Nas primeiras (neurológicas, genéticas), há uma malformação cerebral ou alteração de atividades cognitivas e, nas segundas (psiquiátricas), existe uma impossibilidade de estruturação da personalidade, havendo, dessa forma, cisões na estrutura psíquica.

Como, então, diferenciar em MTC o paciente que apresenta uma "baixa energia de Rim" decorrente de doenças graves daquele que a possui simplesmente graças a um desgaste de menor importância ocorrido ao longo da vida, fruto, por exemplo, do envelhecimento ou do excesso de atividade sexual?

Sem dúvida, trata-se de quadros completamente diversos do ponto de vista de tratamento e de prognóstico.

Para responder à pergunta, é preciso voltar à questão da formação da energia do Rim, que se dá a partir do encontro do óvulo com o espermatozoide dos pais e continua durante toda a gravidez, até o parto. Segundo a MTC e, curiosamente, também segundo a teoria neorreichiana, o momento e a quantidade do estresse afetarão o tipo e a gravidade do problema que a pessoa irá enfrentar na Vida. Um feto com boa quantidade de energia (provinda dos gametas masculino e feminino), nascido de gravidez e parto tranquilos, terá mais chances de ser dotado de uma "bateria energética" razoavelmente boa. Portanto, seu desgaste de energia do Rim não deverá ultrapassar certo limite. Esse indivíduo dificilmente apresentará malformações genéticas, hereditárias ou congênitas e, do ponto de vista da estruturação do Ego, terá mais chances de for mar uma personalidade sem grandes cisões ou riscos de psicose.

Por outro lado, o indivíduo que sofreu traumas durante a gravidez e os primeiros anos de vida é um sério candidato a doenças psíquicas. Essas alterações dependem do momento em que os traumas ocorrem, da quantidade e da qualidade do estresse, das características genéticas e da quantidade de energia inicial do feto. A seguir são apresentadas diversas possibilidades que ilustram os vários tipos de desarmonia do elemento Água.

Quanto ao Momento do Trauma

Os exemplos a seguir mostram momentos diferentes de estresse ou trauma que o feto pode sofrer, levando a diversas respostas de seu organismo. Quanto mais maduro ele estiver, menores serão as chances de distúrbios físicos ou psíquicos.

Primeiro exemplo: uma criança é concebida com gametas defeituosos dos pais, que contêm erros genéticos e hereditários (chama-se baixa energia de Rim ancestral, pois ela vem dos pais). Essa criança pode apresentar doenças psíquicas ou físicas graves, que são duas formas opostas de expressão para o mesmo problema. Encontram-se, nesse caso, a síndrome de Down, a síndrome do miado do gato, as malformações fetais etc.

Segundo exemplo: a concepção foi normal (gametas saudáveis), porém, durante a gravidez, houve traumas importantes no primeiro trimestre de gestação. Que traumas poderiam ser? Os causados pelo uso de drogas, álcool ou medicações; por infecções da mãe, como rubéola, toxoplasmose; por uma situação emocional limite, como uma guerra, morte do pai ou até rejeição da gravidez com tentativas de aborto. Se o estresse é sofrido por um feto até então relativamente saudável, este pode apresentar doenças congênitas ou iniciar o desgaste da sua energia renal, que nesse momento está se formando. Como consequência, a criança poderá vir a ter doenças congênitas sérias ou distúrbios no aparelho psíquico, também bastante sérios. Além das doenças congênitas como cegueira, malformações do sistema nervoso central, entre outras, pode-se postular (mas não provar) que algumas doenças psíquicas tenham origem aqui, como a psicose, o autismo, a esquizofrenia etc.

Quantidade e Qualidade da Energia dos Rins

Deve-se, ainda, considerar a diferença entre, por exemplo, uma gestante que sofre um assalto à mão armada no terceiro mês de gravidez de outra, vítima de um Sequestro com violência sexual. A marca deixada pela última situação é inegavelmente muito mais profunda, com maiores consequências para a mulher e, provavelmente, também para o bebê. Outro exemplo da quantidade de estresse sofrida pelo bebê é a rejeição por parte da mãe, que, ao saber que está grávida, reage com tristeza e rejeição a seu bebê. Se essa rejeição for passageira, instituirá, sem dúvida, algo menos marcante que uma tentativa de aborto ou uma rejeição por todo o período da gravidez. Nesse último caso, a semente, o feto, germina em solo duro e seco. Um terceiro exemplo é a ingestão de álcool, que poderá ser mínima ou em altíssimas doses, gerando desde um feto um pouco menor que o esperado até a "síndrome alcoólica fetal", doença gravíssima e irreversível do sistema nervoso da criança. Os exemplos aqui dizem respeito à *quantidade* e à *qualidade* de estresse sofrida pelo feto, aguda e cronicamente.

Jing *(Energia Essencial)*

Um último item a ser considerado é a Energia Vital inata (*Jing Qi* Ancestral) do bebê. Como apresentado, ao citar o exemplo das doenças genéticas e transmissíveis, os pais fornecem os gametas para a formação do feto, junto com os quais é transmitida a Energia Ancestral, que se define como uma mistura de informações genéticas e da quantidade de energia dos pais impressa naquele gameta. Por isso, dois irmãos em condições de gestação semelhantes apresentarão características diversas. Essa última colocação refere-se à qualidade e à quantidade de energia impressa no feto e determinante de sua resiliência e capacidade de adaptação àquilo que será vivido dentro e fora do útero.

A manutenção do ambiente tranquilo na gravidez é uma tentativa de garantir o nível de energia adequado do feto. Como não existe maneira de medir o nível energético do feto durante a gravidez, é essencial que os pais façam o máximo para proporcionar ambiente acolhedor e provedor necessário ao bebê, para garantir seu bom desenvolvimento. A própria concepção, segundo a tradição de algumas culturas orientais, é um momento que precisa ser cuidadosamente escolhido. A mãe não deve tentar engravidar se um dos cônjuges estiver doente ou em dúvida quanto a querer ou não ter aquele filho. O ambiente precisa ser, na medida do possível, preparado para receber bem o novo ser.

Após a concepção, durante toda a gravidez, é importante que a mãe esteja emocionalmente segura, não devendo submeter-se a estresses físicos ou mentais excessivos. Não significa que precise ficar inerte ou sem trabalhar, pois isso lhe causaria, também, sentimento de privação de suas atividades, gerando frustração e ansiedade.

Como mencionado, na China e na Índia a esposa vai morar na casa dos pais do marido e, costumeiramente, sogras e noras têm grandes dificuldades de relacionamento, pois brigam pelo mesmo espaço e por seu domínio. Durante a gravidez, essas "guerras domésticas" cessam e as sogras tratam muito bem suas noras, levando-lhes comida e carinho, para que possam gerar a criança livres de outras preocupações.

É difícil provar que determinados estímulos, como tipo de parto e emoções da mãe na gravidez, possam influenciar a vida da futura pessoa, pois alguns indivíduos não mostrarão maiores distúrbios de personalidade e caráter, mesmo sendo fruto de gravidez pouco desejada ou com parto traumático. Essa difícil comparação ocorre pelo fato de cada indivíduo, como foi visto, possuir uma quantidade e qualidade extremamente variável de energia impressa (*Jing*). Expostos ao mesmo estímulo, dois indivíduos podem sofrer psiquicamente de forma diferente, um mais, o outro menos.

Dizer que um trauma intenso faz mal a um bebê (como a ingestão de álcool) é relativamente fácil, pois, independentemente da energia do feto, sofrerá com o trauma químico. Nos outros casos (tipo de parto, por exemplo), deve-se seguir o bom-senso até que a "ciência" apresente provas para que se demonstre efetivamente o que já é conhecido de forma intuitiva.

Curiosamente, o aleitamento materno entrou em desuso e foi praticamente considerado fora de moda em meados do século XX e, aquilo que era uma função materna desde tempos imemoriais, foi substituído por leite em pó, o que favorecia primordialmente à indústria, ao comércio e a uma falsa estética vigente na época. Precisou-se da ciência para que, novamente, o aleitamento voltasse a ser visto como algo benéfico. A ciência mostrou às mães que amamentar melhora o vínculo com seus filhos, além de fornecer ao bebê imunoglobulinas que ele ainda não é capaz de produzir, indispensáveis à proteção contra infecções. E, finalmente, provou que o leite de vaca é muito mais pesado para o bebê que o materno, gerando, desde cedo, dificuldades de digestão e absorção do alimento (comprometendo, já na infância, o elemento Terra da medicina chinesa, como será tratado adiante). Talvez a ciência um dia afirme que o parto normal é melhor que a cesariana, tão corriqueira hoje no Brasil, que apresenta um dos maiores índices mundiais de cesarianas.

Algumas pessoas são de opinião que o bebê que nasce de parto normal poderia, durante o trabalho de parto, liberar neuro-hormônios, benéficos à sua saúde e à formação de vínculo com a mãe. Além disso, a cesariana é um meio abrupto de mudança, de passagem do interior para o exterior, de desligamento de um mundo protegido e com poucos estímulos sensoriais, que é o mundo intrauterino. Que marcas ou particularidades psíquicas esse parto poderia causar?

Psicopatologias Associadas à Água

Como a Água é o elemento primordial e básico, necessário para a boa evolução do homem, os distúrbios relacionados a esse elemento tendem a ser de natureza profunda e estrutural. A falta de estrutura encontrada em todas as formas de psicose, no autismo, no retardo mental e também em muitas doenças neurológicas (coreia de Huntington, demência etc.) provém da baixa energia do Rim, nos primórdios da sua formação. Em muitos casos, a doença aparece logo após o nascimento. Em outros (como esquizofrenia, mal de Alzheimer, demência senil), a doença se desenvolverá posteriormente durante a vida, somando a deficiência inata ao desgaste natural.

Quando o indivíduo tem energia suficiente para não desenvolver alguma doença estrutural importante, mas sofre um trauma considerável em sua vida intrauterina, ele apresentará, muitas vezes, doenças fóbicas. A fobia pode ser importante e limitante, como é o caso da fobia social, ou então apenas um traço de comportamento, como a dificuldade de relacionamentos estáveis e de entrega, o medo de situações em que a pessoa não tem controle e fique em constante estado de alerta.

O medo, emoção ligada ao Rim, é fator de proteção. Pode, contudo, tornar-se um fator que confina a vida do indivíduo a uma existência limitada. Uma situação de medo intenso, que em geral é causada por um desgaste muito grande de energia, é a síndrome do pânico, na qual há também um desgaste da estrutura, do suporte, da sensação de sustentabilidade do Ego. Todavia, por ser um distúrbio potencialmente reversível e menos grave, o paciente pode beneficiar-se, caso lhe sejam oferecidos suporte e estrutura emocionais, bem como, na medicina chinesa, um tratamento que proporcione o aumento da energia do Rim.

Tratamento das Psicopatologias da Água

As psicopatologias mais graves dificilmente poderão ser abordadas somente pela MTC, em que o intuito é melhorar a energia do Rim por meio de acupuntura, fitoterapia, exercícios físicos e alimentação. Esse tipo de tratamento é insuficiente para dar "suporte" a um Ego desestruturado, ou para doenças genéticas ou congênitas. A abordagem pela MTC pode, no máximo, melhorar as condições do paciente, para que ele tolere maiores variações do meio externo, sem sofrer ameaça de desintegração ou cisão de sua estrutura psíquica. Por exemplo, o tratamento ajuda a amenizar uma crise e diminuir o número das crises desencadeadas em um paciente psicótico.

Já no caso das fobias mais leves e até dos ataques de pânico, os relatos de casos são positivos em relação à utilização da MTC. Com o aumento da reserva de energia do paciente, ele consegue, muitas vezes, não desencadear o processo que o levará à resposta fóbica ansiosa.

Elemento Madeira

Psicopatologia e Madeira: Considerações Gerais

O movimento da Madeira é expansivo e direcionado, simboliza o crescimento e a confiança. A confiança se dá no momento em que o indivíduo sai da semente, do casulo, da barra da saia da mãe e vai em direção à vida e ao mundo.

Assim sendo, a Madeira é o elemento responsável pelo desenvolvimento e crescimento do indivíduo, pela realidade interna e externa, pela visão do mundo e pela possibilidade de relacionamento. Além disso, o Fígado é o órgão que regula o "fluxo livre" das emoções. No âmbito da psicopatologia, reconhece-se que praticamente todas as doenças psíquicas acarretam dificuldades importantes de relacionamento do indivíduo com seu meio ambiente, dificultam a clareza e a visão da realidade e, finalmente, interferem nos relacionamentos humanos e na expressão das emoções. Pois bem, não há psicopatologia em que o indivíduo não apresente, em algum nível, um comprometimento do elemento Madeira.

Desenvolvimento da Visão e da "Neuromuscularidade"

O Fígado e responsável pela "neuromuscularidade" e conecta-se aos olhos. Após o nascimento, a criança apresenta nos seus primeiros dias de vida visão embaçada, que, aos poucos, melhora e torna-se nítida. Durante a amamentação, ao mesmo tempo em que a criança mama ela foca o olhar na ponta da mama e no rosto da mãe, alternadamente. Posteriormente, ela começa a olhar para os lados e vai ampliando seu campo de visão até ficar em pé, quando consegue olhar para toda sua volta. Simultaneamente, a criança adquire tônus muscular, torna-se capaz de fazer movimentos mais elaborados, fica mais "durinha", consegue firmar o pescoço, engatinhar e, finalmente, ficar de pé. Assim, ela desenvolve seu potencial neuromuscular e é capaz de criar uma autoimagem por meio de seu corpo.

De acordo com a medicina chinesa, o Fígado só está plenamente desenvolvido por volta dos sete anos. Antes dessa idade, a criança ainda é muito frágil e necessita do olhar dos pais ou de ter uma pessoa adulta sempre por perto, para orientá-la. Na ausência desse ponto de referência, a criança poderá perder o foco e o contato consigo mesma, ou com a realidade externa.

Os primeiros dias após o parto são fundamentais, pois o bebê sai do mundo escuro do útero e vê as luzes externas e a "luz" da mãe, impressões significativas para a Madeira, que regula a visão. Se a criança for abandonada pelos pais no primeiro ano de vida, poderá ficar sempre buscando um foco externo que não existe, a procura dos pais que se foram e será incapaz de se recolher e se tranquilizar quando necessário. Por outro lado, se tiver a presença dos pais nos primeiros anos de vida (principalmente da mãe durante a amamentação), com certeza terá um ponto de referência interno e, mesmo que futuramente os pais venham a faltar, isso não será tão grave. De certo modo, toda a primeira infância será crucial para o bom desenvolvimento da Madeira. Já na amamentação, a criança desenvolve um contato com o mundo externo por meio da mãe, que sinaliza as emoções para seu bebê, que são captadas pelo contato e pelo olhar. Ao firmar a cabeça e olhar o mundo em volta, a criança passa para um outro estágio de desenvolvimento, pois amplia seu campo de visão e, portanto, amplia sua realidade imediata. Aos poucos, a criança fica em pé e é capaz de realizar movimentos mais complexos, frutos também da Madeira, auxiliando no desenvolvimento neuropsicomotor.

Spitz observou o desenvolvimento de depressão anaclítica em crianças hospitalizadas, separadas das mães por um período maior que cinco meses e deixadas em orfanatos com cuidados básicos de higiene e alimentação, porém sem a atenção e o afeto normalmente dispensados a um bebê[14]. Após o aparecimento do estado depressivo, esses bebês apresentaram atraso motor evidente, passividade, dificuldade de coordenação dos movimentos para virar de bruços, coordenação defeituosa dos olhos e olhar vago. Alguns regrediram naquilo que já haviam aprendido — esse grupo teve um índice de mortalidade altíssimo. Essas observações levaram Spitz a cunhar o termo "síndrome da deprivação afetiva". Logicamente, tais casos são extremos; trata-se de crianças abandonadas ou órfãs que, posteriormente, terão pouca atenção de um adulto, resultando na síndrome descrita. Todavia, existe um espectro de situações de menor gravidade, que também apresentam uma espécie de abandono parcial, o que leva a prejuízos menos graves e mais difíceis de serem diagnosticados. A falta de afeto por parte da mãe, a falta do olhar e do interesse dos pais pela criança em desenvolvimento são possíveis fatores etiológicos de uma alteração emocional permanente no indivíduo.

Outro ponto importante é o que diz respeito à relação entre a Madeira e a Água, pois a Madeira é produzida pela Água no ciclo de geração da MTC e depende, portanto, de seu elemento gerador. Um bebê com baixíssima energia dos Rins e dificuldade para manter sua estrutura psíquica e coesão do Ego terá, consequentemente, problemas ligados à Madeira, como ocorre, por exemplo, nos casos de psicose. De maneira inversa, um bebê com boa energia dos Rins (carga genética, ambiente intrauterino) vem ao mundo mais preparado para crescer e desenvolver-se.

Psicopatologias Associadas à Madeira

As alterações da energia do Fígado ocorrem em praticamente todas as doenças psíquicas, porém mais pronunciadamente em paranoias, delírios, distúrbios bipolares (antiga psicose maníaco-depressiva), em alguns tipos de depressão e em todas as reações agressivas.

Nas psicoses, na paranoia e nos delírios observa-se a dificuldade de o indivíduo ver a realidade. No distúrbio bipolar encontra-se um mecanismo de funcionamento muito particular do Fígado: a alternância da estase de energia (estase de *Qi*) seguida da liberação excessiva de energia (Fogo do Fígado), o que pode ser comparado à depressão (estase de *Qi*) e a mania (Fogo). Algumas depressões também são decorrentes de desarmonias do Fígado por estase de energia; são as depressões reativas ou ansiosas.

A agressividade patológica está associada à Madeira, pois a raiva é a emoção do Fígado e, quando ele está desequilibrado, a raiva também será expressa de maneira destrutiva. O maior determinante social de agressividade é a frustração. A frustração é um dos mais importantes fatores de adoecimento do Fígado. Não é sempre que pessoas frustradas reagem com ações agressivas, podendo aparecer outras formas de respostas emocionais como a resignação, a depressão reativa e até o desespero. Outros fatores associados aos desequilíbrios da Madeira e à manifestação da agressividade descontrolada são os chamados "fatores externos" como poluição, barulho, locais superpopulosos, situações violentas, dor, fatores químicos como o uso de drogas, álcool ou hormônios.

Os distúrbios psíquicos da Madeira podem ser tratados pela MTC com bons resultados, restabelecendo-se o fluxo livre de *Qi* e das emoções. Do mesmo modo que ocorre no elemento Água, psicoses, delírios e paranoias tratados pela MTC apresentam resultados limitados, pois são alterações profundas e muito comprometedoras. Já a depressão ansiosa, a irritabilidade, as reações agressivas e as alterações do humor podem ser estabilizadas com o uso da acupuntura e dos exercícios físicos.

Elemento Terra

O movimento da Terra é o de "conexão". Conexão com os outros, demonstrando paciência, cuidado, estabilidade, capacidade de focar e ater-se ao momento, de apreciar a vida.

Patologias da Terra manifestam-se na obsessão, incapacidade de percepção do presente, distração, perda da consciência do ambiente e da consciência corporal, e dificuldade para se mover, com sensação de estar preso ou estagnado.

Psicopatologia e Terra: Considerações Gerais

A Terra é o elemento essencial das relações de contato do ser humano. Durante a fase do aleitamento materno desenvolve-se profunda conexão entre a mãe e o bebê, que recebe o alimento, o calor, o contato físico e a imunidade pela amamentação. Essa conexão entre o alimento físico e o emocional continua por toda a vida.

Recentemente, descobriu-se que alguns alimentos como a anandamida dos chocolates possuem a capacidade de aumentar a serotonina (neurotransmissor que regula o humor). Comer é um ato que gera, ao mesmo tempo, saciedade física e mental. Entretanto, no caso da amamentação, muito mais importante do que o leite em si é o próprio contato entre a mãe e seu filho nos primeiros anos de vida. O pesquisador Bowlby observou que crianças pequenas separadas de suas mães por mais de três meses têm uma sequência mais ou menos uniforme de respostas: primeiramente, protesto (ficam irritadas, chamam ou gritam pela mãe); depois, desespero (perdem a esperança que sua mãe volte); e, finalmente, desligamento emocional da mãe[15]. Quando ela retorna, expressam sentimentos ambivalentes como raiva e desconfiança, mas, ao mesmo tempo, demonstram que a mãe não foi esquecida.

Na formação dos órgãos do elemento Terra (Baço, Pâncreas e Estômago), assim como acontece no elemento Água, são fundamentais a energia ancestral dos pais, a nutrição intrautero e, finalmente, a nutrição após o nascimento, por meio da alimentação, do carinho e do contato. A nutrição tem início na vida intrauterina pela placenta e pelo cordão umbilical. G. Ferri denomina a região do umbigo como a "primeira grande boca"[6]. Posteriormente, a fase de amamentação materna exclusiva e a introdução dos alimentos sólidos, com o subsequente desmame, são momentos cruciais que determinam como o Baço-Pâncreas funcionará no futuro.

Levando em conta estes três parâmetros diferentes, a Energia Ancestral (carga genética e energética dos pais), a nutrição intrautero e a nutrição no primeiro ano de vida, tem-se um panorama da quantidade e da qualidade de energia do elemento Terra de uma pessoa. A energia do elemento Terra depende ainda da qualidade da alimentação durante toda a vida. Mesmo naqueles indivíduos que tiveram boa Energia Ancestral e boa amamentação, isso não significa que possam descuidar-se, no futuro, da alimentação, assim como das relações humanas. O processo de assimilação dos alimentos é contínuo e depende de cuidados constantes.

Como foi visto nos outros elementos, há uma variedade de situações possíveis para cada indivíduo. Assim, a criança que possui boa Energia Ancestral de Baço-Pâncreas terá melhores condições de reagir ao desmame precoce do que aquela que já apresenta baixa Energia Ancestral. Alguém com baixa Energia Ancestral de Baço-Pâncreas poderá ter um bom aleitamento materno e tomar cuidado com sua alimentação física e emocional durante toda a vida, suprindo, de certo modo, uma deficiência ancestral que acaba por não resultar em problemas maiores.

O mau funcionamento do Baço-Pâncreas-Estômago leva, em primeiro lugar, a incapacidade de aproveitar a energia provinda dos alimentos. A pessoa torna-se, então, desnutrida (não necessariamente magra) e com baixa energia e disposição para executar suas atividades diárias. O segundo prejuízo ocorre na circulação da energia propriamente dita, pois o Baço desarmonizado tende a acumular energia e produzir aquilo que se chama de mucosidade. A mucosidade é um bolo de energia que se junta e não pode ser aproveitado pelo organismo, interferindo na circulação energética de todo o resto do corpo. Além disso, a alteração da Terra prejudica o *Yi*, causando dificuldade de concentração, preocupações excessivas, obsessão e nostalgia.

As patologias mentais que envolvem o Baço-Pâncreas apresentam, em geral, astenia, cansaço, sonolência, alterações alimentares, como anorexia, bulimia e obesidade e, finalmente, mucosidade mental, que se acumula no plano da consciência e impede o indivíduo de ver e agir com clareza.

Psicopatologias Associadas à Terra

Doenças psíquicas que envolvam a ligação do indivíduo com outras pessoas podem ser descritas como doenças ligadas ao elemento Terra. Elas são fruto da privação da figura materna ou da falta de cuidado materno ou de um cuidador na infância. São elas: depressão, distúrbio ansioso de separação, síndromes infantis que dificultam o desenvolvimento, distúrbio *borderline*, distúrbio de personalidade dependente, anorexia, bulimia.

A depressão ligada ao elemento Terra origina-se na dificuldade da pessoa em nutrir-se (de alimento e de amor) o que, consequentemente, gera um grande vazio interno que precisa ser preenchido por algo ou alguém. Essa depressão é fundamentalmente diferente da depressão do elemento Madeira associada ao Fígado, que ocorre graças à estase de energia. A depressão do Fígado e frequentemente acompanhada de irritação, sensação de opressão torácica e da garganta, choro contido, que se alivia com a possibilidade de expressar as emoções (como chorar). Já a depressão do Baço é acompanhada de vazio interno e astenia, não melhorando com o choro ou com a liberação das emoções, pois o choro esvazia ainda mais a energia do Baço.

A anorexia e a bulimia são doenças psiquiátricas que se caracterizam por profundas alterações alimentares. No caso da anorexia, existe recusa em se alimentar e medo de perder o controle em relação à ingesta calórica, mesmo que a pessoa esteja com o peso abaixo do esperado para sua altura. Ocorre, muitas vezes, o abuso de exercícios físicos, laxantes e métodos que induzem o vômito, com consequente perda de peso, levando a sério prejuízo da saúde e, em alguns casos mais graves, até a morte. Psicologicamente, os pacientes com anorexia nervosa, geralmente mulheres (é cerca de 10 a 20 vezes mais comum ocorrer anorexia em mulheres que em homens), têm um senso menor de autonomia e de si próprios e a sensação de que seu corpo pertence a seus pais. O extremo controle necessário para não se alimentar parece devolver o controle sobre o corpo e a própria identidade, o que demonstra a constante sensação de invasão e a enorme dificuldade desses pacientes em se separarem psiquicamente de seus pais.

Na bulimia ocorre o descontrole da ingesta alimentar e o abuso da quantidade de alimentos, muitas vezes, supercalóricos, seguido de sensação de desconforto, mal-estar e inadequação social. Alguns comportamentos compensatórios podem aparecer, como jejuns ou dietas, uso de laxantes, vômitos, mas, diferentemente do que se verifica na anorexia nervosa, não costuma ocorrer perda de peso e há menores prejuízos à saúde global. Psicologicamente, tratasse também de pacientes com dificuldade de separação dos seus pais, porém são mais impulsivos, com menos controle sobre si mesmos, procurando ajuda mais rapidamente.

Essas são duas doenças que se manifestam relacionadas à comida e por causa dela. Do ponto de vista psicodinâmico, os pacientes (em geral mulheres) têm um comprometimento considerável na relação com os pais, principalmente com as mães, em que se estabelece uma guerra a respeito do controle do corpo e do próprio peso. Uma história de dificuldade de separação das regras parentais é frequente. A atitude dos pacientes com distúrbios alimentares demonstra impossibilidade de entrega, falta de confiança, necessidade de controlar tudo que entra e sai e, em última análise, incapacidade em nutrir-se, qualidade do elemento Terra.

Elemento Metal

Psicopatologia e Metal: Considerações Gerais

O Pulmão está associado a tristeza e alguns autores modernos descrevem a depressão como fruto do desequilíbrio do elemento Metal. Porém, a depressão em si pode ser ligada a vários órgãos: a Depressão Maior, com sintomas psicóticos, é correlacionada ao Rim; a Depressão Reativa, ao Fígado; e a Depressão Menor, muitas Vezes, ao Baço. Observando o elemento Metal sob o aspecto funcional, verifica-se a importância predominante da respiração do Pulmão e da purificação dos alimentos pelo Intestino Grosso. Este tem como atividade principal ajudar a separar o límpido do turvo, complementando a função do Estômago do elemento Terra. Essa "discriminação", possível por meio desses dois órgãos, e a reabsorção de alimentos e energia feita pelo Intestino Grosso confere ao Intestino sua importância no plano mental. O Pulmão comanda a respiração, que é a primeira a ser bloqueada em qualquer situação de dor ou trauma. Além disso, no campo psíquico, participa da formação da identidade pessoal, do eu, do peito (bato no peito quando digo "eu"), da energia do tórax (*Zhang Qi*).

A formação da identidade provém da harmonia de todos os elementos que geram a energia que se acumula pela função do Pulmão, o qual, depois, a redistribui por todo o corpo. O Metal é um elemento, ao mesmo tempo, centralizador e condutor; por isso, depende, em última análise, de todos os outros elementos que geram e transformam a energia antes que ela chegue até o Metal.

Além disso, o Metal está associado a transformações de maneira geral: às passagens e mudanças na vida, ao apego e ao desapego, ao movimento de "soltar" e à introspecção. Como primeiro grande momento de passagem tem-se o parto e, depois, todas as separações e mudanças das fases da vida: desmame, saída de casa para a escola, saída da casa dos pais, casamento etc. O Metal confere ao indivíduo a capacidade de se desprender materialmente e em situações emocionais quando isso se toma necessário, como, por exemplo, na separação de um cônjuge ou na morte de uma pessoa querida.

O parto, como se afirmou, é a primeira grande separação e passagem. Se a gravidez foi tranquila e desejada e o momento do parto (primeira grande passagem) foi traumatizante, por descolamento de placenta, ingestão de mecônio, circular de cordão umbilical etc., ocorrem alterações importantes no elemento Metal. No momento do parto, a criança já tem uma estrutura neurológica mais bem formada que um feto de dois meses, tendo, também, mais condições de sobreviver, mas diante da situação, algumas marcas podem ficar impressas no seu aparelho psíquico, como mostram os estudos do Professor Michael Odent: "O Suicídio adolescente, antes quase desconhecido, é outro problema específico do nosso tempo. Lee Salk *et al.,* de Nova Iorque, pesquisaram os antecedentes de 52 adolescentes vítimas de suicídio que morreram antes de completar 20 anos e os compararam com 104 controles". Descobriram que um dos principais fatores de risco para se cometer suicídio na adolescência é o ressuscitamento no parto. Bertil Jacobson, da Suécia, estudou como as pessoas cometeram suicídio. Em seu primeiro estudo, reuniu dados sobre os registros de parto de 412 casos forenses abrangendo vítimas de suicídio e os comparou com 2.901 controles. Ele descobriu que os suicídios que envolviam asfixia estavam fortemente associados à asfixia no parto; suicídios por meios violentos estavam associados a partos difíceis do ponto de vista mecânico (...)".

A separação é como uma crise: um grande momento de ruptura, para formar ou não uma nova identidade. Em chinês, a palavra crise é composta de dois ideogramas que significam respectivamente perigo e ocasião. A ocasião proporciona a modificação da identidade e da consciência, a evolução, o crescimento, o salto evolutivo: a passagem de um nível energético para outro mais alto. O perigo é o de aprisionamento por medo, em uma situação regredida, de não se poder ir adiante, de se ficar solidificado e frio como o Metal.

Psicopatologias Associadas ao Metal

As psicopatologias associadas ao Metal falam do medo da mudança e, por isso, do apego a certas atitudes, a padrões rígidos e estereotipados. De um lado, as pessoas com patologias psíquicas associadas ao Metal têm extrema dificuldade em fazer vínculos ou mantê-los. Encontram-se tais atitudes, por exemplo, no distúrbio *borderline*. De outro lado, pode ocorrer que essas pessoas, por medo de perderem o que têm, apegam-se demasiadamente a tudo que é conhecido e, temendo o desconhecido, tornam-se rígidas e obsessivas.

São patologias do Metal as que se manifestam por tristeza e pesar crônicos, incapacidade de se desprender, tendência a viver no passado, autocomiseração, sensibilidade excessiva, inveja, ciúmes, egoísmo, tristeza profunda, obsessão, distração.

Os distúrbios obsessivo-compulsivos estão ligados a dois elementos: Terra e Metal, simultaneamente. As obsessões definem-se como pensamentos, imagens ou impulsos persistentes e recorrentes, percebidos como invasivos ou inapropriados, e causam, por sua vez, ansiedade e angústia. Esses pensamentos são produto da própria mente e não estão ligados a nenhum fato real que gere uma preocupação importante. O paciente não consegue ignorar ou deixar de ter esses pensamentos. As compulsões, por sua vez, são comportamentos ou ações repetitivas, ou atos mentais que precisam ser reproduzidos, como se fossem rituais cheios de regras que acabam por diminuir a ansiedade e parecem ter um efeito protetor no indivíduo que realiza tais atos. Todas as compulsões e ruminações mentais são, até certo ponto, correlacionadas ao Baço-Pâncreas, mas o Baço, sozinho, não exerce o papel de estruturador dessas neuroses: o elemento Metal é necessário para dar forma a tais distúrbios.

Para tratar doenças ligadas ao Metal, a respiração correta e os exercícios físicos são muito eficazes, a fim de aumentar a energia do Pulmão e melhorar as trocas de energia entre a pessoa e seu meio. Aprender a "soltar" é também um processo natural: não se pode ficar com o ar parado e retido dentro do peito. A respiração ensina o movimento contínuo de troca e de transformação. O tratamento das doenças psíquicas do elemento Metal é focado na centralização das forças do "eu". Além do fortalecimento egoico, deve-se incentivar a renovação, as trocas que proporcionam maleabilidade e alegria, movimentando o *Qi*.

Elemento Fogo

Psicopatologia e Fogo: Considerações Gerais

Como descrito anteriormente, o elemento Fogo, por ser a morada do *Shen* ou Consciência, é o pivô central das doenças emocionais e mentais. O *Shen* alterado e, muitas vezes, o aspecto final de uma cadeia de eventos. Pode ocorrer, por exemplo, que alguém tenha desestruturação psíquica decorrente da baixa energia de Rim, ou Visão alterada da realidade por alterações do Fígado. Como consequência, sua "consciência" (*Shen*) será prejudicada. Os *insights*, a formação dos símbolos e a inteligência fazem parte dos atributos do Fogo. Portanto, as psicopatologias associadas ao Fogo podem gerar diminuição da capacidade de compreensão profunda e simbólica.

O Fogo relaciona-se ao movimento de "abertura", ao amor incondicional, a capacidade de mostrar compaixão, de sentir-se alegre e de dividir essa alegria com os outros. É responsável pela adaptação e pela resiliência. Patologias do Fogo mostram a dificuldade de ter limites, de amar ou de ser espontâneo, gerando, na pessoa, atitude teatral e falsamente generosa.

No desenvolvimento da criança, na fase intrauterina, observa-se o predomínio do elemento Água; na fase de amamentação, o predomínio do elemento Terra; na fase de desmame e alimentação sólida, formação das fezes e retenção de energia, predomínio do elemento Metal; na fase de desenvolvimento neuromuscular, ação, visão e caminhar, associação com a Madeira. Ao elemento Fogo cabe o desenvolvimento da fala, da expressão no mundo, da sensualidade e da sexualidade. O Fogo está presente na formação do vínculo com o pai, no caso da menina, e com a mãe, no caso do menino. Ou seja, esse elemento predomina na fase do complexo de Édipo.

A fala e a expressão pessoal são fruto de todo o desenvolvimento anterior, assim como a função sexual, que é o resultado das diversas energias (libido) conjugadas e coordenadas.

Psicopatologias Associadas ao Fogo

Todas as doenças psíquicas envolvem, em algum grau, o Fogo, pois existe sempre algum comprometimento do *Shen*, ou da consciência (o Coração e a morada do *Shen*). Algumas delas, porém, estão mais diretamente relacionadas a este elemento, como os distúrbios do sono, os distúrbios somatoformes, distúrbios sexuais e quadros ansiosos.

Os distúrbios somatoformes, como a somatização, o distúrbio conversivo, a hipocondríase e os distúrbios dismórficos, têm em comum o fato de o paciente apresentar um sintoma físico que não pode ser comprovado por diagnóstico médico, mas que lhe causa grande sofrimento e ansiedade, e alterando-lhe a vida do ponto de vista ocupacional e social. As somatizações já eram reconhecidas há milênios (no antigo Egito) e, no século XVII, receberam o nome de "histeria". Mais recentemente, Freud estudou psicodinamicamente o mecanismo de conversão em pacientes histéricas. Na medicina chinesa, os distúrbios somatoformes estão relacionados ao elemento Fogo, ocorrendo uma alteração da cognição e da percepção corporal (por meio do *Shen*), com sintomas de muita ansiedade e, por vezes, uma descrição dos problemas de forma dramática, emocional e exagerada, por parte dos pacientes, o que é típico quando existe predomínio das características do Fogo.

Os distúrbios ansiosos, como a síndrome do pânico e o distúrbio de ansiedade generalizada, têm etiologias mistas, nas quais se distinguem o medo, fruto da falta de raiz proporcionada pelos Rins, e a ansiedade, resposta do Coração.

Delírios, manias e psicoses já foram discutidos anteriormente. Todos eles apresentam manifestações clínicas que envolvem o elemento Fogo.

O tratamento das psicopatologias do Fogo emprega métodos que proporcionam ao indivíduo a possibilidade de centrar-se e acalmar-se, como a meditação e o relaxamento. O fortalecimento do elemento Água e das raízes também diminui os excessos do Fogo.

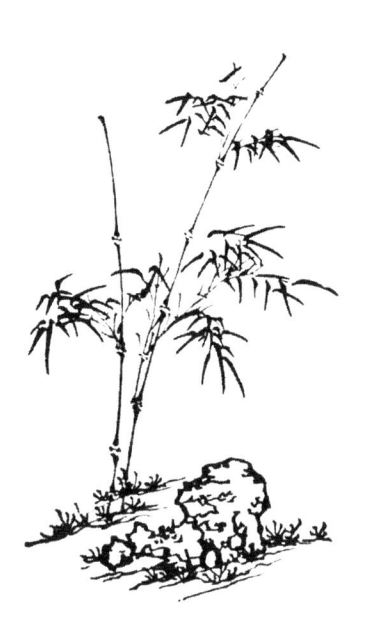

Distúrbios Psíquicos e Desarmonias dos Zang Fu

11

O capítulo que se segue é de interesse para aqueles que praticam a Medicina Tradicional Chinesa (MTC), pois pressupõe o conhecimento de conceitos básicos da área. As síndromes descritas são subdivisões teóricas, pois, na prática, quase sempre existe uma intersecção ou uma mistura de diferentes quadros em cada paciente.

Em cada síndrome, o quadro clínico descrito leva em conta a maioria das características possíveis e mais frequentemente encontradas, contudo, algumas delas podem ou não estar presentes na prática.

Para fazer o diagnóstico, em medicina chinesa, é necessário associar os sintomas ao pulso e à língua, além de reconstruir o histórico e a evolução da doença naquele paciente.

Doenças Mentais e Medicina Chinesa

As doenças mentais propriamente ditas são chamadas de *Dian Kuang*. As síndromes *Dian Kuang* são psiquiátricas e não simples distúrbios mentais-emocionais como a ansiedade ou a insônia. Observam-se, nas síndromes *Dian Kuang*, doenças de natureza mais grave, tais como esquizofrenia, depressão maior, distúrbio bipolar (antiga psicose maníaco-depressiva), estados psicóticos ou paranoicos. Não há, na MTC, uma divisão detalhada entre cada uma dessas doenças. Elas são classificadas, de um modo geral, como *Dian Kuang*, mas podem ser agrupadas em *Dian* ou *Kuang* conforme suas características clínicas.

O tipo *Dian* é o polo depressivo, com características de embotamento afetivo, apatia, poucos movimentos. O quadro ocorre por obstrução do fluxo de *Qi*. O tipo *Kuang* é o polo maníaco, em que há excesso de atividade mental ou motora. O indivíduo tem explosões de ânimo, eventualmente comportamento agressivo ou perigoso à sociedade. Esse quadro ocorre graças à alteração da mente pelo Fogo.

As duas síndromes são intercambiáveis, pois *Dian* pode transformar-se em *Kuang* e vice-versa.

As síndromes *Dian Kuang* são causadas por alterações emocionais, distúrbios do *Yin* e do *Yang*, obstrução de *Qi* e do Sangue e por subida de mucosidade-calor.

Síndrome Dian

Etiologia: Para todas as doenças mentais, na MTC, as alterações emocionais são consideradas fatores etiológicos. Experiências emocionais traumatizantes na criança, no jovem e no adulto jovem, como frustrações profundas, impossibilidade de realizar desejos importantes, perda de uma pessoa querida. Uso de álcool e drogas também pode levar a distúrbios psíquicos. Finalmente, doenças prolongadas, doenças genéticas e congênitas podem ser a origem das alterações mentais.

Quadro clínico: Esta síndrome tem característica predominantemente *Yin*. Tem início insidioso, a pessoa não gosta de falar, prefere ficar quieta e parada, não expressa suas emoções facilmente e guarda tudo para si (introversão). Sente-se triste e chora bastante, muitas vezes tem comportamento estranho, é supersticiosa, têm hábitos repetitivos, pensamentos persecutórios e teme que alguém a mate. Apresenta diminuição do apetite, lassitude e prefere o escuro. Ocorre mais frequentemente em adolescentes e mulheres na menopausa.

É uma síndrome tipicamente *Yin* e, portanto, observa-se língua pálida com revestimento fino e pegajoso e um pulso lento, fraco e profundo.

Tratamento: Conforme a etiologia, pode-se regularizar o fluxo do Fígado por meio de *Qi* tonificando o Baço. Usam-se pontos dos meridianos do Baço, *Ren Mai,* Coração, Pericárdio, pontos *Shu* dorsais. Pode-se aplicar a mocha, empregando o método de tonificação.

Pontos sugeridos: B-20, B-18, B-15, VC-12, CS-6, E-40, C-7, PC-6, E-36.

Dian **Tipo Plenitude ou Excesso**

Obstrução do *Qi* do Fígado e produção de mucosidade que se acumula no interior.

A etiologia principal que leva à obstrução do *Qi* e da mucosidade são frustração e excesso de preocupação, que impedem a circulação do Fígado e prejudicam o *Qi* do Baço.

O quadro clínico mostra depressão, obnubilação mental, indiferença, anorexia, língua com revestimento pegajoso e pulso tenso e deslizante.

O tratamento consiste em regularizar o fluxo de *Qi*, dissolvendo a estagnação, a mucosidade e restituindo a consciência.

Pontos sugeridos: E-40, F-3, VC-12, VG-11, VG-20.

Fitoterapia chinesa: Para promover o fluxo suave de *Qi* e eliminar a mucosidade, *Radix Polygalae, Radix Curcumae, Rhizoma Acori Tatarinowii, Rhizoma Pinelliae, Pericarpium Citri Reticulatae, Arisaema cum Bile, Poria, Rhizoma Cyperi, Radix Aucklandiae, Retinervus Citri Reticulatae, Radix Glycyrrhizae, Rhizoma Zingiberis, Fructus Aurantii Immaturus.*

Dian **Tipo Deficiência ou Vazio**

Deficiência do Coração e do Baço.

A depressão prolongada consome o Sangue e o *Qi* e impede que o Coração seja nutrido. Concomitantemente, o Baço fica exaurido.

O quadro é de pesadelos, palpitação, distração, medo, pesar, choro fácil, astenia, anorexia, língua pálida, pulso fraco e fino.

Para tratar e preciso harmonizar o Baço, nutrir o Coração, acalmar a mente e restituir o *Qi*.

Pontos sugeridos: E-36, B-20, B-15, B-44, B-49.

Fitoterapia chinesa: *Radix Glycyrrhizae Preparata, Lignum Pini Porzaferum, Massa Pinelliae Rhizomatis, Tritici Levis, Fructus Jujubae, Radix Ginseng, Radix Astragali, Radix Polygalae, Semen Platycladi, Semen Ziziphi Spinosae, Fructus Schisandrae, Cortex Cinnamomi, Poria, Rhizoma Chuanxiong, Radix Angelicae Sinensis.*

Observação: Segundo a MTC, o tipo *Dian* pode, em alguns indivíduos, com o tempo transformar-se em *Kuang* (a obstrução de *Qi* transforma-se em fogo).

Síndrome *Kuang*

Etiologia: Alterações emocionais, drogas, álcool, doenças crônicas, doenças congênitas.

Síndrome _Kuang_: Ascensão do Fogo alterando o _Shen_. Afeta o Coração, o Fígado e ainda a Vesícula Biliar e o _Yangming_.

Quadro clínico: É uma síndrome _Yang_: observam-se início súbito, verborreia, agitação e preferência por ambientes claros. A pessoa gosta de sair, tem riso fácil, sintomas persecutórios, mas, diferentemente da síndrome anterior, não se sente acuada e parte para o ataque, podendo ferir e até matar alguém com atitudes violentas.

Por ser uma síndrome _Yang_ apresenta o pulso rápido escorregadio superficial e a língua vermelha com saburra amarelada.

Tratamento: Limpar o calor, resolver a mucosidade, abrir e limpar os orifícios.

Se a síndrome for de excesso e de calor, usar método de redução e sangria. Pode-se tratar em dias alternados ou mais espaçadamente, dependendo da gravidade do caso.

Pontos usados: VG-14, VG-26, CS-8, E-40, VC-12, C-7, F-3, IG-11.

Kuang **Tipo Plenitude ou Excesso**

Mucosidade-fogo que sobe e obstrui a mente. O excesso de raiva proporciona hiperatividade do Fígado gerando mucosidade e Fogo, que afeta também os meridianos _Yangming_, levando energia aos membros, provocando excesso de movimentos e obstruindo a mente ao subir.

Clinicamente, observam-se irritabilidade, dores de cabeça, insônia, olhar furioso, face e olhos vermelhos. Comportamento violento, recusa em dormir ou comer. Língua violácea com revestimento amarelo pegajoso, pulso tenso, largo, deslizante e rápido.

O tratamento consiste em drenar a mucosidade e clarear o fogo.

Pontos que podem ser utilizados: BP-1, E-44, E-40, ID-7, ID-5, VG-24.

Fitoterapia chinesa: _Radix Salviae Miltiorrhizae, Frusta Ferri, Arisaema cum Bile, Bulbus Fritillararie Cirrhosae, Exocarpium Citri Rubrum, Rhizoma Acori Tatarinowii, Radix Polygalae, Lignum Pini Poriaferum, Cinnabaris, Radix Asparagi, Radix Ophiopogonis, Radix Serophulariae, Fructus Forsythiae, Bolus de Calculus Bovis, Angelica Sinensis, Gentianae e Aloe, Poria, Ramulus Uncariae cum Uncis._

Kuang **Tipo Deficiência ou Vazio**

Deficiência de _Yin_ por consumo do Fogo.

O paciente em estado prolongado de excitação e mania consome o *Yin* e também o *Qi*. A deficiência de *Yin*, por sua vez, gera Calor e Fogo.

O quadro clínico apresenta-se com irritabilidade e sinais maníacos de menor intensidade, excitação que, com o tempo, transforma-se em cansaço. Ocorre rubor malar, língua vermelha, pulso filiforme e rápido.

O tratamento consiste em nutrir o *Yin*, reduzir o Fogo, acalmar a mente e estabilizar as emoções.

Pontos: R-3, B-23, B-15, B-18, C-7, PC-6, B-3, BP-6.

Fitoterapia chinesa: *Radix Rehmanniae, Radix Ophiopogonis, Radix Scrophulariae, Rhizoma, Rhizoma Coptidis, Caulis Aristolochiae Manshuriensis, Herba Iophatheri, Medulla Junci, Lignum Pini Poriaferum, Semen Ziziphi Spinosae, Radix Glycyrrhizae.*

Nos casos em que há estase de sangue: *Radix Angelicae, Radix Paeoniae Rubra, Semen Persicae, Flos Carthami, Rhizoma Chuanxiong, Radix Bupleuri.*

Observação: O tipo *Kuang* é um quadro de Fogo do Coração e pode também transformar-se em *Dian* se houver, com o tempo, a obstrução do *Qi*.

Outros pontos que podem ser usados nas duas síndromes são os quatro portões e ainda VB-20 para quadros de tontura. R-1 e F-3 para alteração do *Hun*, que leva a pesadelos e sonambulismo, e B-62, E-6, VC-24, CS-S, VC-1.

Gui: Fantasmas Internos ou Complexos

As doenças mentais, em MTC, são muitas vezes associadas a um *"Gui"* interno, ou seja, a um fantasma ou assombração que perturba o psiquismo. O termo *Gui* encontra-se no radical dos ideogramas de *Hun* e *Po*. Quando se perde a razão (*Yi*), o indivíduo passa a ser comandado pelo *Hun* e pelo *Po*, que se utilizam de mecanismos inconscientes e primitivos para reagir a uma determinada situação.

Na linguagem moderna, talvez se possa fazer uma analogia entre os *Gui* internos e os complexos, pois se alojam na estrutura psíquica e agem como se fossem entidades autônomas. A pessoa tomada por seus complexos tem atitudes explosivas, incontroladas e quase alheias à sua vontade, como se estivesse possuída por um "demônio" ou um *Gui*.

Gui funciona como uma carga energética, que está em lugar errado e gera um curto-circuito de informações, que não podem ser avaliadas pela razão (*Yi*) e são, portanto, alheios à vontade pessoal. *Gui* pode se alojar em memórias inconscientes que são disparadas com associações de ideias ou de imagens.

De um modo geral, os *Gui* podem tomar conta de qualquer um, principalmente se *Gui* for considerado como oposto a *Shen* ou consciência. A perda da consciência (nos seus diversos níveis) leva o indivíduo ao domínio do *Gui*. Quando se trata de *Gui*, a MTC refere-se a doenças psíquicas graves, em que há perda importante da consciência. São os demônios terríveis que desconectam o homem completamente da realidade e causam os estados psicóticos.

Sun Si Miao, na dinastia *Tang*, por volta do ano 600, deixou o legado do uso de pontos *Gui* para o tratamento das doenças psíquicas. São treze pontos que só devem ser usados em situações extremas e por um acupunturista bastante experiente nas funções desses pontos.

A aplicação dos pontos deve seguir a seguinte ordem: VG-26, P-11, BP-1, PC-7, B-62, VG-16, E-6, VC-24, PC-8, VG-23, VC-1, IG-11, e um ponto na base do freio da língua (*Hai Quan*).

Nos pontos VG-26, P-11, BP-1, PC-7, VG-16, VC-24, PC-8, VG-23, VC-1, utiliza-se a punção com dispersão.

Nos pontos B-62 e IG-11 utiliza-se a "agulha de fogo", uma agulha aquecida que deve ser pontuada e retirada rapidamente.

Pontuar E-6 com a agulha aquecida.

Sangrar o ponto *Hai Quan*.

Distúrbios Psíquicos e os *Zang Fu*

Além das síndromes *Dian Kuang* encontram-se doenças do aparelho psíquico agrupadas em tomo dos temas ansiedade, insônia, depressão e alterações das cinco emoções (raiva, alegria, tristeza, preocupação, medo), por alteração de *Yin, Yang, Qi*, Sangue e dos *Zang Fu*.

Esses distúrbios psíquicos ocorrem por diversos mecanismos: alteração do *Qi* correto, invasão dos seis fatores perversos externos, alteração dos sete fatores emocionais, fatores nem externos nem internos (alimentação, fadiga, excessos físicos, sexuais etc.), alterações da circulação do *Qi* e do sangue, desequilíbrio *Yin-Yang*, transtornos internos do Fogo e da mucosidade e, finalmente, disfunção dos órgãos e vísceras (*Zang Fu*).

Yin e Yang

O conceito de *Yin* e *Yang*, como já foi mostrado no primeiro capítulo, divide o mundo em dois, com características opostas e complementares. Quando o *Yang* está em excesso e o *Yin* vazio ou vice-versa, ocorrem desarmonias físicas e psíquicas. Do ponto de vista psíquico observam-se:

- *Yin*: Passividade, metodismo, inconsciência, anorexia, medo, calma, depressão, crítica, imobilidade.

- *Yang*: Independência, mania, ambivalência, agressividade, estresse, irritação, compulsão, ansiedade, consciência.

Zang Fu

Estudando os distúrbios psíquicos pela ótica das desarmonias dos *Zang Fu*, as disfunções principais se dividem em alguns quadros distintos que serão apresentados a seguir. As emoções são consideradas fatores internos de adoecimento e podem provocar desarmonia nos *Zang Fu,* levando à doença. Por outro lado, os *Zang Fu* desarmônicos geram emoções alteradas e distorção da realidade. Como sempre, um afeta o outro, assim como *Yin* afeta *Yang* e vice-versa.

Dentro das síndromes dos *Zang Fu,* encontram-se, mais frequentemente, alterações emocionais nas desarmonias do Fígado e do Coração.

Os quadros de insônia costumam ocorrer graças a:

a) Deficiência do Coração e do Baço.

b) Desarmonia entre o Coração e os Rins.

c) Deficiência de *Yin*, levando ao aumento do *Yang* do Fígado.

d) Deficiência do *Qi* do Coração.

e) Estase do *Qi* do Fígado, formando fogo.

f) Formação de mucosidade-calor, prejudicando o Coração e a Vesícula Biliar.

Os quadros de irritabilidade, tensão pré-menstrual, depressão ansiosa e ainda as alterações emocionais do climatério em geral ocorrem por:

a) Estase do *Qi* do Fígado.

b) Fogo do Fígado.

c) Deficiência do Coração e do Baço.

d) Deficiência do *Qi* do Coração.

Aumento do Yang do Fígado (Gan Yang Shang Kang)

Etiologia

Emoções como raiva, frustração, mágoa, ressentimento por período prolongado.

Dieta gordurosa, frituras.

Desarmonia de outros *Zang Fu,* principalmente diminuição do *Yin* do Rim.

Quadro Clínico

O aumento do *Yang* do Fígado desaloja o *Hun* e joga calor para o alto, alterando também o *Shen*. O calor agita as emoções e dificulta a concentração, gerando dificuldade de focar, concentrar-se e manter-se calmo. Os principais sintomas são a agitação e a insônia. Tem-se ainda: irritabilidade, pesadelos, sonhos excessivos, zumbidos, vertigens, cefaleias, muitas vezes, em distensão na região temporal, diminuição de memória, palpitação, olhos ressecados, tonturas, dor lombar, membros pesados.

Língua: Vermelha, com pouco revestimento.

Pulso: Fino, tenso e rápido.

Tratamento

Harmonizar o Fígado, diminuir *Yang* e aumentar *Yin*.

Acupuntura: B-18, B-23, R-3, BP-6, VG-20, VB-44, TA-5, F-3, VB-38, *Taiyang*.

Ervas brasileiras: Melissa, peônia, cavalinha, ostra em pó, cabelo-de-milho, picão.

Ervas chinesas:

a) Para aumentar *Yin: Radix Rehmanniae (Sheng Di), Radix Rhemmaniae Preparata (Shu Di), Fructus Corni (San Zhu Yu), Fructus Lycii Chinensis (Gou Qi Zi), Radix Paeoniae Alba (Bai Shao), Radix Polygoni Multiflori (He Shou Wu), Carapax Trionycis (Bie Jia), Flos Buddleiae Officinalis (Mi Meng Hua), Radix Scrophulariae Ningpoensis (Xuan Shen), Semen Sesami Indici (Hei Zhi Ma).*

b) Para acalmar *Yang: Fructus Gardeniae Jasminoidis (Zhi Zi), Radix Gentianae Scabrae (Long Dan Cao), Spica Prunellae (Xia Ku Cao), Rhizoma Coptidis (Huang Lian), Semen Cassiae (Jue Ming Zi), Flos Chrysanthemi (Ju*

Hua), *Indigo Naturalis (Qing Dai), Radix Scrutellariae (Huang Qin), Cortex Mountan Radicis (Mu Dan Pi).*

Fórmula chinesa: *Tian Ma Gou Teng Yin* (decocção de Gastrodia-uncaria).

Subida do Fogo do Fígado (*Gan Huo Shang Yan*)

Etiologia

Emoções como raiva, frustração, mágoa. Dieta gordurosa, frituras, álcool e carnes vermelhas. Invasão de vento e calor externos.

Diminuição de *Yin*.

Quadro Clínico

O quadro de Fogo do Fígado é mais grave e intenso que o aumento do *Yang* do Fígado. Sua sintomatologia é semelhante, porém mais pronunciada.

Encontra-se: agitação, irritabilidade, explosões de raiva, insônia, pesadelos, dores nas costas, zumbidos e até surdez. Alucinações visuais/auditivas, Obstipação, urina escura, cefaleia, olhos vermelhos, boca amarga, garganta seca, dores agudas nas mamas e nos hipocôndrios, hematêmese, hemoptise e epistaxe.

Tez: Vermelha e pictórica.

Pulso: Rápido e tenso.

Língua: Vermelha, principalmente nas bordas, com revestimento amarelo pegajoso.

Tratamento

Refrescar e dispersar o Fogo do Fígado e sedar o Calor da Vesícula Biliar.

Acupuntura: F-2, F-3, TA-3, TA-5, PC-6, C-7, VB-13, B-18, B-19, VG-20, VB-5, VB-20, VB-44.

Ervas brasileiras: Ruibarbo, genciana, tanchagem, kiwi, picão, maracujá.

Ervas chinesas:

a) Para limpar o Calor e o Fogo do Fígado: *Fructus Gardeniae Jasminoidis (Zhi Zi), Radix Gentianae (Long Dan Cao), Spica Prunellae Vulgaris (Xia*

Ku Cao), Rhizoma Coptidis (Huang Lian), Semen Cassiae (Jue Ming Zi), Flos Chrysanthemi (Ju Hua), Indigo Naturalis (Qing Dai), Radix Scutellariae (Huang Qin), Cortex Mountan Radicis (Dan Pi), Gypsium (Shi Gao), Radix Anemarrhenae (Zhu Mu), Semen Celosiae Argentea (Qing Xiang Zi).

b) Para suprimir a hiperatividade do Fígado, usam-se minerais, conchas e fitoterápicos: Concha Haliotidis (Shi Jue Ming), Concha Ostrae (Mu Li), Concha Margaritifera (Zhen Zu Mu), Os Draconis (Long Gu), Carapax Trionycis (Bie Jia), Plastrum Testudinis (Gui Ban), Haematitum (Dai Zhe Shi), Magnetitum (Ci Shi), Ramulus Uncariae cum Uncis (Gou Teng), Rhizoma Gastrodiae (Tian Ma), Falium Apocyni Veneti (Luo Bu Ma), Radix Gentianae Scabrae (Long Dan Cao).

Fórmula chinesa: Long Dan Xie Gan Tang (decocção de Radix Gentianae para limpar o Fogo do Fígado).

Agitação do Vento do Fígado no Interior (Gan Feng Nei Dong)

Etiologia

Emoções como raiva, frustração, mágoa, ressentimento por longo período. Aumento do Yang do Fígado, que se transforma em Vento.

Calor extremo, que se transforma em Vento.

Diminuição do Yin ou do sangue.

Quadro Clínico

Na agitação do Vento do Fígado, além do Calor ou Fogo, ocorre ainda o fator Vento, que confere instabilidade, mudança rápida de atitude e maior gravidade aos sintomas. Observam-se: mania, convulsões, perda da consciência, tontura, cefaleia latejante, tiques, espasmos, formigamentos nos membros, tendência a desmaios, opistótono, trismo.

Língua: Vermelho-escura, trêmula, torta, com revestimento fino/amarelado.

Pulso: Tenso, filiforme e rápido, intermitente.

Tratamento

Alimentar o Yin, acalmar o Fígado, suprimir o Vento.

Acupuntura: VB-20, IG-11, IG-4, R-3, BP-6, F-3, F-8, VG-20, VG-16, C-9, VB-13.

Ervas brasileiras: Menta, angélica, cavalinha, camomila.

Ervas chinesas: *Rhizoma Gastrodiae Elatae (Tian Ma), Ramulus Uncariae cum Uncis (Gou Teng), Fructus Tribuli Terrestris (Bai Ji Li), Comu Antelopis (Ling Yang Jiao), Concha Haliotidis (Shi Jue Ming), Bombyx Batryticatus (Jiang Can), Semen Cassiae Torae (Jue Ming Zhi)*.

Fórmula chinesa:

a) *Zhen Gan Xi Feng Tang* (Decocção para Acalmar o Vento do Fígado).

b) *Ling Jiao Gou Teng Tang:* para Calor extremo produzindo Vento (Decocção de *Comu Antelopis* e *Ramulus Uncariae cum Uncis*).

Estase de *Qi* do Fígado *(Gan Qi Yu Jie)*

Etiologia

Emoções como raiva, frustração, mágoa, ressentimento por longo período, emoções reprimidas. Alimentação irregular: dieta gordurosa, frituras.

Quadro Clínico

O Fígado é responsável pelo fluxo livre de *Qi* e, consequentemente, das emoções. Quando ocorre estase do *Qi*, a pessoa tem predominantemente irritabilidade com sensação de estar impedido de realizar algo. Nesse caso, o choro pode ajudar a soltar o nó e a pessoa sente-se aliviada, diferentemente dos quadros de Vazio, em que o choro piora ainda mais a tristeza, pois há deficiência de líquidos e *Yin* que se agravam ao chorar.

Os sintomas da estase de *Qi* do Fígado são: depressão, irritabilidade, melancolia, plenitude e opressão torácica, suspiros, dor e distensão no hipocôndrio e no ventre, menstruações irregulares, dismenorreia, Tensão Pré- -Menstrual (TPM), sensação de bola na garganta, impaciência, alterações de humor. Eventualmente, náusea, dor epigástrica, eructações, gases. Se houver estase de *Qi* do Coração e do Pulmão aparecerão sintomas como dispneia, opressão torácica, confusão mental.

Língua: Revestimento lingual delgado e branco e pontos de estase.

Pulso: Tenso.

Tratamento

Drenar o Fígado e desfazer a congestão.

Acupuntura: B-17, B-18, B-19, F-3, F-14, VB-20, VB-34, E-36, PC-6, BP-6, C-5, VC-17, VB-24, VB-40, P-7, VG-24.

Ervas brasileiras: Melissa, açafrão, zedoária, menta, mulungu, agrimônia.

Ervas chinesas: *Radix Bupleuri (Chai Hu), Rhizoma Cyperi Rotundi (Xiang Fu), Radix Curcumae (Yu Jin), Fructus Citri (Xiang Yuan), Fructus Citri Sarcodaczylis (Fo Shou), Flos Mume Albus (Lu e Mei), Flos Rosae Rugosae (Mei Gui Hua), Rhizoma Ligustici Chanxiong (Chuan Xiong), Fructus Meliae Toosendan (Chuan Lian Zi), Pericarpium Citri Reticulatae Viride (Qing Pi), Rhizoma Curcumae Zedoariae (E Zhu).*

Fórmulas chinesas:

a) *Chai Hu Shu Gan San* (Pó de *Radix Bupleuri* para dispersar o *Qi* do Fígado).

b) *Jia Wei Xiao Yao San* (Pó que promove a Circulação).

Deficiência de *Yin* do Rim *(Shen Yin Xu)*

Etiologia

Doenças crônicas ou agudas graves.

Uso de medicações como antibióticos, quimioterápicos.

Deficiência constitucional.

Excesso de trabalho e de atividade sexual.

Quadro Clínico

O Vazio do *Yin* dos Rins significa a perda da raiz que dá sustentação à energia. O *Yang* então não pode ser contido e sobe para o alto, acarretando sintomas de calor e alteração do *Shen*.

Nesses quadros há perda de memória, insônia ou sono irregular, calor nos cinco palmos, tontura, vertigem, zumbido, diminuição da Força de Vontade, queda da acuidade visual, dor lombar e nos joelhos, emagrecimento, sede e secura na garganta e na língua, febre vespertina, suor noturno, rubor malar, espermatorreia, diminuição do fluxo menstrual ou amenorreia.

Língua: Fina, vermelha, com pouco ou nenhum revestimento (língua careca).

Pulso: Filiforme, fraco, vazio, podendo estar rápido.

Tratamento

Alimentar o *Yin*, diminuir o excesso de *Yang*.

Acupuntura: R-3, R-6, F-8, F-3, BP-6, VC-4, R-9, B-23, B-52, B-15, *Yintang*, C-7.

Ervas brasileiras: Peônia, cavalinha, ostra, cana-do-brejo, valeriana, jujuba, sálvia.

Ervas chinesas: *Tuber Asparagi Conchinchinensis (Tian Men Dong), Plastrum Testudinis (Gui Ban), Radix Rhemanniae (Sheng Di Huang), Radix Rhemmaniae Preparata (Shu Di Huang), Fructus Comi (Shan Zhu Yu), Fructus Lycii Chinensis (Gou Qi Zi), Radix Scrophulariae (Xuan Shen), Fructus Ligustri Lucidi (Nu Zhen Zi), Radix Polygoni Multiflori (He Shou Wu), Herba Ecliptae Prostratae (Hun Lian Cao), Fructus Ligustru Lucidi (Nu Zhen Zi).*

Fórmula chinesa: *Liu Wei Di Huang Wan* (Pílula de Seis Ervas contendo *Rehmanniae*).

Deficiência da Essência (*Jing*) dos Rins (*Shen Jing Bu Zu*)

Etiologia

Hereditariedade, doenças genéticas, deficiência congênita. Excesso de trabalho e de atividade sexual. Desarmonia de outros *Zang Fu*, com profundo consumo de energia, levando ao consumo de *Jing*. Desnutrição, doenças crônicas prolongadas, excesso de atividade sexual, partos, abortos.

Quadro Clínico

Graças ao Vazio dos Rins, o *Zhi* (Força de Vontade ou capacidade de realização) torna-se fraco e a pessoa tem dificuldade de finalizar seus projetos, falta-lhe coragem para fazer mudanças e ocorre perda de motivação. Ocorre ainda diminuição da memória, tonturas, fraqueza, envelhecimento precoce em adultos ou retardo psicomotor em crianças, debilidade física e mental, alterações genéticas, esterilidade, baixa libido. Alteração óssea na criança, com retardamento do fechamento das epífises, alopecia, surdez, zumbido, senilidade, perda prematura dos dentes.

Pulso: Profundo, fraco, vazio.

Língua: Pode apresentar-se pálida e mole.

213

Tratamento

Aumentar *Qi* e reforçar o *Jing*. Melhorar a absorção de *Qi* para ajudar a nutrir o *Jing*.

Acupuntura: VG-4, B-23, B-52, VC-4, E-36, BP-6, B-11, R-7, R-4, VB-13, VG-20.

Ervas brasileiras: Raiz de lótus, cavalinha, castanheira, erva-doce, cuscuta, alfavaca, satirião.

Ervas chinesas: *Fructus Alpinae Oxyphyllae (Yi Zhi Ren), Semen Cuscutae (Tu Si Zi), Semen Astragali (Sha Yuan Ji Li), Semen Juglandis Regiae (Hu Tao Ren), Fructus Schisandrae (Wu Wei Zi), Placenta Hominis (Zi He Che), Radix Polygoni Multiflori (He Shou Wu), Lignum Aquilariae Resinatum (Cheng Xiang), Fructus Psoralae Corylifoliae (Bu Gu Zhi), Gecko (Ge Jie), Cordyceps (Dong Chong Xia Cao), Semen Allii Tuberosi (Jiu Zi).*

Fórmula chinesa: *Tu Si Zi Wan* (Pílula de Semente de Cuscuta).

Deficiência de *Qi* do Coração *(Xin Qi Xu)*

Etiologia

Tristeza, excesso de excitação e irritação, mudança brusca do estado emocional. Vômitos e perdas de líquido por diarreia ou sudorese excessiva.

Hemorragias, doenças crônicas que consomem o *Yang*.

Doenças febris, doenças prolongadas, senilidade.

Quadro Clínico

O Vazio do *Qi* do Coração interfere na alegria e na vivacidade. Os principais sintomas são apatia e tristeza, podendo levar ao estado depressivo. Outros sintomas são: taquicardia, ansiedade, sobressalto e temor, sono, amnésia, cansaço, fala mole, transtornos psíquicos, dispneia, angina, palidez, sudorese espontânea.

Tez: Pálida e macilenta.

Língua: Pálida, revestimento esbranquiçado, rachadura central até a ponta.

Pulso: Fino, débil, intermitente, vazio.

Tratamento

Tonificar o *Qi* do Coração.

Acupuntura: B-15, VC-14, VC-17, C-5, VC-4, VG-20, VC-6, PC-6, C-7.

Ervas brasileiras: Anis, sálvia, ginseng, alcaçuz, valeriana, maracujá.

Ervas chinesas: Para tonificar *Qi: Radix Ginseng (Ren Shen), Radix Codonopsis Pilosulae (Dang Shen), Radix Pseudosteliariae (Tai Zi Shen), Radix Astragali (Huang Qi), Radix Glycyrrhizae Uralensis (Gan Cao).*

Fórmula chinesa:

a) *Yang Xin Tang* (Decocção para nutrir o Coração).

b) *Ding Zhi Wan* (Pílula para acalmar as Emoções).

Deficiência de Yang do Coração (Xin Yang Xu)

Etiologia

Tristeza, excesso de excitação e irritação, mudança brusca do estado emocional. Vômitos e perdas de líquido por diarreia ou sudorese excessiva.

Hemorragias, doenças crônicas que consomem o *Yang*.

Doenças febris, doenças prolongadas, senilidade.

Evolução do quadro do *Qi* do Coração.

Quadro Clínico

A sintomatologia desse quadro é parecida com o Vazio de *Qi*, porém acrescida de frio e dificuldade circulatória, que demonstram a falta da energia *Yang*. Os sintomas mais comuns são: taquicardia, ansiedade, sobressalto e temor, sono, amnésia, cansaço, fala mole, transtornos psíquicos, dispneia, angina, palidez, sudorese espontânea e fria, frio nas extremidades, aversão ao frio.

Tez: Pálida e macilenta.

Língua: Edemaciada, pálida ou violácea, revestimento esbranquiçado.

Pulso: Lento, fino e fraco.

Tratamento

Tonificar o *Qi* do Coração, aquecer *Yang* e fazê-lo voltar.

Acupuntura: B-15, VC-14, VC-17, VC-4, VC-8, VG-20, VC-6.

Ervas brasileiras: Anis, sálvia, ginseng, alcaçuz, valeriana, erva-cidreira.

Ervas chinesas: Para tonificar *Qi*: *Radix Ginseng (Ren Shen)*, *Radix Codonopsis Pilosalae (Dang Shen)*, *Radix Pseudostellariae Heterophyllae (Tai Zi Shen)*, *Radix Astragali (Huang Qi)*, *Radix Glycyrrhizae Uralensis (Gan Cao)*. Para tonificar o *Yang* do Coração: *Radix Aconiti Praeparata (Fu Zi)*, *Rhizoma Zingiberis (Gan Jiang)*, *Ramalus Cinnamomi (Gui Zhi)*, *Rhizama Zingiberis Officinalis (Gan Jiang)*.

Fórmula chinesa: *Shen Fu Tang* (Decocção de Ginseng e Aconito).

Deficiência de *Yin* **do Coração** *(Xin Yin Xu)*

Etiologia

Ansiedade, excesso de excitação e irritação, emoções que esgotam o *Yin* e o sangue.

Vômitos, diarreia, patologias febris que geram transpiração que exaurem o *Tin Ye* e o *Yin*. Uso de álcool, alimentos gordurosos, condimentados, picantes.

Deficiência da produção de sangue pelo Baço.

Quadro Clínico

Na deficiência de *Yin* do Coração ocorre o aumento relativo de *Yang*, que agita o Coração e desaloja o *Shen*.

Observam-se taquicardia, insônia, ansiedade, irritabilidade, sonhos excessivos, pesadelos, incapacidade de relaxar, angústia, desconfiança, perda de memória, *Shen* obnubilado, sudorese noturna, calor nos cinco palmos, boca e garganta secas, vertigens, polução noturna, urina amarelada, obstipação.

Tez: Avermelhada (rubor malar).

Língua: Vermelha (principalmente na ponta) na deficiência de *Yin*, revestimento fino, seco.

Pulso: Fino, sem força e rápido, intermitente.

Tratamento

Alimentar o sangue e nutrir *Yin*, estabilizar a mente.

Acupuntura: B-15, R-3, BP-6, C-6, PC-5, C-7, VC-4, VC-14, VC-15, B-44.

Ervas brasileiras: Angélica, sálvia, jujuba, cavalinha, flor de lótus.

Ervas chinesas: Para tonificar o *Yin* do Coração: *Radix Rehmanniae (Sheng Di), Colla Corii Asini (E Jiao), Radix Ophiopoganis Japonici (Mai Men Dong), Rhizoma Polygonati Odorati (Yu Zhu), Radix Salviae Miltiorrhizae (Dan Shen).*

Fórmula chinesa: *Tian Wan Bu Xin Dan* (Pílula do Imperador do Céu para Tonificar o Coração).

Deficiência de Sangue do Coração *(Xin Xue Xu)*

Etiologia

Ansiedade, excesso de excitação e irritação, emoções que esgotam o *Yin* e o sangue.

Hemorragias, parto.

Doenças prolongadas que consomem o sangue.

Alterações na produção do sangue: dieta inadequada, causando problemas no Baço.

Quadro Clínico

O sangue é o elemento de nutrição de todo o organismo. Quando deficiente, e incapaz de nutrir o Coração. Como consequência, ocorre taquicardia, insônia, ansiedade, irascibilidade, sonhos excessivos, pesadelos, incapacidade de relaxar, angústia, desconfiança, perda de memória, *Shen* obnubilado, vertigens, polução noturna, palidez, formigamentos nos pés e nas mãos, amenorreia, ciclos menstruais muito espaçados e menstruações curtas, lábios pálidos e unhas pálidas.

Tez: Pálida e macilenta.

Língua: Pálida e ressecada.

Pulso: Fino.

Tratamento

Alimentar o sangue e nutrir *Yin*, estabilizar a mente.

Acupuntura: B-15, B-20, B-17, R-3, BP-6, BP-10, C-6, C-7, PC-6, VC-14, VC-15.

Ervas brasileiras: Angélica, sálvia, jujuba, cavalinha, peônia.

Ervas chinesas: Para tonificar o sangue do Coração: *Radix Rhemanniae (Sheng Di Huang), Radix Rhemmaniae Preparata (Shu Di Huang), Radix Angelicae Sinensis (Dang Gai), Colla Corii Asini (E Jiao), Arillus Langan (Long Yan Rou).*

Fórmula chinesa:

a) *Yang Xin Tang* (Decocção para Nutrir o Coração).

b) *Si Wu Tang* (Decocção de Quatro Substâncias).

Mucosidade Obstruindo Orifícios do Coração *(Tan Mi Xin Qiao)*

Etiologia

Ansiedade, excitação, depressão ou qualquer sentimento que leve à estase de *Qi* e, posteriormente, à formação de mucosidade.

Transformação da Umidade em mucosidade. Dieta irregular com uso de alimentos gordurosos, crus e álcool.

Quadro Clínico

A mucosidade é uma energia turva que tem tendência a obstruir os vasos, a mente e dificultar a circulação de *Qi* no organismo. Sua presença no Coração ocasiona comportamento incoerente e anormal, confusão mental, depressão, convulsões, tontura, taquicardia, vômitos, náuseas, gases, angina, dificuldade de concentração e memória, muitos sonhos, insônia e, em casos graves, mania, histeria, psicose, perda de sentidos, esquizofrenia.

Tez: Opaca e ligeiramente avermelhada.

Língua: Edemaciada com revestimento pegajoso branco.

Pulso: Deslizante.

Tratamento

Dispersar a mucosidade e aumentar o trânsito e a circulação.

Acupuntura: E-40, TA-8, VG-11, PC-5, PC-7, C-5, C-8, VC-12, E-36, B-20, B-49, VG-26, VC-17, BP-1.

Ervas brasileiras: Jujuba, sálvia, tanchagem, rúbia-da-Sibéria, tília, lágrima--de-nossa-senhora, cálarno.

Ervas chinesas: *Radix Poligalae (Yuan Zhi), Cinnabaris (Zhu Sha), Radix Asparagi, Nan Dong, Radix Ophiopogonis (Mai Dong), Radix Angelica Sinensis (Dang Gui), Gentianae, Rhizoma Pinelliae (Ban Xia), Pericarpum Ciitri Reticulatae (Chen Pi), Tuber Curcumae (Yu Jin), Bulbus Lilii (Bai He).*

Fórmula chinesa:

a) *Dao Tan Tang* (e) *Su He Xiang Wan* (Decocção para Eliminar a Mucosidade Combinada com Pílula de *Styrax*).

b) *Zhi Bao Dan* (Pílula Especial do Grande Tesouro).

Hiperatividade do Fogo do Coração *(Xin Huo Kang Sheng)*

Etiologia

Emoções intensas e choques emocionais, ansiedade crônica, pre-ocupação que se transformam em Fogo. Dieta com alimentos quentes, álcool. Desarmonia de outros *Zang Fu,* principalmente do Fígado (Fogo do Fígado).

Quadro Clínico

O Fogo é o máximo da energia *Yang* e sua presença no Coração é extremamente permissiva, pois desestabiliza o *Shen,* podendo levar a pessoa a atos de loucura e agitação profunda. Outros sintomas são: angústia, irritabilidade, atitudes destrutivas e violentas, dificuldade em ficar parado, insônia, excitação emocional e delírio, risos e choro, sensação de calor no peito, alucinações visuais e auditivas, pesadelos, mania, convulsão, angina, cólera, crise hipertensiva, taquicardia, opressão no peito, urina escura, sede, boca seca.

Tez: Vermelha.

Língua: Escarlate, com rachaduras e sem revestimento ou com revestimento amarelo.

Pulso: Forte, rápido e escorregadio.

Tratamento

Dispersar o Fogo e acalmar a mente e o Coração.

Acupuntura: C-8, C-9, B-15, VG-14, R-3, PC-7, VC-15, IG-4. Se houver Fogo do Fígado associado, usar: F-2, F-3, B-18, VG-24, VB-13.

Ervas brasileiras: Lírio, mastruço, peônia, mulungu, tília, lúpulo.

Ervas chinesas: *Radix Coptidis (Huang Lian), Fructus Forsythiae (Lian Qiao), Fructus Gardenia (Zhi Zi), Calculus Bovis (Niu Huang), Radix Rehmanniae (Sheng Di Huang), Herba Lophatheri (Dan Zhu Ye), Caulis Akebiae (Mu Tong), Plumula Nelumbinis (Lian Xin), Cortex Mountan Radicis (Mu Dan Pi), Calcitum (Hun Shui Shi), Herba Lophatheri Gracilis (Dan Zhu Ye), Radix Trichosanthis (Tian Hua Fen).*

Fórmula chinesa: *Huang Lian Jie Du Tang* (Decocção de *Coptidis* para Desintoxicar).

Fogo e Mucosidade Perturbando o Coração *(Tan Huo Rao Xin)*

Etiologia

Emoções intensas e choques emocionais, raiva, ansiedade crônica e preocupação, que se transformam em Fogo.

Dieta com alimentos quentes, álcool.

Ataque de Fogo externo que queima os fluidos e se transforma em mucosidade.

Quadro Clínico

A junção da mucosidade, que é um fator de obstrução, com o Fogo, que é um fator de agitação, leva a um quadro extremo de distúrbio do Coração e do *Shen*. Aqui se encontram os quadros de psicose, como já discutido anteriormente.

Crise maníaca, delírio, face vermelha, labilidade emocional, fala incoerente, olhos vermelhos, febre, insônia, irritabilidade, peito cheio, tosse com catarro espesso, pigarro, tontura, olhos embaçados, comportamento agressivo e violento.

Tez: Vermelha.

Língua: Escarlate, com rachaduras com revestimento amarelo gorduroso.

Pulso: Forte, rápido e escorregadio.

Tratamento

Dispersar o Fogo e acalmar a mente e o Coração.

Acupuntura: E-40, E-44, B-15, VG-14, C-7, C-8, C-9, PC-8, PC-5, BP-1, VC-15, VB-15, VG-26. Se houver fogo do Fígado associado, usar: F-2, F-3, B-18, VG-24, VB-13.

Ervas brasileiras: Lírio, cabelo-de-milho, mastruço, mulungu, tília.

Ervas chinesas: *Radix Coptidis (Huang Lian), Fructus Forsythiae (Lian Qiao), Fructus Gardenia (Zhi Zi), Calculus Bovis (Niu Huang), Radix Rehmanniae (Sheng Di Huang), Herba Lophatheri (Dan Zhu Ye), Caulis Akebiae (Mu Tong), Plumula Nelumbinis (Lian Xin), Cortex Mountan Radicis (Mu Dan Pi), Bulbus Fritillariae Cirrhosae (Bei Mu), Fructus Trichosanthis (Gua Lou), Radix Scutellariae Baicalenisis (Huang Qin).*

Fórmula chinesa:

a) *Wen Dan Tang* (Decocção para a Vesícula Biliar).

b) *Ban Xia Bai Zhu Tian Ma Tang* (Decocção de *Tuber Pinellia, Rhizoma Attractylodis Macrocephalae* e *Gastrodia*).

Vazio da Vesícula Biliar com Distúrbio por Mucosidade
(Dan Yu Tan Rao)

Etiologia

Alimentação gordurosa.

Frustração, ressentimento, raiva e outros sentimentos reprimidos. Mau funcionamento da Vesícula Biliar.

Formação de mucosidade por desarmonia do Baço.

Quadro Clínico

A Vesícula Biliar é responsável pelas decisões e ajuda a sustentar o Fígado na sua função de regulador de *Qi*. Alterações da Vesícula Biliar provocam indecisões e irritabilidade. A sintomatologia é de tontura, visão embaçada, timidez, perda de coragem e dificuldade de tomar iniciativa, insônia, palpitação, irritabilidade, boca amarga, vertigem, zumbido, náusea.

Língua: Pálida nas laterais com revestimentos amarelo gorduroso.

Pulso: Deslizante.

Tratamento

Mover e drenar a mucosidade e tonificar a Vesícula Biliar.

Acupuntura: VB-40, VB-34, F-3, B-19, E-36, VC-12, E-40.

Ervas brasileiras: Zedoária, valeriana, mulungu, picão, tília.

Ervas chinesas: *Herba Artemisiae Capillaris (Yin Chen Hao), Fractus Gardeniae (Zhi Zi), Radix Curcumal (Yu Jin), Radix Scutellariae (Huang Qin), Herba Lysimachiae (Jin Qian Cao), Spora Lygodii (Hai Jin Sha), Radix et Rhizoma Rhei (Da Huang), Natrii Sulfas (Mang Xiao), Endothelium Corneam Gigeriae Galli (Ji Nei Jin), Caulis Bambusae in Taeniam (Zhu Ru).*

Fórmula chinesa: *Huang Lian Wen Dan Tang* (Decocção de *Coptidis* para a Vesícula Biliar).

Quadros Mistos

Deficiência do Coração e do Baço *(Xin Pi Liang Xu)*

Etiologia

Preocupação, tristeza ou depressão prolongados, que consomem *Qi*. Excesso de atividade mental e falta de atividade física. Hemorragias, doenças crônicas, dieta inadequada.

Quadro Clínico

Como o Coração e o Baço estão Vazios, a energia de nutrição e o sangue também serão prejudicados. Do ponto de vista mental, têm-se um quadro de inquietude, ruminação mental, pensamentos obsessivos, pensamentos desorganizados e excessivos. Outros sintomas possíveis são: palpitação, estupor, amnésia, pesadelos, sonhos excessivos, anorexia, distensão abdominal, diarreia, fadiga, cansaço, debilidade física, astenia, menstruações escassas com fluxo claro ou amenorreia.

Tez: Amarelada.

Pulso: Fino e fraco.

Língua: Macia, pálida, com revestimento branco.

Tratamento

Fortificar o Baço-Pâncreas e o Coração.

Acupuntura: C-7, BP-6 (moxar), B-20 (moxar), VC-6, VC-12, E-36, B-15, VG-24, B-49, B-44, B-15.

Ervas brasileiras: Camomila, cálamo, artemísia, alfavaca, astrágalo, jujuba, ginseng, angélica, gengibre, valeriana, macela.

Ervas chinesas: *Radix Angelicae Sinensis (Dang Gui), Radix Ginseng (Ren Shen), Radix Codonopsis Pilosulae (Dang Shen), Rhizoma Atractylodis Macrocephalae (Bai Zhu), Rhizoma Dioscoreae (Shan Yao), Radix Astragali (Zi Wan), Herba Artemisiae Anomalae (Liu Ji Nu), Radix Glycyrrhizae Uralensis (Gan Cao), Arillus Longan (Long Yan Rou), Rhizoma Atractylodis Macrocephalae (Bai Zhu), Fructus Ziziphi Jujubae (Da Zao).*

Fórmula chinesa: *Gui Pi Tang* (Decocção para Tonificar o Baço).

Deficiência de Sangue do Coração e do Fígado *(Xin Gan Xue Xu)*

Etiologia

Doenças crônicas, hemorragia, panos. Ansiedade.

Quadro Clínico

Na deficiência de sangue do Coração e do Fígado não há nutrição desses dois órgãos, fundamentais no equilíbrio do *Shen* e do *Hun*. O indivíduo não consegue se relacionar coerentemente com o mundo, sente-se ameaçado pelas pressões externas e tem reações desproporcionais de irritabilidade e sobressalto.

Observa-se palpitação, estupor, temor, intranquilidade, pesadelos, tontura, zumbidos, amnésia, olhos secos, visão turva, nictalopia, entumecimento dos membros, amenorreia.

Língua: Pálida, com pouco revestimento esbranquiçado.

Pulso: Fino e fraco.

Tratamento

Alimentar o *Yin* e o sangue.

Acupuntura: B-17, B-20, BP-10, E-36, F-8, BP-6, C-7.

Ervas brasileiras: Peônia, angélica, cavalinha, açafrão, astrágalo, valeriana.

Ervas chinesas: *Radix et Rhizoma Rehmanniae Preparata (Shou Di Huang), Radix Angelicae Sinensis (Dang Gui), Radix Polygoni Multiflori (He Shou Wu), Radix Paeonia lactifiorae (Bai Shao), Colla Corii Asini (E Jiao).*

Fórmula chinesa:

a) *Dang Gui Bu Xue Tang* (Decocção de *Angelica Sinensis* para Tonificar o Sangue).

b) *Suan Zao Ren Tang* (Decocção de Jujuba Azeda).

Coração e Rins não Permutam, não se Comunicam ou estão Desarmonizadas *(Xin Shen Bu Jiao)*

Etiologia

Emoções como ansiedade, tristeza.

Doenças crônicas ou agudas de gravidade com febre, uso de antibióticos, quimioterápicos.

Hemorragias, partos, abortos.

Excesso de trabalho e de atividade sexual.

Desarmonia de outros *Zang Fu*.

Quadro Clínico

Esse é um quadro de desarmonia do "eixo vertical", a comunicação entre Rins e Coração, entre o baixo e o alto. Nesse eixo vertical, o homem encontra a comunicação entre as suas sensações viscerais referentes à pelve e seus pensamentos, espiritualidade e emoções no plano do *Shen*, no Coração. O homem que não é capaz de conectar seus instintos primários e sexuais com suas emoções e ainda com a sua razão e, finalmente, sua espiritualidade, torna-se alheio à sua natureza íntima e não segue mais um caminho confiável. Ele passa a confiar ora na razão, ora nos seus desejos, sem poder juntar os dois.

Aqui a Água não pode controlar o Fogo que se agita no alto e perturba o *Shen*. Do ponto de vista clínico, encontram-se insônia, agitação, disforia, temor, nervosismo, palpitação por medo, amnésia, vertigens, zumbido, garganta seca, lombalgia, pesadelos, polução noturna, calor nos cinco palmos, febre à tarde, suor noturno, tonturas, rubor malar, sede. Como o *Zhi* e o *Shen* não se comunicam, a pessoa tem dificuldade para executar suas intenções e desejos e dispersa sua energia em um estado de ansiedade constante.

Língua: Fina e vermelha, com pouco ou nenhum revestimento.

Pulso: Fino e rápido.

Tratamento

Alimentar o *Yin* do Rim e do Coração, fazer descer o Fogo e restabelecer o contato entre Coração e Rins.

Acupuntura: R-4, R-23, R-25, VG-20, C-7, VC-15, BP-6, *Yintang*, B-15, B-23, R-3, VC-4.

Ervas brasileiras: Flor-de-lótus, sálvia, peônia, cavalinha, cabelo-de-milho, valeriana.

Ervas chinesas: *Radix Rehmanniae (Sheng Di Huang), Rhizoma Coptidis (Huang Lian), Fructus Corni (Shan Zhu Yu), Radix Scrophulariae (Xuan Shen), Colla Corii Asini (E Jiao), Radix Ophiopogonis (Mai Dong), Radix Salviae Miltiorrhizae (Dan Shen).*

Fórmula chinesa:

a) *Huang Lian* e *Jiao Tang* (Decocção de *Coptidis* e *Corii Asinii*).

b) *Liu Wei Di Huang Wan* com *Huang Lian* e *Ron Gui* (Pílula de Seis Ervas com *Rehmanniae*; adicionar *Coptidis* e *Cinnamomi*).

c) *Bai Zi Yang Xin Wan* (Pílula de *Semen Biotae* para Nutrir o Coração).

Auriculoacupuntura

Os distúrbios psíquicos são mais bem abordados pelo tratamento sistêmico da MTC, pois há necessidade de se fazer um diagnóstico das desarmonias dos *Zang Fu* e dos oito princípios. O tratamento utiliza-se da acupuntura e da fitoterapia e, ainda, de uma abordagem da raiz dos problemas ou seja, os fatores que levaram à desarmonia. Contudo, a auriculoacupuntura é muito útil se usada em conjunto com os outros tratamentos propostos. Ela é muito indicada no auxílio da redução da ansiedade, na insônia e, ainda, pode ajudar a estimular os órgãos em desarmonia.

Em todos os casos descritos, pode-se recorrer a acupuntura auricular para auxílio do Tratamento: os pontos mais usados são: *Shenmen*, subcórtex, occipício, ponto do "Valium", ponto do ápice, tronco cerebral, ponto do Coração, ponto dos Rins e, se necessário, ponto do Fígado e ponto do Baço.

Pontos de Acupuntura no Tratamento dos Distúrbios Psíquicos

12

Nas diversas síndromes dos *Zang Fu*, cada quadro ou padrão de desarmonia recebe um tratamento diverso, com combinações de pontos de acupuntura. Todavia, alguns pontos são especialmente indicados para o tratamento dos distúrbios do *Shen* e das alterações emocionais. Este capítulo traz os pontos importantes, com os respectivos significados, usados no tratamento dos distúrbios psíquicos.

Alguns desses pontos, como os *Ben Shen* (pontos dorsais do meridiano da Bexiga usados para aspectos mentais específicos), só devem ser usados com uma profunda consciência (e presença) por parte do acupunturista. Não se deve supor que é fácil despertar a vontade de viver (ponto B-52) ou a figura do pai e a capacidade de se expressar (ponto B-47) em um paciente se o acupunturista não estiver profundamente conectado a si mesmo e ao outro.

A palavra *Shen* é traduzida como mente ou espírito e, conforme já discutido, seu significado é mais abrangente e difícil de ser traduzido por apenas um ou dois termos. O mesmo pode acontecer com outros nomes em chinês. Os nomes dos pontos que se verão a seguir são possíveis interpretações dos termos originais. Alguns pontos têm em seu nome o ideograma "*Shen*" e, por isso, são especialmente indicados no tratamento dos distúrbios psíquicos. Alguns dos pontos agem diretamente no *Shen*: C-7, B-44, R-23, R-25, VB-13, VG-11, VG-24, VC-8.

Os pontos que atuam na "agilidade espiritual" (*Ling*) são: C-4, R-24, VG-10.

Pontos que agem no *Hun*: B-47; no *Po*: **B-42**; no *Yi*: B-49; e no *Zhi*: B-52.

Outros pontos citados a seguir atuam direta ou indiretamente no *Shen*, no Coração e nas emoções.

Meridiano do Pulmão

Kong Zui **(Abertura Máxima)**

P-6 (Meridiano do Pulmão, Ponto 6)

Localização: A 7 *tsun* acima da prega do punho no lado radial interno do antebraço, na linha que conecta os pontos P-5 e P-9.

Características: Ponto *Xi* (fenda) do meridiano do Pulmão.

Indicações: Libera emoções como tristeza, preocupação e pesar, diminui a tosse e a irritabilidade da garganta.

Lie Que **(Sequência Interrompida)**

P-7 (Meridiano do Pulmão, Ponto 7)

Localização: Localizado na origem do processo estiloide do rádio a 1,5 *tsun* proximalmente à prega do punho, lateralmente a artéria radial, entre os tendões dos músculos braquiorradial e abdutor longo do polegar.

Características: Ponto *Lo* (conexão), ponto de abertura do Vaso da Concepção ou *Ren Mai,* estimula a descida e a dispersão do *Qi* do Pulmão, abre o peito, solta a tensão, assenta o *Po* e restringe-o ao peito, abre o nariz, circula o *Wei Qi*, estimula a extroversão.

Indicações: Libera emoções como tristeza, preocupação e pesar, usado em pessoas que guardam as emoções. E usado, ainda, em resfriados, tosse, crise asmática, dores de dente e de garganta.

Tai Yuan **(Grande Abismo)**

P-9 (Meridiano do Pulmão, Ponto 9)

Localização: Localizado na porção terminal da prega inferior do punho, lateral a artéria radial, entre os tendões dos músculos braquiorradial e abdutor longo do polegar.

Características: Ponto *Shu* (corrente), ponto Terra do meridiano do Pulmão, ponto Fonte, circula o *Wei Qi*. Não é um ponto comumente usado nos problemas mentais e emocionais. Entretanto, estimula a introversão e a introspecção.

Indicações: Tosse, asma, hemoptise, dor no punho e no antebraço, dor no peito. Usado em bronquites e pneumonias.

Meridiano do Intestino Grosso

Qu Chi (Piscina da Curva)

IG-11 (Meridiano do Intestino Grosso, Ponto 11)

Localização: Com o cotovelo em ângulo de 90°, localiza-se entre a prega lateral cubital e o epicôndilo lateral do úmero.

Características: Ponto *He* (mar), expele o Vento, diminui a náusea, clareia o Calor, alivia dores, diminui o edema.

Indicações: Problemas psicológicos ou psicossomáticos, urticária, dor na região do cotovelo e braço, hipertônus.

Meridiano do Estômago

Tai Yi (Unidade Suprema)

E-23 (Meridiano do Estômago, Ponto 23)

Localização: Localizado a 2 *tsun* acima do umbigo e 2 *tsun* lateralmente à linha mediana ventral.

Características: Harmoniza o Estômago e o Intestino, acalma o espírito.

Indicações: Efeito sedativo em doenças psíquicas e psicossomáticas; usado para problemas gástricos.

Hua Rou Men (Porta das Carnes)

E-24 (Meridiano do Estômago, Ponto 24)

Localização: Localizado a 1 *tsun* acima do umbigo e 2 *tsun* lateralmente à linha mediana ventral.

Características: Diminui o calor do *Yangming*, acalma o *Shen*.

Indicações: Depressão e mania, crises psicóticas, dor gástrica, vômitos.

Feng Long (Saliência Protuberante ou Abundante)

E-40 (Meridiano do Estômago, Ponto 40)

Localização: Localiza-se a 8 *tsun* proximalmente à proeminência do maléolo lateral, 1 *tsun* lateralmente ao ponto E-38.

Características: Drena a mucosidade e a umidade, diminui o Calor, abre os orifícios da mente, ponto *Lo* (conexão).

Indicações: Confusão mental, pensamentos obsessivos e repetitivos, dificuldade de concentração, ansiedade, sensação de nó no estômago, episódios de mania ou de depressão, dor de cabeça, vômitos, obstipação, edema, tosse com catarro.

Nei Ting (jardim Interno)

E-44 (Meridiano do Estômago, Ponto 44)

Localização: Situa-se no canto da pele interdigital entre o segundo e o terceiro dedo do pé, na divisão entre as peles clara e escura.

Características: Ponto Água do meridiano do Estômago e ponto *long* (riacho), drena a mucosidade-fogo, clareia o calor, promove a digestão e elimina o Vento da face, abre os orifícios da mente.

Indicações: Confusão mental, psicose, mania, pensamentos obsessivos e repetitivos e dificuldade de concentração, ansiedade, insônia e, ainda, dor de dente, dor na face, epigastralgia, regurgitação ácida, membros frios, distensão abdominal, diarreia, disenteria, obstipação, doenças febris e dor no dorso do pé.

Meridiano do Baço-Pâncreas

Yin Bai (Branco Oculto)

BP-1 (Meridiano do Baço-Pâncreas, Ponto 1)

Localização: Situa-se a 0,1 *tsun* proximalmente ao ângulo medial da unha do hálux.

Características: Ponto *Ting* (poço) e ponto Madeira do meridiano do Baço. Fortalece o Baço, regula o sangue e acalma o *Shen*. Usado em quadros de Plenitude, diminui a estase do sangue.

Indicações: Ansiedade, agitação, excesso de pensamentos, depressão ansiosa, psicose maníaco-depressiva, pesadelos, convulsões, sangramentos como hematúria, metrorragia, distensão abdominal.

San Yin Jiao **(Ponto de Encontro dos Três** *Yin***)**

BP-6 (Meridiano do Baço-Pâncreas, Ponto 6)

Localização: Situa-se a 3 *tsun* proximalmente à proeminência do maléolo medial, dorsal à margem medial da tíbia.

Características: Tonifica o sangue e o *Yin*, regula o fluxo do *Qi* do Fígado, diminui a Umidade, ajuda as menstruações, diminui a estase do sangue, acalma o *Shen*.

Indicações: Além das inúmeras funções nas patologias femininas (disme-norreia, hemorragias uterinas, infertilidade), este ponto ajuda a diminuir a irritabilidade, a tensão pré-menstrual, os estados de ansiedade e insônia por diminuição do *Yin* e do sangue e, ainda, é usado para tratar distensões abdo-minais, diarreias, menstruações irregulares, leucorreias, impotência, prolapso do útero, espermatorreia, alterações motoras dos membros inferiores.

Meridiano do Coração Shao Hai **(Mar do** Shaoyin**)**

C-3 (Meridiano do Coração, Ponto 3)

Localização: Está no meio do caminho da porção distal medial da prega cubital e do epicôndilo medial do úmero (com o cotovelo flexionado).

Características: Ponto *He* (mar), ponto Água do meridiano do Coração, acalma *Shen*, clareia o Calor, remove obstruções do meridiano. Usado em quadros de Calor do Coração (Plenitude ou Vazio), também pode ser empregado em quadros de síndrome *Bi* do tórax.

Indicações: Mania, epilepsia, convulsões, angina e coronariopatias, dor no membro superior, na axila e no hipocôndrio.

Ling Dao (o Caminho da Espiritualidade, ou a Via da Mente)

C-4 (Meridiano do Coração, Ponto 4)

Localização: Situa-se a 1,5 *tsun* proximalmente à prega distal do punho no lado radial (lateral) do tendão do músculo flexor ulnar do carpo.

Características: Remove obstruções do meridiano do Coração, ponto Metal do meridiano do Coração, ponto *Jing* (rio)

Indicações: Mania, disartria, angina, neuralgia.

Tong Li (Relação ou Comunicação Interior)

C-5 (Meridiano do Coração, Ponto 5)

Localização: Situa-se a 1 *tsun* proximalmente à prega distal do punho no lado radial (lateral) do tendão do músculo flexor ulnar do carpo.

Características: Ponto *Lo*, tonifica o *Qi* do Coração, beneficia a Bexiga, acalma o *Shen*, ajuda em dificuldades de relacionamento, medo de outras pessoas ou medo de estabelecer vínculos afetivos. Pode, ainda, ser usado em quadros de mucosidade e mucosidade-fogo do Coração.

Indicações: Afasia, memória ruim, agitação, insônia, medo, ansiedade, quadros urinários (via Intestino Delgado e Bexiga), palpitação, dor no punho e no braço.

Yin Xi (Acúmulo ou Fenda do Yin)

C-6 (Meridiano do Coração, Ponto 6)

Localização: Situa-se a 0,5 *tsun* proximalmente à prega distal do punho no lado radial (lateral) do tendão do músculo flexor ulnar do carpo.

Características: Ponto *Xi* (fenda) do meridiano do Coração, nutre o *Yin* do Coração, clareia o Calor, diminui a sudorese, acalma a mente. Usado em quadros de deficiência de *Yin* e Fogo Vazio.

Indicações: Insônia, inquietude, calor noturno, sudorese noturna, angina, taquicardia, epistaxe, hematêmese, perda da voz.

Shen Men **(Porta do Espírito)**

C-7 (Meridiano do Coração, Ponto 7)

Localização: Situa-se na porção ulnar distal da prega distal do punho, na depressão entre o lado radial do tendão do músculo flexor ulnar do carpo, na borda proximal do osso pisiforme.

Características: Ponto Fonte, ponto *Shu* (corrente). Tonifica o *Yin* do Coração, acalma o *Shen*, abre os orifícios. Equilibra a sexualidade, acumula energia do Coração. Este ponto pode ser geralmente usado em quadros de deficiência de *Qi*, *Yin* e sangue do Coração.

Indicações: Insônia, palpitações, amnésia, mania, depressão, demência, epilepsia, irritabilidade, angina, dor no peito e no hipocôndrio.

Shao Fu **(Local de Reunião ou Palácio do** *Shaoyin***)**

C-8 (Meridiano do Coração, Ponto 8)

Localização: Localizado na palma da mão entre o quarto e quinto metacarpos. Quando a mão está fechada, fica na ponta do dedo mínimo.

Características: Ponto *long* (riacho), usado em quadros de Plenitude por Fogo ou mucosidade no Coração, ponto Fogo do meridiano do Coração.

Indicações: Mania, agitação, insônia, ansiedade, psicose, angina, disúria, dor na genitália externa, enurese noturna.

Shao Chong **(Impulso do** *Shaoyin***)**

C-9 (Meridiano do Coração, Ponto 9)

Localização: Situa-se a 0,1 *tsun* proximal e lateralmente ao canto radial da unha do dedo mínimo.

Características: Ponto *Ting* (poço), ponto Madeira do meridiano do Coração, ponto usado em quadros de Plenitude principalmente por Fogo no Coração, pode também ser usado em quadros de Vento, ponto que restabelece a consciência.

Indicações: Mania, agitação, insônia, ansiedade, perda dos sentidos, angina, dor no peito e no hipocôndrio, febre, desânimo.

Meridiano do Intestino Delgado

Hou Xi (Corrente ou Poço Traseiro)

ID-3 (Meridiano do Intestino Delgado, Ponto 3)

Localização: Com a mão levemente aberta e solta, situa-se na porção ulnar da fenda proximal da quinta articulação metacarpofalangiana, na linha divisória entre as peles escura e clara.

Características: Ponto *Shu* (corrente), ponto de confluência do Vaso Governador, ponto Madeira do meridiano do Intestino Delgado, melhora a Umidade, expele Vento externo, elimina Vento interno do Vaso Governador, clareia o *Shen* e melhora o *Zhi*.

Indicações: Usado em quadros de dificuldade de julgamento e de iniciativa, em quadros de mania ou depressão, epilepsia, dor de cabeça, dor na nuca e lombalgia, zumbido e surdez.

Yang Gu (Vale do Yang)

ID-5 (Meridiano do Intestino Delgado, Ponto 5)

Localização: Situa-se na depressão distal do processo estiloide, no nível da porção ulnar final da prega distal do punho.

Características: Ponto *Jing* (rio), ponto Fogo do meridiano do Intestino Delgado, Clareia a mente, ajuda a eliminar a Umidade-Calor.

Indicações: Agitação, insônia, ansiedade, depressão, palpitações, angina, asma, dor abdominal, sensação de plenitude torácica, epilepsia, sudorese noturna, diminuição da memória.

Ge Shu (Assentimento do Diafragma)

B-17 (Meridiano da Bexiga, Ponto 17)

Localização: Situa-se no nível da depressão inferior do processo espinhoso da sétima vértebra torácica, a 1,5 *tsun* lateralmente à linha medial dorsal.

Características: Ponto *Shu* dorsal do diafragma (assentimento), relaxa o diafragma, tonifica o *Qi* e o sangue, clareia o calor, acalma o *Shen*, nutre e revigora o sangue, abre o peito, pacifica o *Qi* do Estômago.

Indicações: Alivia a angústia, pensamentos obsessivos e sentimento de culpa, tontura, formigamentos, insônia, depressão, vômitos, soluço, asma, tosse, hematêmese, sudorese noturna.

Po Hu **(Porta do** *Po***, ou Porta da Alma Corporal)**

B-42 *(Meridiano da Bexiga, Ponto 42)*

Localização: Situa-se no nível da depressão inferior do processo espinhoso da terceira vértebra torácica, a 3 *tsun* lateralmente à linha medial dorsal.

Características: Descende o *Qi* do Pulmão, nutre e regula *Qi*, ancora o *Po* no Pulmão.

Indicações: Reforça a sensibilidade proprioceptiva, os limites corporais, a individualidade; ajuda nos processos de separação; diminui a tristeza, o pesar ou o sentimento prolongado que dispersa *Qi*. Ajuda no papel da mãe (maternagem); pode ser usado para tosse, asma, dorsalgia, dor na nuca e na escápula.

Shen Tang **(Palácio do Espírito)**

B-44 *(Meridiano da Bexiga, Ponto 44)*

Localização: Situa-se no nível da depressão inferior do processo espinhoso da quinta vértebra torácica, 3 mm lateralmente à linha medial dorsal.

Características: Acalma o *Shen*, resolve problemas emocionais ligados ao Coração.

Indicações: Ansiedade, insônia e depressão, doenças cardíacas, desorganização do pensamento, agitação, neurose, palpitações, bronquite, plenitude torácica pela subida de *Qi*.

Hun Men **(Porta do** *Hun***, ou Porta da Alma Etérea)**
B-47 *(Meridiano da Bexiga, Ponto 47)*

Localização: Situa-se no nível da depressão inferior do processo espinhoso da nona vértebra torácica, 3 *tsun* lateralmente à linha medial dorsal.

Características: Enraíza o *Hun* (ancora o *Hun* no Fígado), regula o *Qi* do Fígado. Usado em problemas emocionais ligados ao Fígado, age no movimento de expressão do *Shen*.

Indicações: Estimula a expressão de si mesmo, a exteriorização dos sentimentos, a criatividade e a imaginação. Pode ser usado para depressão, frustração, ressentimento, cólera, raiva, animosidade, problemas com a figura paterna ou autoridade, pesadelos, sonambulismo, dificuldade de planejar e decidir, timidez, dorsalgia, vômitos, sensação de plenitude torácica.

Yi She *(Residência do Yi ou Morada do Pensamento)*

B-49 *(Meridiano da Bexiga, Ponto 49)*

Localização: Situa-se no nível da depressão inferior do processo espinhoso da décima primeira vértebra torácica, 3 *tsun* lateralmente à linha medial dorsal.

Características: Tonifica o Baço, estimula a concentração e a memória, facilita a capacidade intelectual, ajusta a imagem corporal.

Indicações: Diminui os pensamentos obsessivos e a dificuldade de concentração, mobiliza a memória e a capacidade de abstração. Usado ainda em quadros de diarreia, borborigmo, vômitos, distensão abdominal e, finalmente, pode auxiliar em casos de anorexia nervosa e bulimia.

Zhi Shi *(Poço do Zhi, Poço da Força de Vontade)*

B-52 *(Meridiano da Bexiga, Ponto 52)*

Localização: Situa-se no nível da depressão inferior do processo espinhoso da segunda vértebra lombar, 3 *tsun* lateralmente à linha medial dorsal.

Características: Melhora o *Zhi* (vontade de viver), tonifica os Rins e as costas.

Indicações: Depressão acompanhada de astenia e falta de vontade, aumenta a determinação, a perseverança e a Força de Vontade. Pode ainda ser usado para disúria espermatorreia, impotência, lombalgia, edema de membros inferiores, dores no joelho.

Meridiano do Rim

Yong Quan (Fonte Borbulhante)

R-1 (Meridiano do Rim, Ponto 1)

Localização: Com a planta do pé flexionada, situa-se na depressão formada pela parte anterior da sola, a aproximadamente um terço da distância antero-posterior da sola, entre o segundo e o terceiro metatarsos.

Características: Ponto *Ting* (poço), ponto Madeira do meridiano do Rim, ponto de sedação, tonifica *Yin*, clareia Calor, acalma o *Shen*, diminui os desejos incontroláveis, clareia a mente, restitui a consciência. Deve ser usado em quadros de Plenitude, pois drena *Qi*.

Indicações: Epilepsia, agitação, psicose, mania, perda dos sentidos, convulsão infantil, cefaleia e visão embaçada.

Da Zhong (Grande Salto Refere-se ao Calcâneo)

R-4 (Meridiano do Rim, Ponto 4)

Localização: 0,5 *tsun* distal e dorsalmente ao ponto R-3, no aspecto interno do tendão calcâneo, posterior e inferiormente ao maléolo medial.

Características: Ponto *Lo* (conexão), faz o *Shen* "subir", fortalece as costas, diminui quadros de tristeza e astenia, abre possibilidades e exterioriza *Qi*.

Indicações: Usado em casos de depressão, pois levanta o *Shen* principalmente em quadros de deficiência dos Rins. Conecta-se ainda com o meridiano da Bexiga e, por isso, pode ser usado em dores crônicas nas costas, bem como para tratar retenção urinária, demência, enurese noturna, asma, Obstipação, dor no calcâneo.

Zhao Hai (Mar Brilhante)

R-6 (Meridiano do Rim, Ponto 6)

Localização: Na depressão inferior na borda inferior do maléolo medial, distalmente ao tendão do músculo tibial posterior.

Características: Nutre o *Yin*, acalma o *Shen*, abre o peito, esfria o sangue. Ponto de abertura de *Yin Qiao Mai*, melhora o *Yin Ye*, beneficia o útero.

Indicações: Amenorreia, narcolepsia, fadiga, hipersonia, ansiedade, garganta seca, faringite crônica, retenção urinária, epilepsia, prolapso do útero, leucorreia, dismenorreia.

Zhu Bin (Casa para o Convidado)
R-9 (Meridiano do Rim, Ponto 9)

Localização: 5 *tsun* proximalmente ao R-3, na linha que conecta os pontos R-3 e R-10.

Características: Tonifica o *Yin* do Rim, abre o peito, regula *Yin Wei Mai*, acalma o *Shen*, ajuda a harmonizar o Coração e o Rim.

Indicações: Usado em quadros de ansiedade, palpitações, sensação de falta de ar, angústia, agitação e insônia por deficiência do *Yin* do Rim, psicose maníaco-depressiva, alterações mentais, hérnias, vômitos, dor na perna.

Shen Feng (Selo do Shen ou Selo Divino)
R-23 (Meridiano do Rim, Ponto 23)

Localização: No quarto espaço intercostal (EIC), 2 *tsun* lateralmente à linha mediana.

Características: Ponto que comunica o Coração e o Rim, circula a estase de sangue do Coração.

Indicações: Pleurite, mastite, neuralgia intercostal, tosse, asma, distensão do abdome e hipocôndrio, vômitos.

Observação: Não agulhar profundamente.

Ling Xu (Terra dos Espíritos, Campo Santo)
R-24 (Meridiano do Rim, Ponto 24)

Localização: No terceiro EIC, 2 *tsun* lateralmente à linha mediana.

Características: Ponto de Reunião do *Chang Mai*.

Indicações: Anorexia, opressão e plenitude torácicas, mastite, asma, tosse.

Observação: Não agulhar profundamente.

Shen Cang **(Receptação do** *Shen* **ou Depósito do Espírito)**

R-25 (Meridiano do Rim, Ponto 25)

Localização: No segundo BIG; 2 *tsun* lateralmente à linha mediana.

Características: Ponto que trata alterações do Coração. Usado em quadros de deficiência do Rim, quadros em que o Rim não recebe *Qi*, quadros de desarmonia entre o Coração e o Rim.

Indicações: Inquietude, expectorações, tosse, anorexia, asma, tosse, dor no peito, vômitos.

Observação: Não agulhar profundamente.

Meridiano do Pericárdio (Circulação-Sexo)

Jian Shi **(Mensageiro Intermediário)**

PC-5 (Meridiano do Pericárdio, Ponto 5)

Localização: 3 *tsun* proximalmente à prega distal do punho, na linha que conecta os pontos PC-3 e PC-7, entre os tendões dos músculos flexor radial do carpo e palmar longo.

Características: Acalma o *Shen* e o *Hun*; remove a estase de *Qi* e a estase do *Qi* do Fígado causada por alterações emocionais como frustração e raiva; elimina a mucosidade no Coração, abre os orifícios do Coração, regula o *Qi*, abre o peito, limpa o Calor. É o ponto *Jing* (rio) e o ponto Metal do meridiano do Pericárdio; é o ponto de encontro dos três *Yin* do braço.

Indicações: Depressão, psicose, esquizofrenia, epilepsia, tensão pré-menstrual, vômitos, doenças febris, hemiplegia, vertigem, enxaqueca, náusea, soluços, hiperêmese gravídica, gastrite, pericardite, miocardite.

Nei Guan **(Passagem Interior)**

PC-7 (Meridiano do Pericárdio, Ponto 6)

Localização: 2 *tsun* laterais proximalmente à prega do punho, na linha que conecta os pontos PC-3 e PC-7 entre os tendões dos músculos flexor radial do carpo e palmar longo.

Características: Ponto *Lo* (conexão) do meridiano do Pericárdio, ponto de confluência do *Yin Wei Mai*, acalma o *Shen*, remove a estase de *Qi* e a estase do *Qi* do Fígado, abre a mente, regula o *Qi* e o sangue, regula o Triplo Aquecedor, harmoniza o Estômago, abre o peito.

Indicações: Ansiedade (por qualquer uma das desarmonias do Coração), insônia, angina, taquicardia, tensão pré-menstrual, vômitos, epilepsia, doenças febris, hemiplegia, vertigem, enxaqueca, náusea, soluços, hiperêmese gravídica, gastrite.

Da Ling **(Grande Monte ou Aterro)**

PC-7 (Meridiano do Pericárdio, Ponto 7)

Localização: No meio da prega do punho, entre os tendões dos músculos flexor radial do carpo e palmar longo.

Características: Ponto *Yuan* (fonte) do meridiano do Pericárdio, ponto *Shu*, limpa o Calor, acalma o *Shen*. Usado principalmente em quadros de Plenitude e mucosidade no Coração.

Indicações: Psicose maníaco-depressiva, insônia, angina, taquicardia, vômitos, dor no hipocôndrio e no peito, epigastralgia e dor no punho.

Lao Gong **(Palácio do Trabalho)**

PC-8 (Meridiano do Pericárdio, Ponto 8)

Localização: Na palma da mão, entre o segundo e o terceiro metacarpos, onde o dedo médio encosta quando a mão está fechada em punho (punho cerrado).

Características: Ponto Fogo do meridiano do Pericárdio; acalma o *Shen*. Usado principalmente para clarear o Calor, principalmente em quadros de Plenitude por Fogo no Coração, ponto *long* (riacho).

Indicações: Psicose maníaco-depressiva, crise histérica, cólera, agitação mental, delírio, glossite e halitose, febre alta e delirium, angina, vômitos e náusea.

Meridiano da Vesícula Biliar

Ben Shen (Raiz do Espírito, Espírito Fundamental)

VB-13 (Meridiano da Vesícula Biliar; Ponto 13)

Localização: Situa-se a 0,5 *tsun* da linha ideal anterior de implantação do cabelo, 3 *tsun* lateralmente à linha mediana do crânio (ao VG-24).

Características: Ponto do *Yang Wei Mai,* ajuda na passagem de *Qi* pela Barreira Superior (nuca e occipício), acalma o *Shen*, reúne essência para o mar da medula, regula o *Hun*.

Indicações: Paranoia, esquizofrenia, vertigem, dores cervicais e torácicas, sequelas de Acidente Vascular Cerebral (AVC), convulsões infantis, cefaleia, visão embaçada, epilepsia.

Tou Lin Qi (Regula as Lágrimas)

VB-15 (Meridiano da Vesícula Biliar; Ponto 15)

Localização: Diretamente acima da pupila, a 0,5 *tsun* da linha ideal anterior de implantação do cabelo, no meio, entre os pontos VG-24 e E-8.

Características: Acalma o *Shen* e regula o *Hun* e as emoções, ponto de *Yang Wei Mai*, ponto de encontro da Bexiga e da Vesícula Biliar.

Indicações: Ajuda na labilidade emocional e para tratar pensamentos obsessivos, epilepsia, obstrução nasal, cefaleia, lacrimejamento.

Zheng Ying (Nutrição Vertical)

VB-17 (Meridiano da Vesícula Biliar; Ponto 17)

Localização: Situa-se a 2,5 *tsun* da linha ideal anterior de implantação do cabelo, 2,25 *tsun* lateralmente à linha mediana do crânio, na linha que conecta os pontos VB-15 e VB-20.

Características: Tonifica a Vesícula Biliar, ajuda a circulação do *Qi*, melhora a visão.

Indicações: Por melhorar a visão e dar sustentação à posição correta, este ponto ajuda a dar suporte ao psiquismo (como uma coluna) e pode ser usado em quadros de medo e síndrome do pânico. Ajuda na depressão e melhora a concentração, dor de dente, visão embaçada, cefaleia.

Cheng Ling (Suporte do Espírito)

VB-18 (Meridiano da Vesícula Biliar; Ponto 18)

Localização: Situa-se a 4 *tsun* da linha ideal anterior de implantação do cabelo, 2,25 *tsun* lateralmente à linha mediana do crânio, na linha que conecta os pontos VB-15 e VB-20.

Características: Regula o *Hun* e o *Po*, ponto do *Yang Wei Mai*.

Indicações: Diminui pensamentos obsessivos, cefaleia, dor nos olhos, epistaxe, vertigem, obstrução nasal, demência.

Zhe Jin (função dos Cabelos)

VB-23 (Meridiano da Vesícula Biliar; Ponto 23)

Localização: Localizado a 1 *tsun* ventralmente ao ponto VB-22, no quarto EIC, a 4 *tsun* da linha lateral do mamilo.

Características: Ponto de união com a Bexiga; conecta o *Shao Yang* ao *Tai Yang*, fazendo o *Qi* fluir do primeiro para o segundo, tornado a energia superficial.

Indicações: Ansiedade, dispneia suspirosa, verborragia, neuralgia intercostal, asma, relaxa os membros, diminui as náuseas.

Ri Yue (Sol e Lua)

VB-24 (Meridiano da Vesícula Biliar; Ponto 24)

Localização: Diretamente abaixo do mamilo, no sétimo EIC, 4 mm lateralmente à linha ventral.

Características: Ponto *Mo* da Vesícula Biliar; é o ponto de passagem do diafragma e do *Jing* que sobe em direção aos olhos, limpa a Umidade-Calor, promove o funcionamento do Fígado e da Vesícula Biliar.

Indicações: Ansiedade, pensamentos obsessivos, necessidade de falar constantemente, dispneia suspirosa, hepatite, colecistite, gastrite, soluço, sensação de peso, náusea.

Wai Qiu **(Morro Externo)**

VB-36 (Meridiano da Vesícula Biliar; Ponto 36)

Localização: 7 *tsun* proximalmente à proeminência do maléolo lateral, na borda anterior da fíbula, no nível do ponto VB-35.

Características: Ponto *Xi* (fenda) da Vesícula Biliar; acalma o espírito, ativa o meridiano.

Indicações: Depressão, ressentimento, neuralgia intercostal, dor na parte externa da perna.

Qiu Xu **(Monte e Ruínas)**

VB-40 (Meridiano da Vesícula Biliar; Ponto 40)

Localização: Distal e ventral ao maléolo lateral, na depressão lateral do tendão do músculo extensor longo dos dedos.

Características: Fortalece a Vesícula Biliar, promove o fluxo livre de *Qi*, ponto *Yuan* (Fonte) da Vesícula Biliar.

Indicações: Indecisões, depressão, dificuldade para se concentrar, estimula a memória, dor em distensão no peito e no hipocôndrio, vômitos, regurgitação ácida, dificuldade de deambulação.

Zu Qiao Yin **(Orifício do** *Yin***)**

VB-44 (Meridiano da Vesícula Biliar; Ponto 44)

Localização: 0,1 *tsun* proximal e lateralmente à base e ao canto da unha do quarto dedo do pé.

Características: Ponto *Ting* (poço), ponto Metal do meridiano da Vesícula Biliar, acalma o *Shen*, beneficia os olhos, acalma o *Hun*, diminui o *Yang* do Fígado e clareia o Fogo do Fígado e da Vesícula Biliar.

Indicações: Sono difícil e perturbado, pesadelos, agitação, irritabilidade, enxaqueca, zumbido, surdez, dor ocular, doenças febris.

Meridiano do Fígado

Tai Chong **(Local Importante, Grande)**

F-3 (Meridiano do Fígado, Ponto 3)

Localização: No dorso do pé, no sulco entre o primeiro e o segundo metatarsos, 1,5 *tsun* posteriormente ao ponto F-2.

Características: Ponto Fonte; ponto *Shu* (corrente); acalma o *Shen*; ponto Terra do meridiano do Fígado; diminui o *Yang* do Fígado; clareia o Vento interno; promove o fluxo livre de *Qi*; nutre o *Yin* e o sangue do Fígado; acalma a mente, principalmente quando usado juntamente com IG-4 (*Hegu*); estabiliza o *Hun*.

Indicações: Depressão, tensão pré-menstrual, diminui cãibras e formigamentos, convulsão, epilepsia, sangramento uterino, dor na região genital, cefaleia, dor na nuca, visão embaçada.

Meridiano do Vaso da Concepção (Ren Mai)

Shen Que **(Torre de Vigia ou Entrada do** *Shen***)**

VC-8 (Meridiano do Vaso-Concepção, Ponto 8)

Localização: Situa-se no umbigo.

Características: Ponto onde se insere a divisão entre o alto e o baixo, usado no Vazio da Energia Ancestral; fortalece o Baço, recupera o *Yang*.

Indicações: Epilepsia, enterocolite, diarreia, prolapso retal, distensão abdominal, apoplexia.

Observação: Não usar agulha (apenas moxa).

Zhong Wan **(Cavidade do Meio)**

VC-12 (Meridiano do Vaso da Concepção, Ponto 14)

Localização: Na linha ventral mediana, a 4 *tsun* acima do umbigo.

Características: Ponto *Mo* do Estômago. Acalma o *Shen*, clareia o Calor e acalma o *Qi* contracorrente do Estômago, ajuda a assimilar o *Qi* da nutrição, beneficia Estômago e Baço.

Indicações: Epigastralgia, soluço, vômitos, úlcera, gastrite, indigestão, distensão abdominal, náusea, regurgitação ácida, este ponto acalma e tem um efeito relaxante.

Ju Que **(Grande Portão)**

VC-14 (Meridiano do Vaso da Concepção, Ponto 14)

Localização: Na linha ventral mediana, a 6 *tsun* acima do umbigo.

Características: Ponto *Mo* do Coração. Acalma a mente, clareia o Calor e acalma o *Qi* contracorrente do Estômago; abre os orifícios do Coração, pois elimina a mucosidade-calor; regula o diafragma.

Indicações: Dor precordial, doenças mentais, confusão mental, epilepsia, epigastralgia, soluço, palpitação, espasmo do diafragma, distensão abdominal, náusea, regurgitação ácida. Por relaxar o diafragma, este ponto ajuda a diminuir a ansiedade e os pensamentos repetitivos e obsessivos.

Jiu Wei **(Cauda de Pombo)**

VC-15 (Meridiano do Vaso da Concepção, Ponto 15)

Localização: Na linha ventral mediana, a 7 *tsun* acima do umbigo, 1 *tsun* abaixo do processo xifoide.

Características: Ponto Fonte dos cinco órgãos *Yin*, tonifica *Yuan Qi*, libera as emoções, clareia o Coração, acalma o *Shen*, restringe o *Po* no peito, ajuda a relação do masculino e do feminino e marca a sua separação. Pode ser usado em quadros de deficiência e plenitude. Ponto *Lo* do Vaso da Concepção.

Indicações: Dor precordial, doenças mentais, confusão mental, epilepsia, epigastralgia, soluço, tristeza, desgaste e cansaço após a relação sexual, distensão abdominal, náusea, asma.

Dan Zhong *(Meio do Peito)*

VC-17 *(Meridiano do Vaso da Concepção, Ponto 17)*

Localização: Na linha ventral mediana, no nível do quarto EIC, no meio da linha horizontal que liga os mamilos.

Características: Ponto *Mo* do Pericárdio e do Aquecedor Superior, ponto de tonificação de *Qi* e de *Zhang Qi*, clareia o Pulmão, resolve a mucosidade, relaxa o diafragma, estimula a lactação, estimula a função de descida do Pulmão, regula o *Qi* contracorrente.

Indicações: Angústia, tosse, asma, dor no peito, palpitações, lactação insuficiente, vômitos e disfagia, sensação de falta de ar, soluços.

Meridiano do Vaso Governador *(Du Mai)*

Ming Men *(Porta da Vida)*

VG-4 *(Meridiano do Vaso-Governador; Ponto 4)*

Localização: Na linha dorsal mediana, na depressão abaixo do processo espinhoso da segunda vértebra lombar.

Características: Porta da Vida, também chamado de porta do destino, é um ponto que contém o poder de expressão dos Rins. Nele reside toda a concentração de energia dos Rins e, portanto, o nosso destino. E um ponto que nutre a Energia Fonte e o *Jing*.

Indicações: Astenia, impotência, enurese, dor lombar, infertilidade, alterações menstruais, corrimento vaginal, prolapso anal.

Ji Zhong *(Centro da Coluna Vertebral)*

VG-6 *(Meridiano do Vaso Governador Ponto 6)*

Localização: Na linha dorsal mediana, na depressão abaixo do processo espinhoso da décima primeira vértebra torácica.

Características: Este ponto diminui o excesso de *Yang* do Fígado e o Calor no Intestino

Indicações: Epilepsia, mania, agitação, Calor latente por acúmulo de energia, opressão lombar por plenitude, hemorroidas, icterícia, hepatite, desnutrição, prolapso anal.

Observação: Não usar moxa.

Ling Tai *(Terraço Espiritual)*

VG-10 *(Meridiano do Vaso Governador; Ponto 10)*

Localização: Na linha dorsal mediana, na depressão abaixo do processo espinhoso da sexta vértebra torácica.

Características: Este ponto proporciona o estado de alerta pela percepção de perigos externos. Pode ser usado também para a proteção de Vento-Frio e Vento-Calor.

Indicações: Dor no pescoço, tosse, asma, dor e rigidez nas costas, epigastralgia.

Shen Dao *(Caminho do Espírito)*

VG-11 *(Meridiano do Vaso Governador; Ponto 11)*

Localização: Na linha dorsal mediana, na depressão abaixo do processo espinhoso da quinta vértebra torácica.

Características: Regula o Coração e acalma a mente; usado em quadros de Plenitude do Coração; ponto de recepção interna do Baço.

Indicações: Depressão, inquietude, psicose, loucura, convulsão, tosse, febre.

Qiang Jian *(Entre os "Fortes": refere-se à Localização entre os Ossos Parietal e Occipital)*

VG-18 *(Meridiano do Vaso-Governador; Ponto 18)*

Localização: Na linha dorsal mediana, a 4 *tsun* do ponto mediano da linha posterior de implantação do cabelo, a meia distância entre os pontos VG-16 e VG-20, a 1,5 *tsun* do ponto VG-17.

Características: Estase de sangue com quadros de obnubilação mental.

Indicações: Confusão mental, agitação, ansiedade, cefaleia, psicose, dor na nuca, visão embaçada.

Hou Ding *(Atrás do Vértice)*

VG-19 *(Meridiano do Vaso Governador; Ponto 19)*

Localização: Na linha dorsal mediana, 1,5 *tsun* acima do VG-19, a 5,5 *tsun* do ponto mediano da linha posterior de implantação do cabelo.

Características: Tonifica o Rim e o *Zhi*; acalma a mente.

Indicações: Fortalece a Força de Vontade; pode ser usado para casos de vertigem, episódios de depressão, mania, cefaleia, insônia.

Bai Hui *(Encontro dos Cem)*

VG-20 *(Meridiano do Vaso-Governador; Ponto 20)*

Localização: Na linha dorsal mediana, a 5 *tsun* do ponto mediano da linha anterior de implantação do cabelo, no ponto médio da linha que liga os ápices das orelhas.

Características: Encontro dos meridianos *Yang*, ponto mar da medula, clareia *Shen*, tonifica *Yang* e também elimina o excesso de *Yang*, elimina o Vento interno, ascende o espírito, tem ação especialmente calmante.

Indicações: Depressão, fadiga mental, insônia, estimula a memória, cefaleia, vertigem, sequelas de derrame, prolapsos, afasia. Usado em episódios de perda dos sentidos.

Shang Xing *(Estrela Superior)*

VG-23 *(Meridiano do Vaso Governador; Ponto 23)*

Localização: Na linha mediana, a I *tsun* do ponto mediano da linha anterior de implantação do cabelo.

Características: Equilibra o sangue e o *Qi* na cabeça, diminui o Vento.

Indicações: Doenças mentais, cefaleia, alterações visuais, dor nos olhos, doenças febris, psicose, epistaxe, rinorreia.

Shen Ting *(Vestíbulo do Shen)*

VG-24 (Meridiano do Vaso Governador; Ponto 24)

Localização: Na linha mediana, a 0,5 *tsun* do ponto mediano da linha anterior de implantação do cabelo.

Características: Estimula a inteligência e clareia o *Shen*. Ponto de reunião com o *Tai Yang.* Conecta e situa a pessoa com o meio externo. Ponto de encontro do Vaso Governador e do Estômago; abre os orifícios.

Indicações: Insônia, agitação, depressão, cefaleia, vertigem, rinorreia, epilepsia, rinites, oftalmia, crises psicóticas ou maníacas, medo intenso.

Shui Gou *(Sulco d'Água)*

VG-26 (Meridiano do Vaso Governador; Ponto 26)

Localização: Na linha mediana, linha que divide o terço superior e médio do filtro labial.

Características: Abre os orifícios da mente, clareia o *Shen*, beneficia a coluna.

Indicações: Depressão, obnubilação mental, convulsões. Usado em episódios de perda dos sentidos, trismo, dor nas costas.

Pontos Extras

Si Shen Cong *(Quatro Pontos do Espírito Alerta ou da Inteligência)*

Localização: São quatro pontos, cada um localizado uma polegada à frente, atrás e dos lados do ponto VG-20.

Características: Elimina o Vento interno, clareia o *Shen*.

Indicações: Cefaleia, vertigem, memória ruim, distúrbios mentais, epilepsia, convulsão infantil, insônia e ansiedade.

Yin Tang (Vestíbulo do Selo)

Localização: Entre as sobrancelhas.

Características: Elimina o Vento interno, acalma o Shen.

Indicações: Cefaleia frontal, vertigem, rinorreia, epilepsia, convulsão infantil, insônia e ansiedade.

Anmian-1 (Sono Tranquilo)

Localização: No meio da linha que liga o ponto TA-17 e a borda inferior do processo mastoide.

Características: Acalma o Shen e o Coração e nutre o mar da medula.

Indicações: Insônia, enxaqueca, distúrbios mentais, histeria, palpitações.

Anmian-2 (Sono Tranquilo)

Localização: No meio da linha que liga o ponto VB-20 e a borda inferior do processo mastoide.

Características: Acalma o Shen e o Coração e nutre o mar da medula.

Indicações: Insônia, enxaqueca, distúrbios mentais, esquizofrenia, ansiedade, taquicardia.

Anmian-3 (Sono Tranquilo)

Localização: Na região superioposterior do processo mastoide, a 0,5 polegada acima do ponto Anmian-1.

Características: Tonifica o Coração e nutre o mar da medula.

Indicações: Sono excessivo e letargia.

Anmian-4 *(Sono Tranquilo)*

Localização: 1 *tsun* acima do BP-6.

Características: Acalma o *Shen* e o Coração, nutre o sangue.

Indicações: Insônia e irritabilidade.

Ding Shen *(Acalma o Espírito)*

Localização: No *philtrum*, a um terço da distância entre o lábio superior e a base do nariz.

Características: Regula o *Qi* do Fígado, diminui o Vento.

Indicações: Psicose, convulsões, dismenorreia.

13

Fitoterapia no Tratamento dos Distúrbios Psíquicos

Na Medicina Tradicional Chinesa (MTC), há várias formas terapêuticas: acupuntura, fitoterapia, dietoterapia, massagens e exercícios físicos. A acupuntura é excelente como método de tratamento e muito difundida no ocidente, entretanto, a viga mestra da MTC é a fitoterapia, que, para distúrbios psíquicos, torna-se essencial. A normalização do ciclo do sono e a diminuição da ansiedade são fundamentais para um bom resultado na abordagem pela MTC e as ervas são importantes para restituir o sono e tranquilizar a mente, sem causar dependência química ou piora do quadro global.

Ao descrever as síndromes dos *Zang Fu* mais comuns ligadas às doenças mentais e distúrbios emocionais, foram citadas ervas chinesas, ervas brasileiras e fórmulas chinesas indicadas para cada caso. Neste capítulo, serão mostradas as principais ervas e fórmulas usadas no tratamento dos distúrbios psíquicos, uma a uma, explicando suas características principais, meridianos em que penetram e efeitos mais comuns.

Fitoterapia Chinesa ou Brasileira

Essa é uma pergunta comum e frequente entre os praticantes da MTC no Brasil. O grande problema da fitoterapia é a falta de controle de qualidade e de toxicidade das plantas utilizadas. As fitoterapias brasileira e chinesa são métodos de tratamento úteis, mas os componentes devem ser de procedência realmente confiável.

A fitoterapia chinesa vem sendo estudada e aplicada por milênios e possui fórmulas específicas para cada síndrome, para cada caso. As ervas e as fórmulas prescritas encontram-se embasadas em anos de experiência e observação. Entretanto, há, na fitoterapia brasileira, muitas ervas que são excelentes para o tratamento das patologias da mente, dos distúrbios do sono e de ansiedade.

A fitoterapia brasileira tem como vantagens o fácil acesso, o baixo custo e o fato de que a terra traz, em si, a resposta para os males que causa. Por exemplo, em uma determinada região assolada por ventos e calor extremos, crescem ervas adaptadas a essas condições, que servem para tratar doenças causadas também por Vento e Calor, Observa-se, ainda, que o *Jing* (essência) é formado durante a gravidez e leva impresso em si as condições externas ao útero, como o ambiente físico e psíquico no qual se encontra a mãe. Nesse *Jing*, estarão impressas as condições do ambiente e, teoricamente, o paciente responderá melhor aos estímulos e tratamentos advindos do meio em que ele nasceu e se desenvolveu. Algumas indicações para a obtenção de produtos de qualidade:

- Não adquira ervas que ficam expostas ao tempo, em grandes sacos plásticos; elas podem estar mofadas ou com o prazo de validade vencido.

- Procure fitoterápicos que tenham selo de garantia e fiscalização do Ministério da Saúde.

- Para garantir a boa procedência de um produto fitoterápico, informe-se com seu médico ou fornecedor.

Os maiores problemas observados com fitoterapia são:

- Mistura de várias ervas sob o nome de uma outra.

- Fungos ou sujeira em pacotes expostos e abertos.

- Agrotóxicos e produtos químicos usados no plantio de ervas, que comprometem a saúde de quem as ingere.

Ao prescrever um tratamento fitoterápico é fundamental ter em mente o diagnóstico da MTC para cada caso. A fitoterapia, assim como a acupuntura, não trata uma determinada doença, mas sim um determinado paciente. Dois pacientes com quadros depressivos podem ter tratamentos diferentes ou até opostos. Entretanto, tendo em vista o diagnóstico correto, algumas ervas são mais comumente prescritas para as alterações emocionais e mentais.

Neste capítulo, propõe-se uma visão mais detalhada das fitoterapias brasileira e chinesa, também das fórmulas chinesas mais usadas para harmonizar o *Shen* e o Coração e as mais indicadas para ansiedade, depressão e insônia. Este aprofundamento em fitoterapia permite conhecer um pouco mais sobre esse método terapêutico central da MTC.

Fitoterapia Brasileira Cálamo *(Acorus calamus)*

Características: Picante e morna, erva estimulante que penetra nos meridianos do Fígado e do Baço.

Ação na MTC: Diminui a mucosidade e seca a Umidade, fortalece o Baço e clareia o *Shen*.

Uso: Alterações de memória, fadiga, dores articulares, má-digestão.

Camomila *(Matricaria chamomilla)*

Características: Doce, neutra e amornante, penetra nos meridianos do Fígado e do Baço.

Ação na MTC: Limpa o Vento e a Umidade; descongestionante.

Uso: Dor de cabeça, estresse, insônia e cólicas.

Capim-limão ou Erva-cidreira *(Cymbopogon citratus)*

Características: Picante e amornante, penetra nos meridianos do Pulmão e do Estômago.

Ação na MTC: Dispersa Vento e Vento-Frio, tonifica o *Qi* do Pulmão, direciona *Qi* para baixo, esquenta o Aquecedor Médio, acalma o *Shen*.

Uso: Insônia, ansiedade, palpitações, cefaleia e resfriados.

Flor-de-lótus *(Nelumbo nucifera)*

Características: Neutra e doce, penetra nos meridianos do Coração, Baço e Rim.

Ação na MTC: Diminui o Fogo do Coração, acalma o *Shen*.

Uso: Insônia, irritabilidade, confusão mental, mania.

Hipérico *(Hypericum perforatum)*

Ação na MTC: Clareia o *Shen*, circula o *Qi*.

Uso: Insônia, depressão, disritmia, epigastralgia, diarreia.

Lírio *(Lilium candidum)*

Características: Amarga, doce e fria, penetra nos meridianos do Pulmão e do Coração.

Ação na MTC: Umedece o Pulmão, tonifica *Yin*, diminui a mucosidade, clareia o Calor e a mente.

Uso: Febre, irritabilidade, dor de garganta, tosse.

Lúpulo *(Humulus lupulus)*

Características: Amarga, gelada, penetra nos meridianos do Pulmão, Rim e Estômago.

Ação na MTC: Fortalece o Estômago, acalma o *Shen*, melhora a Via das Águas.

Uso: Taquicardia, insônia e ansiedade, anorexia, dispepsia.

Macela ou Marcela (Achyrocline satureoides)

Características: Amarga e neutra, penetra nos meridianos do Intestino Grosso e do Baço.

Ação na MTC: Dispersa a Umidade, tonifica o Baço.

Uso: Cólicas, diarreia, ansiedade, tensão, dor e espasmo muscular, ajuda nas alergias respiratórias e colites, diminui os gases e melhora a digestão, dismenorreia, dores articulares.

Maracujá (Passiflora edulis), Passiflora alata, Passiflora ssp.

Características: Doce, azeda, refrescante.

Ação na MTC: Limpa a Umidade e acalma o Shen.

Uso: Ansiedade, estresse, insônia, cólicas, dores articulares e cefaleias, nevralgias e irritabilidade na menopausa.

Melissa (Melissa officinalis)

Características: Doce e refrescante.

Ação na MTC: Circula o Qi do Fígado, tonifica o sangue, acalma o Shen.

Uso: Insônia, palpitações, enxaquecas, cólicas intestinais, convulsões, nevralgias, depressão, irritabilidade, problemas hepáticos e biliares, má-circulação.

Mulungu (Erythrina mulungu)

Características: Amargo, picante e refrescante.

Ação na MTC: Penetra nos meridianos do Fígado e do Baço, diminui a Umidade, acalma o Shen.

Uso: Ansiedade, insônia, asma; é diurética, expectorante, analgésica e antirreumática; melhora a atividade hepática.

Ostra *(Ostreas gigas)*

Características: Salgada, adstringente, refrescante, penetra nos meridianos do Rim e do Fígado.

Ação na MTC: Usada em quadros de excesso ou deficiência, diminui Calor-Vazio, circula estase do sangue.

Uso: Insônia, ansiedade usada na osteoporose como fonte de cálcio.

Sálvia *(Salvia officinalis)*

Características: Picante, amarga e refrescante, penetra nos meridianos do Coração, do Fígado e do Baço.

Ação na MTC: Tonifica o sangue, harmoniza o *Shen* e o Coração.

Uso: Depressão, insônia, cólicas intestinas e menstruais; promove a circulação; ajuda nas artralgias; hipermetrorragias; usado na menopausa, para tratar calores e irritabilidade.

Tília *(Tilia cordata)*

Características: Picante, doce, suave; penetra nos meridianos do Coração, do Fígado e do Pulmão.

Ação na MTC: Melhora a congestão de *Qi*, dispersa a mucosidade, melhora a Via das Águas, impede o afundamento de *Qi*.

Uso: Ansiedade, insônia, depressão, gastrite, cólicas, tosse, gripes, hepatites, cefaleia, diminui a pressão arterial e é diurético.

Valeriana *(Valeriana officinalis)*

Características: Amarga, picante e morna, penetra nos meridianos do Coração, do Baço e do Fígado.

Ação na MTC: Melhora a circulação de *Qi*, dispersa o Frio, tonifica o sangue e o Baço, acalma o *Shen*.

Uso: Ansiedade, distúrbios da menopausa, cefaleias tensionais, cólicas intestinais, dores musculares, epilepsia, colite, prurido cutâneo, fadiga e estafa, dermatoses, eczema, taquicardia, gosto amargo.

Além das ervas descritas, recomendam-se outras que, segundo o quadro energético do paciente, podem beneficiar a evolução do caso e atuar indiretamente nos quadros emocionais e mentais. A seguir, alguns fitoterápicos e suas indicações na medicina chinesa:

a) Para melhorar o *Yin* do Coração e acalmar o *Shen*: polígala (*Polygala tenuifolia*), jujuba (*Ziziphusjujuba*), valeriana (*Valeriana officinalis*) e tuia (*Thuya orientalis L.*).

b) Para tonificar o *Qi*: ginseng (*Panax ginseng*), jujuba (*Ziziphus jujuba*), astragalo (*Astragalus membranaceus*) e alcaçuz (*Glycyrrhiza uralensis*).

c) Para tonificar o sangue: amoreira-branca (*Morus alba*), angélica chinesa (*Angelica sinensis*) e peônia (*Paeonia lactiflora*).

d) Para tonificar *Yin*: orquídea (*Dendrobium nobile*), selo-do-salomão (*Polygonatum odoratum*), gergelim-preto (*Sesamum indicum*), lírio-branco ou açucena (*Liliam brownii*) e visco-branco (*Viscum album*).

e) Para tonificar *Yang*: nogueira (*Juglans regia*), cuscuta (*Cuscuta chinensis*).

f) Para diminuir o *Yang* do Coração: sálvia (*Salvia officinalis*), raiz de ruibarbo (*Rheum palmatum*), ostra em pó (*Ostrea gigas, concha in pulvis*), mulungu (*Erythrina mulungu*, Cortex), rosa-vermelha (*Rosa gallica*).

g) Para circular *Qi*: tangerina (*Citrus tangerina*), laranja (*Citrus aurantium*), cebolinha (*Allium macrostemon*), sândalo (*Santalum album*), castanhas-da-índia (*Aesculus sinensis*), açafrão (*Curcuma longa*), hortelã (*Mentha piperita*).

h) Para diminuir o *Yang* do Fígado: babosa (*Aloe vera*), genciana ou paratudo-do-campo (*Lisianthus pendulus*), semente de fedegoso ou *habu* (*Cassian tora*), camomila (*Matricaria chamomilla*), açafrão (*Curcuma longa*), raiz de ruibarbo (*Rheum palmatum*), menta (*Mentha piperita*).

Fitoterapia Chinesa: *Ervas e Substâncias que Acalmam o* Shen

Ervas que Acalmam o Coração e a Mente Usadas em Quadros de Excesso

Zhu Sha (Cinnabaris)

Características: Doce, tóxica e refrescante.

Meridiano: Coração.

Funções: Seda o Coração e acalma o *Shen*. Pode ser usada em quadros de Plenitude-Calor, mucosidade-calor ou deficiência de sangue. Elimina o Vento interno, diminui o *Yang*.

Uso clínico: Irritabilidade, palpitações, ansiedade, insônia e convulsões, tontura, hipertensão, choque emocional e medo.

Observação: Usar apenas por curtos períodos. Não esquentar para que não haja liberação de mercúrio (tóxico).

Ci Shi (Magnetitum)

Características: Salgada, acre e fria.

Meridianos: Fígado e Rim.

Funções: Ajuda o Rim a captar o *Qi*, acalma o *Shen*, pacifica o Fígado, acalma a subida de *Yang*, nutre o *Yin*.

Uso clínico: Insônia, inquietação, palpitações, tonturas, sangramento uterino, espermatorreia, irritabilidade, asma crônica, zumbido.

Long Gu (Os Draconis — **Ossos Fossilizados**)

Características: Doce, adstringente, neutra. Meridianos: Intestino Grosso, Fígado, Rim, Coração. Funções: Acalma o *Shen*, pacifica o Fígado, acalma a subida de *Yang*.

Uso clínico: Insônia, inquietação, palpitações, tonturas, sangramento uterino, espermatorreia, irritabilidade.

Contraindicações: Quadros de mucosidade-calor ou penetração de fatores exógenos gerando quadros de excesso.

Zhen Zhu (**Margarita — Pérola**)

Características: Doce, salgada e fria.

Meridianos: Coração, Fígado.

Funções: Acalma o Coração, clareia o Fígado e desobstrui os olhos.

Uso clínico: Palpitações, convulsões, medo, agressividade.

Zi Shi Ying (Fluoritum)

Características: Doce e morna.

Meridianos: Coração e Fígado.

Funções: Seda o Coração e acalma o *Shen*, aquece os Pulmões e direciona *Qi* para baixo, aquece o útero.

Uso clínico: Desorientação e agitação, estudos de pânico, palpitações, convulsões, tosse e chiado por deficiência dos Pulmões, menstruações abundantes e infertilidade.

Hu Po (Succinum âmbar)

Características: Doce e neutra.

Meridianos: Coração, Fígado, Intestino Delgado e Bexiga.

Funções: Seda e acalma o *Shen*, promove a diurese, tonifica o sangue.

Uso clínico: Insônia, pesadelos, memória ruim, ansiedade, palpitações, convulsões, amenorreia, retenção urinária, hematúria, diminui o edema.

Contraindicações: Quadros de deficiência de *Yin* com sinais de aumento de *Yang*.

Mu Li (Concha ostreae — **Concha da Ostra**)

Características: Salgada, adstringente, refrescante.

Meridianos: Fígado, Vesícula Biliar, Coração e Rim.

Funções: Acalma o *Shen*, pacifica o Fígado, acalma a subida de *Yang*, beneficia o *Yin*, dissolve massas.

Uso clínico: Insônia, inquietação, palpitações, tonturas, cefaleia, zumbido, face vermelha, sangramento uterino, espermatorreia, sudorese profusa, irritabilidade, medo intenso, espasmos, tumores e massas, diarreia, como suplemento de cálcio.

Contraindicações: Quadros de plenitude com febre alta sem sudorese, pessoas com tendência à formação de cálculo renal.

Dai Zhe Shi (Haematitum)

Características: Amarga e fria.

Meridianos: Fígado, Estômago, Pericárdio e Coração.

Funções: Usado em casos de *Qi* contracorrente e para sangramentos, direciona o sangue para baixo, acalma o Fígado e diminui o *Yang*.

Uso clínico: Vômitos, eructações, soluços, náusea, asma aguda, tontura, vertigem, zumbido, pressão nos olhos, hematêmese, cefaleia latejante.

Contraindicação: Cuidado na gravidez.

Ervas que Nutrem o Coração e Acalmam a Mente, usadas em Quadros de Deficiência

*Suan Zao Ren (Semen Zízíphi spinosae — **Jujuba Chinesa**)*

Características: Doce, azeda, neutra.

Meridianos: Coração, Baço, Fígado e Vesícula Biliar.

Funções: Nutre e tonifica *Yin*, o sangue do Coração e do Fígado e acalma o *Shen*.

Uso clínico: Irritabilidade insônia, taquicardia e ansiedade, sudorese noturna e espontânea, sudorese espontânea.

Contraindicação: Pacientes com diarreia ou Calor-Plenitude.

Bai Zi Ren (Semen biotae)

Características: Doce, acre e neutra.

Meridianos: Coração, Fígado, Intestino Grosso e Baço.

Funções: Nutre o Coração, usado em quadros de deficiência de *Yin* e sangue, produz *Tin Ye* e umedece os Intestinos.

Uso clínico: Irritabilidade, insônia, memória ruim, palpitações, ansiedade, sudorese noturna, Obstipação (em idosos, pacientes com doenças crônicas ou no pós-parto).

Yuan Zhi (Radix polygalae tenuifoliae)

Características: Amarga, azeda e morna.

Meridianos: Coração, Rim e Pulmão.

Funções: Promove o fluxo de *Qi* do Coração, acalma o *Shen*, elimina a mucosidade e abre os orifícios, expele a mucosidade dos Pulmões.

Uso clínico: Agitação mental, irritabilidade, taquicardia, insônia, desorientação mental, delírio, convulsões, tosse com catarro. Usada em quadros nos quais há muita preocupação, pensamentos e emoções reprimidos.

Contraindicações: Quadros de deficiência de *Yin* com sinais de Calor.

He Huan Pi (Cortex Albizae Julibrissin)

Características: Doce e neutra.

Meridianos: Coração e Fígado.

Funções: Acalma o *Shen*, tonifica o sangue, dissipa abscessos.

Uso clínico: Irritabilidade, insônia, memória ruim, palpitações, ansiedade, angústia, perda de apetite, drena abscessos, diminu1 a dor e o edema em traumas.

Ye Jiao Teng (Caulis polygoni multljiori)

Características: Doce, ligeiramente amarga e neutra.

Meridianos: Coração e Fígado.

Funções: Nutre o Coração, usado em quadros de deficiência de *Yin* e sangue, acalma o *Shen*, tonifica o sangue e facilita o fluxo de *Qi* nos meridianos.

Uso clínico: Insônia, irritabilidade, pesadelos, formigamentos, fraqueza e dores nos membros.

*Xiao Mai (Triticum aestivum — **Trigo)***

Características: Doce, neutra.

Meridiano: Coração.

Funções: Nutre o Coração, acalma o *Shen*.

Uso clínico: Insônia, hipertensão, irritabilidade.

Fórmulas Magistrais Chinesas

Além das substâncias descritas isoladamente, há certas fórmulas que, combinando várias substâncias, podem ser usadas mais especificamente para tranquilizar, acalmar o *Shen*, nutrir o Coração, diminuir o *Yang* etc.

An Mian Pian

Pílula para um Sono Calmo.

Composição: *Semen Ziziphi Spinosae (Suan Zao Ren), Radix Glycyrrhizae Uralensis (Gan Cao), Fructus Gardenia Jasminiodis (Shan Zhi Zi), Radix Polygalae Tenuifoliae (Yuan Zhi), Sclerotium Poria Cocos (Fu Ling), Massa Medica Fermentata (Shen Qu), Buthus Martensis (Quan Xie).*

Funções: Usado em quadros de aumento do *Yang* do Fígado por deficiência do *Yin*.

An Shen Bu Xin Dan

Pílula para Tranquilizar o *Shen* e Tonificar o Coração.

Composição: *Concha Margaritiferae (Zhen Zhu Mu), Caulis Polygoni Multiflori (Ye Jiao Teng), Fructus Ligustri Lucidi (Nu Zhen Zi), Herba Ecliptae Prostatae*

(Hun Lian Cao), Cortex Albizziae Julibrissin (He Huan Pi), Rhizoma Acori Graminli (Shi Chang Pu), Radix Rhemanniae Glutinosae (Sheng Di Huang), Radix Rhemanniae Glutinosae Preparata (Shu Di Huang), Radix Salviae Miltiorrhízae (Dan Shen), Fructus Dchisandrae (Wu Wei Zhi).

Funções: Tonifica o Coração e o Fígado e acalma o *Shen*, podendo ser usada em casos de insônia, irritabilidade, depressão.

Bai Zi Yang Xin Wan

Pílula de *Semen biotae orientalis* para Nutrir o Coração.

Composição: *Semen Biotae Orientalis (Bai Zi Ren), Fructus Lycii (Gou Qi Zi), Tuber Ophiapogonis Japonici (Mai Men Dong), Radix Scrophulariae Ningpoensis (Xuan Shen), Sclerotium Poriae Cocos Paradicis (Fu Shen), Radix Angelicae Sinensis (Dang Gui), Radix Glycyrrhizae Uralensis (Gan Cao), Rhizoma Acari Graminei (Shi Chang Pu), Radix Rehmanniae Glutinosae (Shu Di Huang).*

Funções: Como já diz o nome, essa fórmula nutre o Coração, principalmente o *Yin*, tonifica o *Yin* do Rim e acalma o *Shen*.

Ban Xia Hou Po Tang

Decocção de *Tuber pinellia* e *Cortex magnoliae*.

Composição: *Tuber Pinellia Ternatae (Ban Xia), Sclerotium Poriae Cocos (Fu Ling), Cortex Magnoliae Officinalis (Hou Po), Rhizoma Zingiberis Officinalis Recens (Sheng Jiang), Folium Perillae Frutescentis (Zi Su Ye).*

Funções: Indicada para quadros de estagnação de *Qi* e mucosidade, pode ser usada nos quadros de irritabilidade, globo histérico, insônia e distúrbios emocionais da menopausa.

Ci Zhu Wan

Pílula de *Magnetita* e *Cinaban*.

Composição: *Magnetitum (Ci Shi), Cinnabaris (Zhu Sha), Massa fermentata (Shen Qu).*

Funções: Harmoniza o Coração e o Rim, melhora a visão, acalma a mente; usada na desarmonia entre o Coração e os Rins e para quadros de Excesso.

Chai Hu Long Gu Mu Li Tang

Decocção de *Radix bupleuri* e *os Draconis*.

Composição: *Radix Bupleuri (Chai Hu), Os Draconis (Long Gu), Radix Et Rhizoma Rhei (Da Huang), Radix Ginseng (Ren Shen), Sclerotium Poriae Cocos (Fu Ling), Fructus Ziziphi Jujubae (Da Zao), Radix Scutellariae (Huang Qin), Rhizoma Pinelliae Tematae (Ban Xia), Rhizoma Zingiberis Officinalis Recens (Sheng Jiang), Ramulus Cinnamomi Cassiae (Gui Zhi), Concha Ostrae (Mu Li), Minium (Qian Dan)*.

Funções: Elimina mucosidade, acalma o *Shen*, elimina o Calor no *Shao Yang* e *Yang Ming*.

Ding Zhi Wan

Pílula para Acalmar as Emoções.

Composição: *Radix Ginseng (Ren Shen), Sclerotium Poria Cocos (Fu Ling), Rhizoma Acari Graminei (Shi Chang Pu), Radix Polygalae Tenuifoliae (Yuan Zhi)*.

Funções: Usada na deficiência de *Qi*, nutre o Coração (*Qi* do Coração) e acalma o *Shen*.

Gan Mai Da Zao Tang

Decocção de Alcaçuz, Trigo e Jujuba.

Composição: *Radix Glycyrrhizae (Gan Cao), Fructus Ziziphi Jujubae (Da Zao), Fructus Tritici Levis (Fu Xiao Mai)*.

Funções: Deficiência de *Yin* e *Qi* do Coração, harmoniza o Triplo Aquecedor médio, tonifica o *Qi* do Baço, estase do *Qi* do Fígado e Secura. Pode ser usada para ansiedade, insônia, tristeza, dificuldade de concentração, climatério, depressão com labilidade emocional.

Gui Pi Tang

Decocção para Tonificar o Baço.

Composição: *Radix Astragali Membranacei (Huang Qi), Radix Ginseng (Ren Shen), Rhizoma Atractylodis Macrocephalae (Bai Zhu), Arillus Euphoriae Langan (Long Yan Rau), Radix Glycyrrhizae Uralensins (Gan Cao), Semen Ziziphi Spinosae (Suan Zao Ren), Sclerotium Poriae Cocos (Fu Ling), Radix Angeliacae Sinensis (Dang Gut), Radix Polygalae Tenufoliae (Yuan Zhi), Radix Aucklandiae Lappae (Mu Xiang)*. Pode-se adicionar ainda *Fructus Ziziphi Jujubae (Da Zao)* e *Rhizoma Zingiberis Recens (Sheng Jiang)*.

Funções: Tonifica o Baço-Pâncreas e o Coração, acalma o *Shen*, tonifica o *Qi* e o sangue. Pode ser usada para insônia, memória ruim, palpitação, agitação, náuseas, palidez, má-digestão, inapetência, face pálida, cefaleias, astenia, tendência a edemas, alopecia, sangramentos, hematomas, menstruações abundantes com sangramento pálido, escape no meio do ciclo, dores nos membros, taquicardia.

Huang Lian **e** *Jiao Tang*

Decocção de *Coptidis* e *Corii asini*.

Composição: *Rhizoma Captidis (Huang Lian), Radix Scutellariae (Huang Qin), Gelatinum Corii Asini (E Jiao), Radix Paeonia Alba (Bai Shao)*, gema de ovo *(Ji Zi Huang)*.

Funções: Tonifica o *Yin*, descende o Fogo, acalma o *Shen*.

Jia Wei Xiao Yao San **ou** *Xiao Yao San*

Pó Enriquecido para Circulação.

Composição: *Sclerotium Poriae Cocos (Fu Ling), Radix Angelicae Sinensis (Dang Gui), Radix Glycyrrhizae Uralensins (Gan Cao), Radix Paeonia Alba (Bai Shao), Radix Bupleuri (Chai Hu), Fructus Gardeniae Jasminoidis (Zhi Zi), Cortex Mountan Radicis (Mu Dan Pi), Rhizoma Atractylodis Macrocephalae (Bai Zhu), Herba Menthae (Bo He), Rhizoma Zingiberis Recens (Sheng Jiang)*.

Funções: Circula o *Qi* do Fígado, fortalece o Baço, nutre o sangue e limpa o Calor. Pode ser usado na menopausa e em quadros de irritabilidade, tensão pré-menstrual, aumento do fluxo menstrual, boca seca, sudorese.

Liu Wei Di Huang Wan

Pílula de Seis Ingredientes contendo *Rehmanniae*.

Composição: *Radix et Rhizoma Rehmanniae Preparata (Shou Di Huang), Fructus Comi (Shan Zhu Yu), Rhizoma Dioscorae (Shan Yao), Sclerotium Poríae Cocos (Fu Ling), Cortex Mountan Radicis (Mu Dan Pi), Rhizoma Alismatis (Ze Xie).*

Funções: Aumenta a energia *Yin* dos Rins e do Fígado, nutre o *Jing*, diminui o falso *Yang*. Esta fórmula é classicamente usada para insônia, lombalgia, calores, sintomas da menopausa, vertigem, zumbido, língua vermelha e pulso fino e rápido.

Sheng Tie Luo Yin

Decocção de *Frusta ferri.*

Composição: *Frusta Ferri (Sheng Tie Luo), Pulvis Aisamae cum Felle Bovis (Dan Nanoa Xing), Bulbus Fritillariae Cirrhosae (Bei Mu), Radix Scrophulariae Ningpoensis (Xuan Shen), Tuber Asparagi Conchinchinensis (Tian Men Dong), Tuber Ophiopogonis Japonici (Mai Men Dong), Fructus Forsythiae Suspensae (Lian Qiao), Radix Salviae Miltiorrhizae (Dan Shen), Sclerotium Poriae Cocos Paradicis (Fu Shen), Ramulus cum Uncis Uncariae (Gou Teng), Pericarpium Citri Reticulatae (Chen Pi), Rhizoma Acari Graminei (Shi Chang Pu), Cinnabaris (Zhu Sha), Radix Polygalae Tenufoliae (Yuan Zhi), Sclerotium Pariae Cocos (Fu Ling).*

Função: Acalma o Coração, eliminando o Fogo e a mucosidade.

Suan Zao Ren Tang

Decocção de Jujuba Azeda.

Composição: *Semen Ziziphi Spinosae (Suan Zao Ren), Radix Glycyrrhizae Uralensis (Gan Cao), Rhizoma Ligustici (Chuan Xiang), Sclerotium Poria Cocos (Fu Ling) e Rhizoma Anemarrhenae (Zhi Mu).*

Funções: Fórmula tranquilizante. Do ponto de vista da MTC, nutre o *Yin* e o sangue do Fígado, diminuindo o falso *Yang*. Trata a Secura e a deficiência de *Qi* e sangue.

Tian Wang Bu Xi Dan

Pílula do Imperador do Céu para Tonificar o Coração.

Composição: *Radix Rehmanniae Glutinosae (Sheng Di Huang), Radix Ginseng (Ren Shen), Tuber Asparagi Conchinchinensis (Tian Men Dong), Tuber*

Ophiopogonis Japonici (Mai Men Dong), Radix Scrophulariae Ningpoensis (Xuan Shen), Radix Salviae Miltiorrhizae (Dan Shen), Sclerotium Poriae Cocos (Fu Ling), Radix Polygalae Tenuifoliae (Yuan Zi), Radix Angelicae Sinensis (Dang Gui), Fructus Schisandrae Sinensis (Wu Wei Zi), Semen Biotae Orientalis (Bai Zi Ren), Semen Ziziphi Spinosae (Suan Zao Ren), Radix Platycodi Grandijiori (Jie Geng).

Funções: Nutre o Coração e os Rins, tonifica o *Yin* do Coração, tonifica o *Yin* e o Sangue, limpa o calor, acalma a mente. Usado em deficiência de *Yin* e sangue do Coração, desarmonia do Coração e dos Rins e deficiência do *Yin* do Rim.

Yang Xin Tang

Decocção para Nutrir o Coração.

Composição: *Radix Rehmanniae Glutinosae (Sheng Di Huang), Radix Rehmanniae Glutinosae Conquitae (Shu Di Huang), Radix Ginseng (Ren Shen), Tuber Ophiopogonis Japonici (Mai Men Dong), Radix Angelicae Sinensis (Dang Gui), Fructus Schisandrae Sinensis (Wu Wei Zi), Semen Biotae Orientalis (Bai Zi Ren), Semen Ziziphi Spinosae (Suan Zao Ren), Sclerotium Poria Cocos (Fu Shen), Radix Glycyrrhizae Uralensis Preparata (Zhi Gan Cao).*

Funções: Nutre o Coração, nutre o sangue e acalma o *Shen*.

Zhen Zhu Mu Wan

Pílula de *Concha margaritifera* (Madrepérola).

Composição: *Concha Margaritifera Usta (Zhen Zhu Mu), Radix Rehmanniae Glutinosae Conquitae (Shu Di Huang), Radix Angelicae Sinensis (Dang Gui), Radix Ginseng (Ren Shen), Lignum Aquilariae Resinatum (Chen Xiang), Semen Biotae Orientalis (Bai Zi Ren), Semen Ziziphi Spinosae (Suan Zao Ren), Sclerotium Poria Cocos (Fu Shen), Cornu Rhinoceri Asiatii (Xi Jiao), Cinnabaris (Zhu Sha).*

Funções: Nutre o *Yin* e o sangue, acalma o Coração e o *Shen*. Usado em quadros de aumento do *Yang* do Coração e do Fígado por consumo de *Yin* e sangue.

Zhu Sha An Shen Wan

Pílula de Cinabar para Tranquilizar o *Shen*.

Composição: *Cinnabaris (Zhu Sha), Radix Rehmanniae Glutinosae (Sheng Di Huang), Radix Coptidis (Huang Lian), Rhizoma Angelicae Sinensis (Dang Gui), Radix Glycyrrhizae Preparata (Zhi Gan Cao), Semen Biotae Orientalis (Bai Zi Ren), Semen Ziziphi Spinosae (Suan Zao Ren), Sclerotium Poria Cocos (Fu Shen).*

Funções: Limpa o Calor do Coração, nutre o *Yin* e o sangue, acalma a mente. Usado em quadros de Fogo do Coração por consumo de *Yin* e sangue.

14

Dieta no Tratamento dos Distúrbios Psíquicos

Na Medicina Tradicional Chinesa (MTC), a dieta é parte integrante do tratamento de um paciente. Quando a dieta está extremamente desbalanceada e alterada por causa da excessiva ingestão de alimentos calóricos, processados, muito frios ou muito quentes, ela será também fator etiológico de doenças. Ou seja, o cuidado com a alimentação visa não só à promoção e à manutenção da saúde, como também ao tratamento de determinadas doenças.

Alguns aspectos da alimentação moderna podem ser avaliados sob o ponto de vista da medicina chinesa clássica. Contudo, torna-se complicado avaliar o uso de freezer, micro-ondas, alimentos processados, alimentos em conserva, irradiados ou transgênicos e *fast food*. Naturalmente, a MTC não trata em particular de nenhum desses aspectos ultramodernos da alimentação, pois a MTC nasceu há cerca de três mil anos, fruto da intensa observação do homem em interação com a natureza. Muitas das modificações recentes dos padrões alimentares ainda não têm idade suficiente para responder àquilo que diz respeito à saúde da população. Entretanto, alguns desses novos hábitos já causaram danos visíveis, como, por exemplo, o uso de alimentos tipo *fast food*, altamente calóricos, com baixo valor nutritivo e assimilados rapidamente.

Comer rápido demais, sem prestar atenção à alimentação, impede que o Estômago absorva o *Qi* dos alimentos e, posteriormente, o Baço terá dificuldade em fazer o transporte e a transformação deste *Qi* para o resto do corpo.

O uso da geladeira e do freezer, indispensável nos dias de hoje, possibilita a conservação dos alimentos por mais tempo. Todavia, corre-se o risco de deixar de consumir produtos frescos, sempre mais ricos em vitaminas, além de acrescentar o "Frio" em excesso aos alimentos, o que poderá piorar condições de pacientes com baixa de energia *Yang* ou quadros de invasão de Frio patogênico externo. Sendo atualmente difícil imaginar a vida sem a geladeira, uma solução parcial para esse problema seria evitar o consumo de alimentos logo que são retirados da geladeira, pois contêm grande quantidade de Frio. A água gelada, por exemplo, pode atrapalhar o fluxo do Estômago e aconselha-se ingeri-la em temperatura ambiente ou quente, na forma de chá.

Alimentos transgênicos, conservados por irradiação ou conservantes químicos de toda espécie, têm papel desconhecido na MTC. Apenas o tempo dirá como eles agem no organismo.

Produtos orgânicos são, sem dúvida, muito bem indicados, o que não significa que devam ser consumidos crus. A dietética chinesa acredita que alguns alimentos crus são de fato muito bons para a saúde, mas que outros deverão ser cozidos ou até mesmo levemente fritos para facilitar sua absorção.

Princípios Básicos da Dietética Chinesa

Segundo a MTC, todos os alimentos possuem propriedades que agem de maneira diversa no corpo, podendo, assim, ajudar a combater certas doenças. No ocidente, os alimentos são analisados de acordo com seus ingredientes proteicos, vitamínicos, calóricos etc. Na dietética chinesa, outras características são levadas em conta, como os meridianos em que os alimentos penetram, os órgãos que afetam, sua natureza, seu sabor e seu modo de preparo. A seguir, expõem-se alguns desses princípios de maneira sucinta:

- *Órgãos e meridianos estimulados pelos alimentos:* Qualquer alimento pode estimular um ou mais órgãos e penetrar em um ou mais meridianos. O gengibre, por exemplo, é um alimento que estimula o Pulmão, podendo, portanto, ser utilizado para tratar doenças desse órgão.

- *Natureza dos alimentos:* Fria, fresca, morna, quente ou neutra. Por exemplo,

  Fria: Melancia, pera, banana, alga, kiwi, caranguejo, mariscos.

  Fresca: Alface, morango, laranja, pepino, pera, maçã, espinafre.

  Neutra: Batata, figo, uva, arroz, ervilha, carne de pato, ovos, leite, carne bovina.

  Morna: Cebola, alho, camarão, lichia, castanha, galinha.

  Quente: Casca de canela, pimenta-do-reino.

A natureza específica de cada alimento pode contribuir no tratamento de certas doenças. É o caso do uso do gengibre, da canela e do alho em resfriados (Vento-Frio) ou o uso da melancia em infecções urinárias (Calor). Em patologias originadas pelo Frio ou por deficiência de *Yang*, devem-se evitar alimentos frios, e em patologias consideradas quentes ou decorrentes do excesso de *Yang*, devem-se evitar alimentos quentes.

- *Sabor:* O sabor de um alimento indica uma função energética. Os sabores são:

  Doce: O sabor doce tem como propriedade tonificar, relaxar e afrouxar o *Qi*, harmonizar e regularizar o Aquecedor Médio e tonificar o Baço. Alivia sudorese e espasmos. São exemplos de alimentos doces: castanha, abóbora, uva, carne, tâmara, batata, arroz.

  Salgado: O sabor salgado tem como propriedade amolecer e suavizar o *Qi* e dissolver massas. São exemplos de alimentos salgados: algas, mariscos, caranguejo.

  Picante: O sabor picante tem como propriedade dispersar e dissipar o *Qi*, umidificar, mobilizar e circular. Induz a transpiração, ajuda na digestão. São exemplos de alimentos picantes: cebola, gengibre, jasmim, pimenta.

  Amargo: O sabor amargo tem como propriedade consolidar e firmar o *Qi*, eliminando o excesso de Umidade. Tem efeito diurético. Pode ser usado para diminuir a febre, ajuda a aliviar a tosse e a asma e também é purgativo. São exemplos de alimentos amargos: chá, couve, café.

  Azedo: O sabor azedo tem como propriedade adstringir, imobilizar, contrair e restringir o *Qi*. Diminui a transpiração e a perda de líquidos (como na diarreia ou na espermatorreia). São exemplos de alimentos azedos: ameixa, vinagre, limão, abricó.

- *Modo de preparo dos alimentos e sua procedência.* Desse modo, o cozimento adiciona Umidade, a fritura adiciona Calor, tostar resseca o alimento e assim por diante. Da mesma forma, o clima e as condições de solo, assim como o local onde o indivíduo irá comer tem imponência na dietética chinesa.

Assim sendo, na MTC, ao prescrever uma orientação dietética, combinam-se os diversos fatores descritos, para se obter a ação desejada. A seguir, alguns exemplos são apresentados:

1. O frango é um alimento doce, morno e com propensão para os meridianos do Baço e do Estômago. Podem-se, então, analisar suas características e presumir seus efeitos e suas indicações: o frango será um alimento tônico, que nutre o Baço e aquece o organismo. É indicado em quadros de deficiência do Baço, deficiência de *Yang*, em pacientes portadores de doenças crônicas e em quadros de Vazio.

2. O pepino é doce, fresco e tem propensão para os meridianos do Estômago e da Bexiga. Portanto, pode ser usado para diminuir o Calor e a sede, para promover a diurese e diminuir o edema.

3. A canela é picante, morna e tem propensão para os meridianos do Pulmão, do Intestino Grosso e do Estômago. É indicada em quadros de estase de *Qi* no Aquecedor Médio e acúmulo de mucosidade no Pulmão. Pode ser utilizada para tosse, asma, dor e distensão abdominais, dores articulares.

A boa alimentação depende da combinação equilibrada de todos esses princípios, adaptada ao clima e às condições do local em que a pessoa mora. Nos dias de hoje, muitas pessoas preocupam-se em aplicar *Feng Shui* em suas casas, quando deveriam, em primeiro lugar, promover uma organização dentro de si por meio de uma vida minimamente regrada e de hábitos alimentares saudáveis.

Regras Básicas para uma Boa Alimentação

a) Comer em horários regulares, sem pular refeições e sem diminuir ou aumentar exageradamente a quantidade de alimentos.

b) Comer lenta e calmamente (para que a energia dos alimentos possa ser absorvida corretamente).

e) Comer mais pela manhã, moderadamente no almoço e pouco no jantar, pois os órgãos responsáveis pela digestão e assimilação da energia dos alimentos funcionam no período da manhã.

d) Consumir alimentos de todos os grupos (carboidratos, proteínas, gorduras, vitaminas) e de todos os sabores (doce, salgado, picante, azedo, amargo), sem exagerar em nenhum deles.

e) Lembrar que o açúcar é excessivamente doce e, em vez de tonificar o Baço, ingerido em grandes quantidades irá piorar sua condição. Evite doces.

f) Evitar álcool, alimentos fritos e gordurosos, pois provocam alterações do tipo Calor e Fogo no Fígado.

g) Evitar ingestão excessiva de leite e derivados, pois estagnam a energia (obstrução do fluxo de *Qi*) e pioram a função do Estômago e do Baço-Pâncreas, na MTC. O leite materno é um ótimo alimento para o lactente, entretanto, o leite de vaca é pesado para o adulto e deve ser consumido com muito cuidado e moderação.

h) Frutas, vegetais e legumes crus devem ser ingeridos com moderação e de preferência ao fim da refeição. A refeição pode ser iniciada com alimentos neutros ou mornos como sopas, carnes, cereais, pois esquentam o Estômago e facilitam a digestão. Alimentos crus são preferencialmente ingeridos no verão. Podem ser consumidos no meio e no fim das refeições (quando o Estômago já está quente). Não se recomenda fazer regimes à base de saladas e frutas cruas, pois isso atrapalha ainda mais a função do Baço e dificulta, até certo ponto, o emagrecimento.

i) Evitar bebidas geladas. Os líquidos (incluindo a água) precisam ser ingeridos em abundância, mas em temperatura ambiente, mornos ou quentes.

j) Procurar alimentos orgânicos, sem antibióticos, sem agrotóxicos (que pioram a condição do Fígado) e em bom estado de conservação.

Desequilíbrios como insônia, ansiedade, palpitações e depressão também podem ser tratados utilizando-se a dieta preconizada na medicina chinesa. Algumas orientações dietéticas para esses casos serão dados a seguir.

Insônia

Para casos de deficiência de Coração e Baço: Trigo, semente de lótus, mel, tâmara e longan.

Para diminuir o Fogo causado por deficiência de **Yin**: Amora, ostras, ovo de galinha, marisco (mexilhão), bulbo da flor-de-lis (lírio).

Para estagnação do **Qi** *do Fígado transformando-se em Fogo:* Ameixa, laranja.

Para desarmonia do Estômago: Nabo, castanha d'água e espinheiro (*Crataegus*). Evitar alimentos estimulantes, como café ou chá e picantes. Fazer refeições menores e mais leves.

Depressão

Evitar alimentos gordurosos, picantes, que causam a estase do *Qi* do Fígado, Fogo ou desequilíbrio do *Yin* e do *Yang*.

*Ingerir alimentos que ajudem a regularizar o **Qi**, nutram o Fígado e tranquilizem o Coração*: Flor de laranjeira, trigo, semente de lótus, bulbo da flor-de-lis (lírio), lichia, longan, jujuba, amora, ostra.

Palpitações

*Para nutrir o **Yin** e diminuir a hiperatividade do **Yang***: Pera, bulbo da flor-de-lis (lírio), trigo, ostra, carne de pato.

Para tonificar o sangue do Coração: Frango, pombo e tâmara.

*Para tonificar o **Qi** do Coração*: Amora, ovo, coração de porco, uva, lichia, longan.

*Para tonificar o **Yang** do Coração:* Leite de cabra, coração de cordeiro, gengibre seco, canela.

De um modo geral, evitar alimentos picantes, gordurosos e estimulantes como, vinho, chá preto e café.

Além disso, podem-se indicar alimentos específicos de acordo com os diversos padrões de desarmonia que geram os transtornos emocionais e mentais, conforme já exemplificado no capítulo sobre os Distúrbios Psíquicos e os *Zang Fu*:

- **Deficiência de *Qi*:** Abóbora, arenque, alcaçuz, arroz, batata, batata-doce, carne bovina, cereja, cogumelo shitake, coco, coelho, enguia, esturjão, fígado de boi, feijão-branco, frango, ginseng, jaca, raiz de lótus, mel, polvo, tofu, tâmara, uva.

- **Deficiência de sangue:** Carne bovina, mariscos, espinafre, ostra, polvo, presunto, rabada, uva, fígado de boi, de porco e de carneiro, pé de porco, coração de porco, ovo de galinha, queijo, açúcar, sangue de boi, de pato e de porco.

- **Deficiência de *Yin*:** Abacaxi, abalone, abóbora amarga, açúcar, arroz, aspargo, camarão, cana-de-açúcar, carambola, caranguejo, coelho, cogumelo branco, semente de damasco doce, ervilha, feijão, figo, geleia real, inhame, leite, limão, maçã, maltose, manga, melão-cantalupe, mel, melancia, mexilhão, moluscos, nozes, ostra, ovo, carne de pato, pera, polvo, porco, queijo, tofu, rã, romã, tâmara, tangerina, tomate, vagem.

• **Deficiência de *Yang***: Anis-estrelado, casca de canela, castanha, semente de cebola verde, semente de cebolinho, cravo-da-índia, semente de erva-doce (endro), raiz de erva-doce, framboesa, pimenta malagueta, rabada.

• **Para diminuir o Calor excessivo:** Abóbora, aipo, alcaçuz, alface, babosa (*Aloe vera*), batata, berinjela, broto de bambu, raiz de bambu, bardana, folha de beterraba, carambola, caranguejo, mariscos, coelho, crisântemo, endiva, figo, flor-de-lis (lírio), clara de ovo, menta, caule de lótus, raiz de lótus, raiz de malva, manjericão doce, mel, morango, folhas de orquídea, tofu, rã, rosa, sal, pasta de feijão de soja, trigo, folha de uva.

• **Para melhorar a circulação de *Qi*:** Açafrão, alcaravia (*Kilmmel*), alho, anis-estrelado, carne bovina, semente de melão-cantalupe, semente de cardamomo, raiz e cabeça branca de cebola-verde, bulbo de cebolinha-verde, cebolinha, cenoura, cidra, mariscos, cogumelo shitake, semente de erva-doce, endro, raiz de erva-doce, folha de figueira, ovo, hortelã, flor de jasmim, folha de laranjeira, folha de limão, broto de lótus, malte, folha de mangueira, manjericão doce, mexilhão, semente de mostarda, orégano, folha de orquídea, rosa, semente de tangerina, tangerina, vagem, vinagre.

• **Para melhorar a circulação de sangue**: Açafrão, açúcar-mascavo, aipo, raiz de aipo, semente de ameixa, arroz glutinoso, folha de berinjela, berinjela, folha de beterraba, camélia, cânhamo, melão--cantalupe, semente de melão-cantalupe, pata de caranguejo, caranguejo, castanha, raiz de cebola-verde, esturjão, feijão-de--soja-amarelo, feijão-preto, folha de gengibre, raiz de kiwi, raiz de limoeiro, caule, raiz e flores-de-lótus, raiz de mamona, manjericão--doce, raiz de milho, mostarda-branca ou amarela, semente de pêssego, pêssego, pimenta-branca, pimenta-malagueta, tofu, rabanete, rosa, vinagre.

• **Vazio do *Qi* do Coração ou Vazio de *Yang* do Coração:**

*Alimentos que nutrem o **Qi** do Coração:* Trigo, couve, coração de porco, semente de lótus, leite-de-vaca.

*Alimentos que tonificam o **Yang** do Coração:* Leite-de-cabra, coração de cordeiro, gengibre-seco, canela.

• **Vazio do sangue do Coração:**

Alimentos que nutrem o sangue do Coração: Leite-de-vaca.

Alimentos que acalmam o Coração: Milho, pétala de lírio, came de carneiro, ovo de galinha.

Alimentos que acalmam o **Shen**: Pó de ostra, lúpulo, alcaçuz.

Alimentos que acalmam a agitação interna e angústia: Bardana, trigo, frango, jujuba, mel, ovo de galinha.

Alimentos que acalmam as palpitações: Coração de porco, fígado de porco, jujuba, pó de ostra, pétala de lírio, alcaçuz, valeriana.

• **Obstrução dos orifícios do Coração por mucosidade-calor do Coração:**

Eliminar a mucosidade: Vesícula de boi ou de porco, semente de lótus, pétala de lírio.

Alimentos que ajudam a abrir os orifícios do Coração: Vesícula de boi, de cavalo, de porco ou de javali, carne de javali, escargot, carapaça de tartaruga, carneiro, leite-de-ovelha, gema, arruda, alcaçuz, oliva chinesa.

• **Fogo do Coração:**

Para diminuir o Fogo do Coração: Bardana, leite-de-vaca, pera, vesícula de boi.

• **Aumento do *Yang* do Fígado:**

Alimentos que aumentam o **Yin** *do Fígado:* Caranguejo, carne de porco, uvas.

Acalmar o Fígado: Cabelo-de-milho, semente-de-girassol, gergelim, vesícula de boi.

Para eliminar o Fogo do Fígado: Vesícula de boi e de cavalo.

Contraindicados: Alimentos quentes e picantes.

• **Estagnação do *Qi* do Fígado:**

Os seguintes alimentos são indicados: Folha de laranjeira, alho, alho-porto, manjericão, alface.

Dar preferência às refeições leves, usar o sabor picante, alimentos mornos ou quentes.

Evitar ovo de galinha e açúcares, alimentos frios ou de sabor ácido.

Meditação

15

Introdução

Meditação é uma prática que visa à concentração e à atenção e, por meio delas, ao desenvolvimento da consciência. Mas, afinal, de que tipo de concentração e atenção e de qual consciência se trata?

A atenção pode fixar-se em uma parte do corpo ou em um mantra, concentrando-se no ritmo da respiração e tomando cuidado para mantê-la constante, sem divagar. A atenção é o modo pelo qual se pratica a meditação, focando-a para dentro. A manutenção dessa atenção é a concentração que nos permite estar em contato com o nosso centro, independentemente do mundo externo.

Pode-se encarar o desenvolvimento da consciência como um aprendizado interno, intuitivo. Consciência é um conceito amplo, que se aplica a vários sistemas. Pode ser a consciência de como se pensa e das reações emocionais, dos valores pessoais reais e dos sociais. A consciência pode ser também a do corpo, das tensões musculares, pois, ao meditar, é possível perceber várias partes do nosso corpo, que estavam esquecidas. E, finalmente, a consciência pode ser a do *self* ou do eu verdadeiro, de quem realmente somos.

Em última análise, a meditação é uma prática que exige que nos aquietemos. Como num lago turvo, as partículas de terra vão sendo depositadas quando as águas estão calmas, possibilitando, assim, que se enxergue o fundo. Só se pode enxergar o eu verdadeiro, aquele livre das convenções sociais, das máscaras, das reações de medo, raiva, paixão e outras emoções, quando se está de fato em contato íntimo consigo mesmo. Quando o eu verdadeiro se manifesta, somos capazes de expressar nossa criatividade, nossas potencialidades e talentos, somos capazes de expressar nossa maneira única de ser, pois cada ser humano é único e individual e essa é a maravilha da natureza.

Do momento em que nascemos até a nossa morte fazemos um percurso em direção a ampliação da consciência. Um bebê que explora sua casa, explora cada novo objeto, experimenta cada novo sabor, ouve cada nova palavra, aumenta sua consciência do mundo. Infelizmente, ao nos tornarmos adultos, perdemos essa curiosidade do mundo e pensamos que já conhecemos tudo ou quase tudo. A vida passa a ser monótona e repetitiva, muitas vezes, uma corrida contra o tempo para cumprir tarefas que já nem sabemos mais porque as estamos cumprindo.

Se pararmos para observar a nós mesmos, aos outros e à natureza, veremos que ainda há muito a ser descoberto, que podemos continuar explorando com alegria e interesse. Mas o fato é que muitos de nós não temos tempo para parar e olhar em volta e já não sabemos mais onde buscar essa curiosidade. Ficamos presos aos pensamentos que inundam nossa mente, preocupados (ou seja, ocupando-se previamente) com os afazeres, com a lista do supermercado, a fila do banco, as contas a pagar, as pequenas brigas na família e assim por diante. Mal sobra espaço para achar soluções, tantos são os problemas. É por isso que a meditação tem um papel fundamental, pois ela nos possibilita sair desse redemoinho de pensamentos e libertar nossa mente do fluxo incessante de preocupações. São apenas alguns minutos preciosos de que precisamos, para podermos entrar no eixo novamente.

Ações na Fisiologia Humana

A fisiologia estuda a função dos órgãos e dos sistemas do corpo humano. Ao meditar com regularidade, pode-se obter efeitos como a estabilização da pressão arterial e dos ritmos cardíaco e respiratório, além do melhor funcionamento dos órgãos e da mente. Hoje em dia, já existe uma série de estudos que procuram aliar a meditação ao tratamento de pacientes enfartados (pois há uma melhora no funcionamento do coração), bem como em pacientes em fases pré e pós-operatória. Muitas pessoas relatam que com a prática constante da meditação suas dores melhoram ou desaparecem, sejam elas dores articulares, dores de cabeça, de estômago etc.

Atualmente, existe uma área da medicina que observa a interação dos fenômenos psíquicos e físicos: a neuroimunopsicologia. Sabe-se, por exemplo, que pacientes deprimidos têm uma queda no sistema imunológico, ficando mais suscetíveis a infecções e outras doenças.

Doenças crônicas levam a alterações dos estados de humor. Não se pode esperar de alguém que esteja com uma forte dor de cabeça a mesma alegria e clareza para tomar decisões de alguém que goza de boa saúde. A antiga medicina chinesa já apresentava o ser humano como um ser indivisível, em que não há a dualidade mente e corpo. Mente e corpo adoecem e se recuperam juntos, pois são uma só entidade.

Por promover um olhar de atenção para dentro de si, a meditação ajuda a mente a se acalmar, possibilitando ao corpo a descoberta de novos caminhos para funcionar bem. Não existe apenas um modo de funcionar, mas cada um tem seu próprio ritmo e sua maneira. Meditar é procurar esse ritmo e esse caminho, é ir ao encontro do funcionamento ótimo de cada um.

Para que Meditar?

A meditação está na moda. Hoje em dia, quem não pratica ao menos já ouviu falar a respeito. Muitas pessoas procuram a meditação como uma espécie de relaxamento; outras buscam na meditação um caminho espiritual ou até mesmo uma prática religiosa como, por exemplo, o budismo. Há quem procure a meditação para melhorar a saúde.

Como foi mostrado, a meditação por si só ajuda no funcionamento do corpo e da mente. Então, seria em busca desses benefícios que deveríamos meditar?

Meditar é uma prática em si e não deve ser feita em busca de algum objetivo que não o da própria experiência. Quem medita procura estar atento no aqui e no agora, na respiração, no momento em que se está vivendo. Portanto, meditar para obter algum benefício foge desse espírito de entrega. É verdade que a meditação pode trazer uma série de ganhos, tais como uma mente mais alerta e ágil, maior clareza de ideias, possibilidade de expressão da criatividade, relaxamento, tranquilidade interior e melhora de sintomas e de doenças físicas. Mas nem por isso deve-se meditar buscando esses benefícios. Eles vêm naturalmente; fazer força para obtê-los significa gastar energia tolamente. A meditação e um caminho em si mesmo. Se vivermos em busca de objetivos e, quando se cumprem, perdemos o sentido de viver. Se meditarmos em busca de um proveito, também perderemos o sentido da prática meditativa. Meditar significa estar presente. Ser capaz de viver o momento presente é essencial, pois o passado já não existe mais e o futuro é apenas uma ilusão.

Por que é tão Difícil Meditar?

Assim como cada um de nós é único, também muitos são os caminhos para a descoberta do eu verdadeiro. A meditação é um deles e, por intermédio dela, novamente se encontra a pluralidade de métodos. Há muitas maneiras de meditar, todas elas relativamente simples. Porém, como em tudo que é simples, existe uma extrema dificuldade em se manter a constância.

As coisas simples da vida são difíceis, pois exigem confiança, perseverança e tranquilidade. Meditar é simples, mas muitos outros interesses nos tiram a atenção de nós mesmos. Na vida moderna, temos sempre um motivo para não conseguir meditar: falta de tempo, um programa interessante na TV, um jantar na casa de amigos, sono etc. Mas será que, de fato, não podemos dispor de alguns minutos diários para praticar algo que realmente nos faz bem?

Outra questão importante é que nem todos os dias a meditação será tranquila e relaxante. Muitas vezes será uma luta, pois nossa mente, tão inundada de pensamentos, ficará fugindo da concentração. Não há nada de errado nisso, pois nem todos os dias de nossa vida são bons ou fáceis e a meditação não poderia ser diferente. Apenas o fato de sentarmos e nos darmos esse tempo já faz uma diferença importante. Nem sempre temos fome, mas comemos diariamente, pois, sem alimento, o corpo não fica de pé. A meditação é um alimento para o espírito.

Como Meditar?

As técnicas são muitas e cabe a cada um de nós procurar o caminho em que há maior ressonância interna. Apesar de a meditação requerer disciplina, não adianta forçar um modo que não faça sentido para nós. Inicialmente, associa-se a meditação à prática oriental, mas também se encontram as meditações cristã e judaica (associada à cabala) como práticas meditativas ocidentais. A meditação não é uma prática exclusiva de uma religião, de um grupo ou uma seita, ela é universal e não importa a religião de origem.

De maneira geral, para meditar é necessário encontrar um local calmo, onde seja possível sentar (nunca deitar!) no chão ou em uma cadeira, sem recostar, por cerca de 20 a 30 minutos. A meditação ajuda no desenvolvimento do silêncio interno e da quietude, portanto, um ambiente silencioso e tranquilo e o ideal. Mesmo ao achar um lugar privado, muitas vezes os ruídos em volta não cessam. A meditação não é uma proposta de se isolar do mundo, mas sim de poder estar atento dentro dele. Portanto, os barulhos externos fazem parte da vida normal e devemos treinar manter o silêncio interno, independentemente do que ocorra ao redor.

É importante que a meditação não seja interrompida pelo telefone, bip ou alguém da casa. Quando isso não for possível, avise seus familiares, peça respeito por esses minutos de silêncio e, em último caso, medite antes de sair do quarto, ao acordar, ou mesmo no banheiro.

Inicialmente, pode-se meditar por menos tempo, aumentando-o aos poucos. É interessante acionar um alarme para que toque ao fim do tempo programado, já que a mente deve estar tranquila, livre da preocupação de controlar o tempo.

As roupas devem ser confortáveis e soltas. A postura pode ser a de lótus, meio-lótus, de pernas cruzadas ou sentada numa cadeira, em posição confortável, que deve ser mantida durante o tempo da meditação. A ponta do queixo fica em direção ao pescoço e à coluna, mais ereta possível, como se um fio de linha puxasse o alto da cabeça para o céu. Coluna ereta não significa rígida: é importante perceber se uma vértebra se acomoda em cima da outra sem tensões. Deve-se focalizar a atenção nos locais em que haja tensão e observar se há possibilidade de relaxar.

Dificuldades Principais

O sono é o maior obstáculo à meditação, por isso não é aconselhável meditar deitado ou recostado. É necessário manter um tônus do corpo com a coluna ereta e a posição alerta. Se o sono for muito intenso, é melhor parar, descansar e meditar quando estiver desperto.

A falta de tempo é um dos males da vida moderna e algumas pessoas têm realmente pouquíssimo tempo para si próprias. Essa extrema falta de tempo é muito prejudicial, pois não se pode levar uma vida saudável e equilibrada sem que haja tempo para recompor-se. Quando a falta de tempo é esporádica, sugiro que, nesses dias, a meditação seja breve, por 10 minutos, mas que não se quebre a constância. Como já visto, a meditação é o alimento do espírito. É melhor comer pouco que não comer nada.

Diminuindo o ritmo externo, entra-se em contato com o ritmo interno e com uma percepção muito mais aguçada do corpo. Algumas dores podem ficar mais agudas e outras, que nem existiam, podem aparecer, em razão da posição inerte do corpo. Muitas dessas dores são motivos para desviar a atenção. É importante observar tudo que acontece dentro de si sem se envolver e logo o corpo ficará mais confortável. Outro dado interessante é que, ao observar uma determinada parte do corpo, serão encontradas diferentes reações cada vez que a atenção passar por ali. Esse é o fenômeno da impermanência: nada é para sempre e tudo está em constante movimento. A meditação não é feita apesar do corpo, mas sim com ele. Meditamos com o corpo presente, com suas dores e incômodos, com seus prazeres e desprazeres. Afinal, o corpo é a nossa morada, o que nos possibilita expressar a vida e o que somos.

Meditação Anapana

Anapana: A Meditação da Respiração

Sente-se confortavelmente sobre uma almofada, uma cadeira, no chão ou em um colchão, mas sem encostar as costas e sem se deitar. Relaxe os ombros, deixe a coluna ereta e a ponta do queixo em direção ao pescoço. As mãos podem ficar sobre os joelhos ou na região do umbigo (*Dantien* — centro de energia do corpo). Olhe em direção ao chão, com a visão a 45° (meditação *zen*) ou feche os olhos. Focalize a atenção na sua respiração; em cada inspiração e expiração. Caso você se desconcentre e comece a ter pensamentos variados, volte a fixar-se na respiração, contando cada inspiração e expiração até dez e, depois, faça a contagem regressiva. Ao focar novamente, pode deixar a contagem de lado. Outro modo de manter a concentração é prestar atenção na região abaixo das narinas, entre o nariz e a boca, percebendo a respiração e o ar que entra e que sai.

Quando pensamentos vierem, não é preciso evitá-los, basta deixá-los entrar e sair junto com a respiração. Se pensar no supermercado que terá de fazer, não fique listando os itens para comprar, não entre na fila nem escolha seus produtos mentalmente. Simplesmente deixe o pensamento ir embora, sem se envolver com ele nem ser levado por ele.

Se tiver vontade de coçar alguma parte do corpo ou mudar de posição, conte até dez, focando sua respiração e, depois, observe se a vontade passou. Se ela ainda estiver lá, coce ou mude de posição sem fazer muito alarde e, logo após, retome sua concentração.

Não utilize música de fundo; ela pode atrapalhar sua atenção. Deixe um despertador programado para tocar após 20 minutos; assim você não precisa ficar controlando quantos minutos já passaram.

Essas regras valem para todas as meditações citadas aqui.

Por que a respiração? Poder-se-ia prestar atenção em tantas coisas diferentes, mas a maior parte das linhas meditativas dá ênfase à respiração. Ela contém um novo nascimento e uma nova morte; o ciclo completo da vida a cada inspiração e expiração. No nascimento, respira-se pela primeira vez, dando fim à vida intrauterina e início à vida na Terra, que só terminará após expirar pela última vez. Respirar significa a possibilidade de troca, saindo o velho, entrando o novo. É poder renunciar ao que está dentro, para que haja espaço para receber o que está fora. A respiração é um movimento contínuo e ritmado que traduz a essência da própria vida.

Meditação Vipassana

Vipassana: A Meditação do Corpo

Sente-se confortavelmente sobre uma almofada, uma cadeira, no chão ou em um colchão, mas sem encostar as costas e sem se deitar. Relaxe os ombros, deixe a coluna ereta e o queixo em direção ao pescoço. As mãos podem ficar sobre os joelhos ou na região do umbigo (*Dantien* — centro de energia do corpo). Feche os olhos, mantenha a respiração calma.

O foco de atenção é migratório, faz-se um percurso por todo o corpo, iniciando na cabeça e indo até os pés, depois, fazendo o caminho inverso.

O percurso pode ser detalhado e levar alguns minutos ou até menos para completá-lo. Observam-se o topo da cabeça, os olhos, o nariz, a boca, a nuca, as orelhas, o pescoço, o peito, os braços, as mãos, o diafragma, a barriga, a coluna, a pelve, as pernas, os pés. Em seguida, sobe-se até o topo da cabeça.

A observação do corpo é passiva e tranquila, sem a intenção de mudar nada ou de se fixar em partes prazerosas. É possível que, ao se deparar com uma tensão muito forte nas costas ou na pelve, por exemplo, aquela musculatura relaxe-se, mas a meditação não tem como objetivo final mudar a postura e sim ter consciência dela. Portanto, o relaxamento de uma parte específica do corpo pode ser feito, se necessário, mas não como objetivo principal.

Nessa meditação o importante é perceber a impermanência: a cada ciclo as sensações do corpo podem mudar. Em um primeiro momento, é possível que você perceba forte formigamento e dor nos pés, mas ao passar por eles novamente, em uma outra volta, o formigamento pode ter desaparecido ou se transformado em uma outra dor; talvez na perna, talvez nos dedos. A observação tranquila dessas alterações nos ajuda a perceber as mudanças de nosso dia a dia e de nossas vidas com maior aceitação e serenidade.

Assim é a vida: sempre mudando, sempre em movimento.

Meditação com Mantra

Mantra: A Meditação do Coração

Sente-se confortavelmente sobre uma almofada, uma cadeira, no chão ou em um colchão, mas sem encostar as costas e sem se deitar. Relaxe os ombros, deixe a coluna ereta e o queixo em direção ao pescoço. As mãos podem ficar sobre os joelhos ou na região do umbigo (*Dantien* — centro de energia do corpo). Feche os olhos, mantenha a respiração calma.

Escolha um mantra composto por uma palavra ou frase simples, que tenha um significado de fé para você. Esse mantra será repetido mentalmente (sem oralidade) por todo o tempo da meditação. A repetição não deve ser mecânica; faça-a com amor e fé. Chamo a meditação do mantra de meditação do Coração, pois se não for repetida com fé e amor, toma-se mecânica. Essa meditação pode necessitar de uma concentração ainda maior, mas não apenas intelectual, e sim uma concentração que permita sua presença integral. O mantra pode ser sincronizado com a respiração. O mantra é usado na meditação cristã, que surgiu, provavelmente, com o próprio Cristo, que se recolhia sozinho para passar a noite em meditação. Para orar por tanto tempo, muita concentração, atenção, fé e amor são necessários. Acredita-se que essa forma de oração praticada por Jesus seria contemplativa, com elementos muito próximos aos da meditação. No século IV, os padres do deserto retiravam-se para meditar; eram místicos que propunham um diálogo direto com Deus. Os budistas também realizam a meditação com mantras. Muitas vezes, quando repetido em conjunto, o mantra é dito em voz baixa formando um uníssono que ajuda a levar o grupo todo a um estado de meditação.

Conclusão

A meditação é o alimento do espírito. Para alimentar o espírito, devemos meditar todos os dias, mesmo quando estamos cansados. É melhor meditar por apenas 5min que não meditar, assim como é melhor comer pouco que não comer. Mas é preferível comer e meditar na medida certa. Recomenda-se que a meditação seja feita duas vezes ao dia: pela manhã e à noite, por 20 a 30 minutos.

Quando o Ordinário Supera o Extraordinário

No seu livro *Prática Diária da Meditação Cristã*, Laurance Freeman ressalta a importância das coisas ordinárias[17]. Ou seja, a relevância do dia a dia, daquilo que está sempre ali, mas que muitas vezes não damos valor por tomarmos como certo. Talvez consideremos ordinário ter saúde, ter casa, família, amigos, ser quem somos, trabalhar, dormir, comer e também meditar. Mas a vida é feita dessas coisas, muito mais que do "extraordinário", tão mais raro e ocasional. Quando aquilo que tomamos amo "ordinário" nos falta, percebemos a sua real importância.

Peregrinação Rumo ao Coração

Ter consciência de nós mesmos é poder conhecer nosso coração. A meditação nos traz a serenidade necessária para que possamos olhar para dentro e enxergar quem de fato somos. Só então podemos ajudar realmente os que nos rodeiam. A mística é bela, mas precisa de olhos para não se tornar uma ilusão. Ajudar o próximo é uma bela forma de estar no mundo, que possibilita crescimento pessoal e da humanidade, mas, novamente, precisamos saber quem somos para podermos realmente estender a mão ao outro. A peregrinação rumo ao coração é uma possibilidade de consciência pessoal e coletiva. Ao enxergarmos com clareza nossas dificuldades, teremos mais compaixão e mais humildade para oferecer.

O real conhecimento só ocorre com a prática. Aquele que passa somente pelo intelecto não cria raízes e parece, muitas vezes, não provocar mudanças significativas. Por exemplo, falar sobre amor, mas não praticá-lo, torna as palavras vazias. A meditação é uma prática, nunca uma teoria. Quem não pratica não medita, portanto, chega de teorias.

16

Terapias de Abordagem Corporal e Simbólica

Trabalhando com o Corpo

Trabalhando com o corpo do paciente, é possível lentamente desvendar alguns mistérios de sua psique, pois cada parte do corpo apresenta, paralelamente, uma função psíquica e emocional. Os diversos níveis corporais, os órgãos internos e suas funções representam possibilidades de abordagem corporal e simbólica, com o fim de estimular conteúdos psíquicos.

Ouvidos

Os ouvidos são, dentre os órgãos dos sentidos, os primeiros a entrar em contato com o meio ambiente externo, durante a vida fetal. Já na vida intrauterina o feto e capaz de distinguir sons do meio externo que se propagam pelo líquido amniótico. Tapar os ouvidos proporciona uma sensação de isolamento e afastamento dos ruídos e da excitabilidade do mundo externo.

Nas terapias corporais, principalmente na vegetoterapia e na terapia de Tomatis (ouvido eletrônico), o trabalho com os ouvidos permite investigar a fase intrauterina. Em Medicina Tradicional Chinesa (MTC), tradicionalmente, os ouvidos são associados aos Rins, que também são responsáveis pela energia fetal e pela vida intrauterina. Para tratar perturbações auditivas e baixa energia global utiliza-se o meridiano dos Rins, o da Bexiga e alguns pontos especiais como o *Ming Men* (porta da vida).

Olhos

Os olhos representam a capacidade de enxergar, vendo o ambiente e codificando-o internamente, bem como a capacidade de ver as pessoas e entender o que são para nós, de observar uma situação e compreender o seu significado implícito.

Problemas nos olhos podem alterar a visão do mundo e deturpar os valores pessoais. Na miopia há maior facilidade de ver o que está próximo, na hipermetropia, o oposto. Míopes enxergam melhor suas relações íntimas e próximas e pessoas com hipermetropia têm mais facilidade para visualizar situações distantes, projeções futuras, relações sociais.

Não será feita, aqui, uma lista das alterações dos olhos e suas implicações nas atitudes e nas relações pessoais. Há diversos livros que tratam desse tema. As alterações oculares são inegavelmente multifatoriais, determinadas pelo genótipo e pelo fenótipo, e, portanto, sua relação com as doenças físicas ou mentais nem sempre é linear. Encontram-se pessoas sem alteração nos olhos, mas com grande dificuldade de enxergar e compreender o mundo.

Quando se lida com os olhos, em terapia corporal, trabalham-se as relações entre a realidade externa (o que se vê) e a realidade interna (o que, de fato, se percebe). Os olhos são um ponto-chave em terapia, pois quem não vê onde está, não pode sair do lugar, fica perdido em confusão e dispersão. Mobilizar os olhos e o olhar ativa a percepção do ambiente, das distâncias entre o eu e o outro, dos pontos de referência internos e externos. Enfim, localiza e pontua quem somos e onde estamos.

Na MTC, os olhos pertencem ao elemento Madeira e estão associados ao Fígado. Equilibrar a Madeira usando os pontos de acupuntura do Fígado e da Vesícula Biliar melhora não só a visão física, como também a psíquica. Curiosamente, o Fígado também é responsável pelo movimento, pela direção, o que depende fundamentalmente dos olhos.

Nariz

O nariz e a via de entrada do ar, portanto, a respiração livre depende de um nariz desbloqueado. Há muitas correlações entre a função do nariz e a expressão da agressividade. Um felino, por exemplo, quando mostra sua agressividade arreganha os dentes e solta o ar fortemente pelas narinas. O mesmo ocorre com um touro antes de partir para o ataque. Soltar o ar pelo nariz ajuda a estimular a respiração e a circulação. O nariz também é um dos órgãos dos sentidos. Cada pessoa tem um perfume, um odor característico e individual; distingui-lo dos demais significa reconhecer a identidade do outro e, também, poder relacionar-se com o outro.

Corporalmente, o nariz pode ser trabalhado em terapia para ajudar a liberar a respiração (sua ligação com o pulmão e o diafragma), a agressividade, a identidade e a relação com o outro pelo olfato.

Em MTC, utilizam-se os Pulmões e o Intestino Grosso para circular a energia no nariz, lembrando que os Pulmões alojam o *Po*, que é uma força individualizadora e egocêntrica e que permite a proteção do eu por meio de reações instintivas.

Boca

A boca é a porta de entrada da nutrição. É a via pela qual se assimilam os alimentos, sentem-se os sabores e leva-se a energia para dentro do corpo. Trabalhar a boca e a nutrição, em medicina chinesa, significa trabalhar com o elemento Terra usando Baço-Pâncreas e Estômago. Em terapias corporais, mobilizar a boca implica ativar a capacidade de receber, de aceitar, de ser nutrido e, também, de saber recusar o alimento estragado. Ensina-se a abrir a boca para deixar entrar o que nutre e, a fechar, mostrando os dentes, para impedir a entrada daquilo que fará mal.

Por defesa, algumas pessoas mantêm a boca constantemente tensa e "fechada", em uma atitude de recusa do que vem dos outros, pois elas têm extrema dificuldade em receber. Outras, por outro lado, mantêm a boca permanentemente aberta e acreditam que têm de engolir tudo. Outras, ainda, abrem a boca e esperam o alimento vir (de onde não há) e ficam o tempo todo se sentindo vazias. Saber abrir e fechar a boca é, também, saber quando abri-la ou fechá-la e onde buscar o alimento e o amor que nutrem.

Boca e Pescoço

Por meio das cordas vocais e com a ajuda da língua, pode-se falar e expressar ideias. A fala é uma das formas de expressão que melhor comunica o que se quer dizer, mas, às vezes, oculta aquilo que o indivíduo realmente pensa e sente. Por isso, a fala pode ser um instrumento de comunicação dissimulada, diferentemente da linguagem corporal, que expressa o que não é possível ocultar. A garganta é, de acordo com os chacras hindus, o centro da palavra falada, o "logos" (em contraposição ao eros). Crer somente no que diz a palavra pode significar acreditar em ideias pré-concebidas e teóricas, sem embasamento emocional.

O pescoço, por sua vez, é a sede do "ideal do eu", daquilo que se gostaria de ser. Uma pessoa que idealiza e gosta de ser idealizada apresenta postura altiva e pescoço ereto. O pescoço é a sede do narcisismo. Um pescoço duro, rígido e forte pode cortar a conexão entre a razão (cabeça) e a emoção (peito). Todavia, o pescoço firme no bebê indica um bom grau de desenvolvimento neurológico.

Nas terapias corporais, o trabalho com o pescoço e com a voz possibilita soltar a defesa narcísica, a pessoa pode voltar a viver mais de acordo com seu eu verdadeiro que com sua imagem. Na MTC, a voz e a fala são trabalhadas por meio do Coração e do *Hun* (que faz parte do Fígado) e o pescoço, como defesa, com o Fígado e a Vesícula Biliar.

Peito

No peito mora a identidade, é a sede do eu. Quando se diz "eu", bate-se no peito, onde estão os pulmões e o coração, ou seja, a vitalidade, a circulação e as emoções. Desde a mais tenra idade, o bebê ao sofrer qualquer estresse bloqueia, em primeiro lugar, a respiração e o sentir. A dor paralisa, portanto, respirando menos, sente-se menos dor e, também, menos prazer. Para voltar a sentir prazer e amor, é preciso respirar profundamente e deixar que a dor presa no peito se solte.

Ainda ligados ao tórax, estão os braços direito e esquerdo, como dois caminhos, duas possibilidades a seguir, a ambivalência. E, se há duas alternativas, quem decide? Novamente, o peito. O peito, o sentir, fornece o limite, pois o caminho é escolhido com base naquilo que é mais significativo e importante emocionalmente, abrindo-se mão da outra possibilidade, por mais doloroso que isso possa ser.

Terapeuticamente, para trabalhar o peito é necessário lidar com a respiração, soltando a tensão das costas, deixando os sentimentos aflorarem. O peito "presente" significa a identidade, a sensação de se ter uma casa aonde voltar; é a referência de quem somos e do que realmente importa para cada um; é a escolha do caminho. Na MTC, o peito é trabalhado com o Pulmão e também com o Coração e o Pericárdio. O Pulmão é a sede do eu, das forças egocêntricas e protetoras do *Po*. O Coração e o Pericárdio conectam-se às emoções, principalmente, à alegria e a tristeza. No Coração mora o *Shen*.

Diafragma

Outro ponto de passagem importante (assim como o pescoço) é o diafragma, pois divide o peito do abdome, ou seja, separa a sede dos sentimentos da sede das sensações viscerais. O diafragma tenso impede a respiração tranquila e inibe o peristaltismo. Fica-se como que suspenso no ar, sem poder fixar os pés no chão. No diafragma está a sede do masoquismo, pois graças à sua constante ansiedade, o masoquista prende quase completamente a mobilidade do diafragma. Ao visualizar alguém que se defende por medo vê-se alguém que contrai a barriga (e o diafragma) e fica com a respiração curta e presa.

Corporalmente, trabalhar o diafragma ajuda a liberar o peito e conectá-lo com as vísceras. Integra as emoções com as sensações viscerais (o frio na barriga, a fome etc.). Libera a sensação de culpa e de dever. Na MTC, o diafragma pode ser diretamente acessado usando-se não só pontos do diafragma, como também do Fígado, o qual está ligado a outras defesas musculares.

Abdome

O abdome contém as vísceras e as sensações instintivas. A sensação de medo "dá frio na barriga". Quando alguém é atacado física ou verbalmente, contrai o abdome. Crianças pequenas alteram rapidamente seu ritmo intestinal ao sinal de qualquer problema. No abdome, está também a "primeira grande boca", conforme descreve G. Ferri, ou o cordão umbilical, uma área frágil e extremamente sensível do corpo por onde se recebe o alimento e o sangue durante a gestação[6].

Nas terapias corporais, trabalhar o abdome suavemente permite que a pessoa entre em contato com seus medos, instintos, sensações viscerais e percepção do ambiente em um nível mais sutil que o dos olhos. Na MTC, essa região é abordada pelas vísceras dos Intestinos, bem como pelo Estômago e pelo Baço.

Pelve

A pelve está ligada aos órgãos reprodutores e sexuais, ou seja, os ovários, o útero, o pênis e a vagina. Ela contém a semente da criatividade, que é a possibilidade de procriação. Também está conectada às pernas e, finalmente, a Bexiga. A pelve e os membros inferiores conferem grande mobilidade ao corpo, a possibilidade de ir e vir e os encontros de grande energia e sensualidade. Um bloqueio nessa região ocasiona distúrbios sexuais e dificuldade de a pessoa mover-se de uma situação para outra.

Terapeuticamente, trabalhar com a pelve possibilita apoderar-se da sua potência, sensualidade e sexualidade, além da capacidade de adaptação ao meio e de expressão da criatividade, representada pelos gametas femininos e masculinos. Em MTC, usam-se principalmente os Rins e a Bexiga para estimular a pelve e seus órgãos. Os Rins alojam as sementes da vida, a essência vital (*Jing*).

Braços e Mãos

Os braços são os órgãos da ação. Por sua localização na altura do peito e sua mobilidade, os braços simbolizam aquilo que ativamente se traz para perto do coração ou que se afasta dele. Com os braços e as mãos o homem pode realizar as tarefas de todos os dias, exercer diversas profissões e interagir diretamente com o ambiente. Os braços e as mãos são a expressão direta da horizontalidade, que é o movimento do "eu" em relação ao mundo e vice-versa (diferentemente do movimento vertical, que ocorre no nível craniocaudal e diz respeito à integração da mente, coração e visceralidade).

Pernas e Pés

As pernas e, finalmente, os pés representam a mobilidade, o movimento, o fixar-se ao solo para depois novamente sair em direção ao mundo. As pernas representam a postura e a firmeza do indivíduo no mundo real.

Na MTC, os membros superiores e inferiores são comandados pelos elementos Terra, que dá o tônus muscular, e Madeira, que dá o movimento. Para ativar o tônus, utilizam-se o meridiano e os pontos do Baço e, para ativar a circulação de energia e o movimento, utilizam-se o meridiano e os pontos do Fígado.

Terapias Corporais

Nos dias de hoje, há uma profusão de terapias corporais visando, em geral, ao bem estar conjunto da psique e do corpo. No oriente, as medicinas chinesa, hindu e tibetana são exemplos do tratamento conjunto dos dois aspectos (corpo e mente). No ocidente, apesar do modelo cartesiano e reducionista do último século, há princípios que buscam a integração da mente e do corpo. "*Mens sana in corpora sano*" também é um fundamento antigo que mostra a preocupação com a manutenção de um equilíbrio e de uma saúde global.

Já na primeira infância as diversas tensões do ambiente externo, combinadas com as expectativas da própria criança e a velocidade do seu desenvolvimento neuropsicomotor (que nem sempre acompanha tais estímulos), acabam levando o indivíduo a assumir posturas ruins, fruto de punições, abandono, vergonha, impaciência e modelos rígidos de comportamento. Essas atitudes compensatórias apresentam-se, em geral, na forma de tensões, "congelamentos" e, posteriormente, podem levar à dor e a rigidez. Essa é a gênese de muitas doenças físicas e emocionais.

A psicanálise clássica pouca atenção deu ao corpo que, junto com a mente, adoece e sofre. Reich, discípulo de Freud, foi o primeiro a considerar a mente e o corpo como aspectos diversos de uma mesma totalidade, acreditando que o corpo era a chave para a leitura e o trabalho do inconsciente. Reich acreditava que a terapia verbal, muitas vezes, fugia do ponto principal, mas o corpo não. O corpo não esconde as reações e assim, por meio da abordagem corporal, poder-se-ia vencer as resistências da análise. Surge assim a análise reichiana, pioneira na sua visão integrada de mente e corpo.

Muitas linhas surgiram após Reich, no intuito de abordar a unidade corpo-mente (*body mind*). Alguns consideravam Reich muito invasivo ao tentar romper o que ele chamou de couraças musculares. A possibilidade de trabalhar com o corpo para atingir a psique dá à psicoterapia um caráter mais direto e claro, mas às vezes reducionista, pois as leituras corporais passam a ser rótulos de tipos de personalidade.

Uma outra forma de se atingir o corpo e a mente simultaneamente é o uso dos símbolos, que unificam o significado e atingem os conteúdos inconscientes. Jung, também discípulo de Freud, dedicou-se a estudar os símbolos e seus significados. Hoje em dia algumas linhas terapêuticas de orientação junguiana também trabalham com o corpo. A abordagem corporal é feita via símbolo e os toques utilizados são, em geral, sutis.

As linhas corporais e simbólicas de terapia estão profundamente relacionadas à visão e ao tratamento propostos pela MTC. A seguir, serão citadas algumas formas terapêuticas contemporâneas, no intuito de mostrar as diversas possibilidades de tratamento.

Abordagens Corporais

Vegetoterapia Caracteroanalítica

Vegetoterapia foi um termo cunhado por Reich, quando este desenvolveu um tipo de análise psíquica utilizando o corpo. Reich era discípulo de Freud e utilizava-se da psicanálise, mas, observando seus pacientes, concluiu que o corpo não poderia ficar de fora do processo terapêutico. A vegetoterapia usava a respiração profunda e livre para liberar as chamadas couraças musculares que impediam o livre fluxo de energia pelo corpo, causando doenças físicas e psíquicas. Posteriormente, ele abandonou o termo e passou a chamar sua técnica corporal associada à análise de orgonoterapia, referindo-se ao termo orgônio, que seria uma energia universal também presente no homem. Muitas linhas pós-reichianas se desenvolveram, tais como a bioenergética de Lowen, a biossíntese de David Boadella, a biodinâmica de Gerda Boysen[18][19].

A vegetoterapia caracteroanalítica surgiu na Itália, criada por Federico Navarro, psiquiatra e paciente de Ola Raknes, discípulo de Reichz[20]. Navarro estudou as diversas fases do desenvolvimento da criança e suas correspondências corporais, desenvolveu os *actings* que são movimentos similares àqueles feitos pelas crianças em desenvolvimento. Um exemplo seria o *acting* em que o paciente faz um bico e relaxa a boca, em um movimento que remonta a amamentação. Por meio do *acting* a pessoa apresenta sensações físicas, sentimentos e associações que constituirão um precioso material para o prosseguimento da análise.

Reich trouxe à tona o fato de os primeiros anos da infância, tão ricos em vivências marcantes, serem inatingíveis se puramente o pensamento estruturado e a fala forem usados para aborda-los, como é feito na psicanálise. A criança não tem acesso à linguagem verbal antes de ser capaz de falar. Então, para pesquisar a fundo e possibilitar o contato com os eventos ocorridos nessas fases pré-verbais, é importante buscar as sensações e os sentimentos e não a palavra, associados aos *actings* que remontam à primeira infância.

Na vegetoterapia de Navarro, os *actings* apresentam uma sequência que segue a do desenvolvimento na infância. Inicialmente, trabalha-se com os ouvidos, depois com olhos, boca, pescoço, peito, diafragma, abdome e, finalmente, com a pelve. Os ouvidos, como se sabe, são os primeiros órgãos do sentido a entrar em contato com o meio externo na vida intrauterina. O feto escuta os sons do batimento cardíaco, a voz da mãe e outros sons externos. A partir do nascimento os olhos passam a exercer importante papel no contato com o mundo e nos primeiros dias de vida a criança ainda está com a visão embaçada. Posteriormente, a boca será o grande meio de contato com o mundo do bebê. Além do seio materno, a criança leva tudo que vê a boca, para experimentar. Aos poucos ela firma a cabeça com os músculos do pescoço e assim por diante.

Essas fases não são completamente lineares, pois os estímulos recebidos são variados e simultâneos. Contudo, para facilitar a metodologia e ajudar na compreensão dos conteúdos trabalhados em terapia, observa-se uma sequência de trabalho corporal, sempre com a possibilidade de se deter mais ou menos tempo em um determinado seguimento, ou retroceder, se necessário, a um segmento já trabalhado. A vegetoterapia permite simultaneamente o diagnóstico e o tratamento de questões emocionais e físicas relativas ao *acting* que se está trabalhando. Uma maior ou menor dificuldade de realizar um determinado *acting* ajuda a fazer um mapa do funcionamento energético daquele paciente.

Com a ajuda da vegetoterapia é possível identificar em quais aspectos corporais-psíquicos há maior ou menor dificuldade. Ao identificá-los, é possível buscar modos de estar no mundo mais funcionais, pois o indivíduo se apoia naquilo que conhece bem. Por outro lado, estimulam-se os pontos fracos para melhorar, dentro do possível, o funcionamento e a adaptação do corpo e da psique.

Método Feldenkmis

Moshe Feldenkrais, criador do método Feldenkrais, nasceu na Rússia em 1904 e formou-se em física e engenharia, em Paris. Durante a Segunda Guerra Mundial, fugiu para a Inglaterra[21]. Em sua juventude, foi um excelente jogador de futebol e judoca, tendo aberto a primeira escola de judô da Europa. Mais tarde, começou ater problemas no joelho, sendo indicada uma cirurgia, mas, segundo os médicos, com pouca chance de reversão da dor. Resolveu, então, estudar a biomecânica dos movimentos e observou como as pessoas usam ineficientemente seus corpos ao se movimentarem, provocando dores e má postura crônica. A partir desse momento, ele criou o seu método de "Consciência pelo Movimento", atualmente conhecido como o método Feldenkrais. Esse é um método de ensino, compreensão e mudança baseado em técnicas corporais que ativam o sistema nervoso central e sua capacidade de aprendizado e funcionamento especializado. É indicado, na maioria das vezes, para pessoas com dores crônicas, restrição de movimentos, problemas neurológicos, estresse, problemas emocionais e para todos aqueles que buscam a compreensão de si mesmos por meio do corpo e do movimento.

Como todas as outras terapias corporais, no método Feldenkrais acredita-se que inibições e restrições físicas estão intrinsecamente relacionadas às inibições e restrições psicológicas, que afetam diretamente as atitudes, a autoimagem e, em última análise, a personalidade. Alguns terapeutas afirmam que por esse método é possível estabelecer uma conversa com o inconsciente, deixando vir à tona alguns conteúdos obscuros, desconhecidos e reprimidos.

O método deriva de uma mistura de biomecânica do movimento, desenvolvimento neuropsicomotor, artes marciais e terapias corporais. Utilizando essas diversas áreas do conhecimento são propostos exercícios e movimentos diferentes daqueles usuais, feitos no dia a dia. Esses movimentos delicados e específicos devem ser feitos com muita concentração. A atenção é dirigida não somente a área do corpo que está em movimento (por exemplo, um braço), mas a todo o corpo, ao lado contralateral que não está se movendo, à respiração e assim por diante. As aulas podem ser feitas em grupo ou individualmente, em geral, as sessões são semanais. Há mais de uma centena de possíveis movimentos que envolvem as diferentes articulações, músculos e funções do corpo humano. As aulas fazem com que o aluno desenvolva a atenção, a sensação, a cognição e a imaginação. Por isso, o método não é exclusivamente uma série de exercícios físicos, mas requer o uso de funções associativas cerebrais. Nos exercícios propostos, é chamada a atenção do aluno para a conexão existente entre as diversas partes do seu corpo. Os movimentos não são dolorosos ou violentos, mas suaves e lentos, ajudando, dessa maneira, a lidar com as resistências ao novo, que se observa sempre que mudanças corporais e de vida são propostas.

Os resultados de Feldenkrais são observados na melhora da flexibilidade, da postura, da coordenação motora, da tensão muscular e da imagem corporal. Em última análise, o método Feldenkrais ajuda no desenvolvimento da consciência sensorial, reduzindo a tensão e a força muscular excessiva e desnecessária empregadas nas diversas atividades, além de promover maior contato com o corpo.

Eutonia

Eutonia significa, em grego, bom tônus, boa tensão, ou seja, uma tensão equilibrada. A Eutonia foi criada por Gerda Alexander, que nasceu no início do século XX, na Alemanha e, posteriormente, mudou-se para a Dinamarca. Gerda Alexander foi dançarina, estudou e trabalhou com várias pessoas das correntes de terapias corporais da Europa. Gerda Alexander também ficou doente, teve febre reumática e endocardite e precisou parar de dançar, mas continuou lecionando para atores na Dinamarca. Ela percebeu que muitas escolas ensinavam o movimento (e a dança) pela simples imitação e repetição dos movimentos dos professores pelos alunos. Havia pouco ou nenhum espaço para que os alunos descobrissem sua própria expressão corporal. Como Gerda Alexander não podia despender esforço físico excessivo, desenvolveu a capacidade de fazê-lo sem tensão, o que constitui uma economia energética.

Segundo ela, o tônus alto ou excessivo é aquele presente na atividade vigorosa. O hipertônus é muito comum na sociedade atual, em que há constante tensão e deve-se estar pronto para responder a qualquer estímulo externo, que pode ser agressivo, como um assalto, uma manobra difícil no trânsito caótico das cidades grandes ou um prazo curto para entregar um trabalho. O hipertônus é importante em alguns momentos cruciais de luta ou fuga, mas pode causar um sério desequilíbrio se mantido assim por muito tempo, impedindo que a pessoa relaxe. O tônus baixo ou diminuído equivale ao relaxamento profundo, que diminui o contato com o mundo externo. Ele pode ser desejável em alguns momentos do dia ou durante o sono, mas certamente atrapalha quando é necessário interagir com outras pessoas ou produzir, trabalhar. O estado de hipotônus contínuo pode ser encontrado em algumas depressões. O hipotônus, em si, possibilita a economia energética, mas, ao mesmo tempo, dificulta as ações expansivas.

O tônus nada mais é do que a maneira como se regula a interação do homem com o mundo. Encontrar o tônus adequado para cada situação só é possível se a pessoa estiver em profundo contato com seu corpo, com sua mente e, também, com os estímulos externos. Não é desejável relaxar em um momento de perigo no qual a tensão e o estado de alerta são imprescindíveis. Isso não quer dizer que todos os momentos devam ser considerados perigosos, exigindo que se passe a vida em estado de tensão, reagindo a tudo como se fossem ofensas pessoais. O tônus influencia a pessoa como um todo, no campo corporal ou no emocional, no campo das relações e também quando se está só. Por isso, a Eutonia, além de ser usada por fisioterapeutas e terapeutas corporais para melhorar os movimentos, passou a ser empregada na psicologia para ajudar a encontrar o tônus (psicotônus) adequado às inúmeras situações psicológicas.

A Eutonia, como já foi dito, não é apenas uma forma de tratamento, mas também um método de aprendizagem. Nela, os movimentos não devem ser imitados, mas cada aluno descobre a melhor maneira de se expressar, dentro do seu ritmo e dos seus limites. Muitos movimentos são baseados no contato do esqueleto com o chão ou com outras estruturas como bolas de tênis, acolchoados, superfícies rugosas ou lisas e assim por diante.

Tanto Feldenkrais quanto Gerda Alexander ressaltaram um aspecto muito importante do sistema de aprendizado. Perceberam que o "modo como" se aprende e essencial. Pode-se aprender simplesmente repetindo conceitos ou movimentos, mas, sempre que possível, deve-se formular as próprias perguntas acerca daquilo que se está aprendendo, Um caminho particular e individual até a resposta deverá ser percorrido. As respostas virão como parte natural desse caminho, não sendo impostas de fora, mas surgindo de dentro. São experiências que podem ser realmente vivenciadas e memorizadas por quem aprende. A expressão corporal é fruto do constante movimento da vida e exerce uma função específica. Um determinado gesto pode ter diversas funções: auxiliar a expressão, economizar energia, iniciar uma ação ou fazer cessar outra. As perguntas que se fazem, então, seriam: qual é a função de nossas expressões físicas, mentais e emocionais? Onde estamos querendo chegar com elas? O famoso "para que", de Jung, que deu a sua teoria caráter teleológico, caracteriza ou define o aspecto funcional das neuroses, diferentemente do "por que", destinado a buscar apenas as causas no passado, sem que se compreenda a função que tal neurose continua a exercer no presente. Somente um aprendizado lento e gradual de novos modos de ser, que irão se refletir na estrutura corporal de cada paciente, irá fornecer-lhe, de acordo com suas possibilidades, a base para um novo tipo de funcionamento físico e psíquico.

Técnica de Alexander

A técnica de Alexander surgiu no início do século XX. Alexander, nascido na Austrália, era ator de teatro e declamador e começou a perder a voz. Procurou inúmeros especialistas, mas por mais que fizesse descanso vocal ou técnicas de treinamento, sua voz sempre falhava em momentos importantes de suas apresentações. Resolveu dedicar-se pessoalmente a desvendar esse mistério e passou a declamar em frente a um espelho, até que percebeu que seu corpo enrijecia e seu pescoço movia-se demasiadamente para frente quando recitava trechos mais intensos de suas peças. Iniciou um trabalho corporal consigo mesmo, no intuito de tornar-se consciente dessas tensões e relaxar o máximo possível, mantendo a postura mais centrada durante suas apresentações. Os resultados foram tão promissores que Alexander acabou deixando o teatro para trabalhar com pacientes em terapia corporal.

Alexander ressaltou em sua técnica como o corpo pode ser dinâmico e mutável. Até então, acreditava-se que, uma vez lesionadas as células nervosas, seria impossível reaprender uma determinada função neuromuscular e que, uma vez aprendido um padrão de comportamento, seria difícil modificá--lo. Hoje em dia, sabe-se da plasticidade do sistema nervoso central e que, apesar da irreversibilidade de algumas lesões, é possível achar vias paralelas ou alternativas para desenvolver habilidades que foram prejudicadas.

Com a observação da postura, da atitude corporal e aplicando exercícios específicos, a técnica de Alexander proporciona um melhor aproveitamento da força muscular, sem vícios de postura. Exemplos de movimentos propostos na técnica de Alexander são: mover um ombro em direção oposta ao outro, afastar o ombro esquerdo do quadril direito e o ombro direito do quadril esquerdo etc. Com pequenos movimentos, e possível entrar em contato com as diversas áreas de tensão e restrição do corpo.

Osteopatia e Terapia Craniossacral

Em 1874, o Dr. Andrew Taylor Still criou um método de manipulação dos ossos que denominou de osteopatia. A osteopatia usa técnicas manuais para diagnosticar e tratar doenças tanto musculoesqueléticas quanto sistêmicas.

Através de toques em ossos, fáscias e articulações, a osteopatia restitui o movimento do corpo como um todo, eliminando padrões de restrição e agindo, portanto, de forma holística em todo o organismo.

Seguindo os preceitos da osteopatia, o Dr. William Sutherland passou a pesquisar o sistema craniossacral, constituído por membranas e fluido cerebroespinhais, que envolvem e protegem o cérebro e a medula espinhal. Como na osteopatia, a terapia craniossacral consiste em toques muito suaves, porém focados na região do crânio e do sacro. O Dr. Sutherland descreveu o chamado mecanismo respiratório primário que observa as ondulações rítmicas do cérebro e da medula espinhal acompanhando a respiração global. Juntamente com este ritmo existe uma flutuação do fluido cerebroespinhal, que parece estar conectado a uma série de mecanismos homeostáticos (de regulação) do organismo.

Os toques suaves têm como objetivo desobstruir bloqueios, restituir o movimento respiratório primário, que pode ser observado no discreto movimento das calotas cranianas e do sacro e, finalmente, sustentar e alimentar o sistema nervoso central, melhorando assim a saúde e o bem estar geral do indivíduo. Ao observar os movimentos sutis e restituir a pulsação e o ritmo natural do sistema craniossacral o terapeuta aborda os ritmos únicos e naturais dos diferentes sistemas corporais, destacando e tratando conteúdos problemáticos. Como resultado, o tratamento ajuda no alívio de dores físicas e emocionais, no alívio de tensões, estimula a descoberta de novos mecanismos de lidar melhor com o estresse e estimula a capacidade corporal de autorregulação, o que produz mudanças positivas e profundas.

Terapia Corporal Simbólica

Por trás de cada diagnóstico, de cada sintoma, de cada sonho, existe uma imagem, um símbolo que está representado. Não se trata apenas dos cinco símbolos da MTC (Água, Madeira, Fogo, Terra e Metal), mas sim de qualquer símbolo que possa ser evocado por uma situação apresentada.

Algumas linhas terapêuticas utilizam os sintomas corporais como símbolos de expressão psíquica. As manifestações de uma doença ou de uma alteração física são interpretadas como um desequilíbrio do todo e apontam para a direção a ser trabalhada. Exemplo disso seria uma doença como a artrite reumatoide. Além dos fatores genéticos e ambientais, alguns terapeutas argumentam que a artrite ocorre principalmente em mulheres com personalidade estoica e rígida, com uma hiperatividade compulsiva e rigidez obsessiva frente ao trabalho. Essas pacientes veem-se, de repente, impossibilitadas de usar as mãos ou trabalhar pesado. São, então, obrigadas a pedir ajuda para tarefas muitas vezes corriqueiras e têm de lidar com a imobilidade real de suas articulações. Do ponto de vista simbólico, a flexibilidade e o fator-chave terapêutico tanto para a doença física quanto para a estrutura de personalidade dessas pacientes. Outro exemplo: paciente com endometriose com acometimento ovariano. É importante perguntar como anda a relação dessa paciente com seus valores femininos. Ela se permite perceber os ciclos de mudança do corpo, estar receptiva aos acontecimentos da vida? Ou é uma mulher que precisa estar no comando, exercendo inúmeras atividades eficientemente, em funções de poder, competitivas, como é comum encontrar no universo masculino? A feminilidade, com todos os seus aspectos de receptividade, introversão, gestação, cuidados maternos, paciência, quietude e intuição, é ponto crucial a se considerar. A feminilidade e o símbolo que pode levar à maior compreensão do caminho de cura da doença.

A terapia não é uma cartilha que ensina como se viver mais bem adaptado às condições da vida. A terapia é uma exploração, uma busca, um caminhar realizado em conjunto pelo paciente e seu terapeuta. Essa exploração toca conteúdos inconscientes do paciente até então desconhecidos. É um caminho interior, mas que também afeta a relação da pessoa com o meio exterior.

Um indivíduo pode iniciar a terapia por dificuldade de adaptação no trabalho, relacionamentos conturbados, ansiedade, estresse, doenças mentais e até físicas. Não cabe ao terapeuta apresentar soluções a esses problemas, mesmo porque suas soluções podem não ter relação alguma com a pessoa em questão. Cada um possui dentro de si todo um universo pessoal. Porém, cabe ao terapeuta ajudar o paciente a explorar os vários lados da situação que este não consegue ver ou mudar. Que caminhos normalmente usados pelo indivíduo levam, muitas vezes, a um beco sem saída e que outros caminhos possíveis existem para ele? As escolhas não são apenas atitudes mentais, mas também corporais.

Todo ser humano tem dentro de si as respostas e a cura que busca fora. O médico ou terapeuta pode, inicialmente, receber a responsabilidade pela cura, mas pouco a pouco esta deve ser devolvida ao paciente que, olhando para seu interior, agora pode encontrar as saídas.

Algumas linhas terapêuticas simbólicas são também de orientação corporal e utilizam recursos como o toque, a massagem, o relaxamento ou um leve exercício que possibilita uma abertura rumo ao inconsciente em que podem aflorar conteúdos que representam novos símbolos. Assim, um indivíduo aparentemente saudável fisicamente pode reagir ao toque bloqueando sua respiração ou, ao contrário, relaxando e deixando imagens virem à tona. Quando tais símbolos afloram, por meio de sintomas físicos ou como reação ao toque, podem servir de orientação para a terapia, exercendo a mesma função do sonho, na terapia junguiana.

Medicina Chinesa

A MTC não trata jamais só da mente ou do corpo, mas da unidade funcional mente-corpo. Alguém com hérnia de disco, que recebe tratamento com acupuntura, pode relatar uma concomitante sensação de bem-estar, relaxamento e maior disposição para as atividades do dia a dia. Um paciente que trata sua ansiedade com fitoterapia ou acupuntura pode observar o desaparecimento de dores articulares ou de outro sintoma, mesmo que não sejam causados exclusivamente pelo estresse e pela ansiedade.

Contudo, diferentemente das terapias corporais descritas, a medicina chinesa não implica necessariamente em conscientização do paciente a respeito de sua doença. A MTC não é uma psicoterapia e muitas associações que os pacientes fazem em psicoterapia ou em outras terapias corporais podem passar despercebidas na medicina chinesa, que proporciona um tratamento mais sutil.

É comum, entretanto, ocorrerem *insights* espontâneos no decorrer do tratamento pela MTC. Para que eles possam ser aproveitados, o médico e o paciente precisam estar atentos. Muitos pacientes comparecem às sessões de acupuntura, sentem-se melhor, mas pouco ou nada fazem para mudar seus hábitos de vida, que são, na maioria das vezes, os causadores das doenças e dos desequilíbrios. Esse é o ponto-chave para determinar quais pacientes irão evoluir. A fim de que a medicina chinesa não seja simplesmente mais um remédio na história do paciente, este necessita interagir ativamente com o tratamento, buscando, em sua vida, alternativas saudáveis para seu *modus vivendi*.

Conclusão

Inclui, neste capítulo, apenas algumas linhas de trabalho corporal, pois há uma centena delas atualmente e seria leviano falar de experiências que não conheço. Experimentei pessoalmente as que apresentei e sou grata aos benefícios que me proporcionaram. As abordagens corporais podem ser muitas, mas seu objetivo, em geral, é um só: o de trazer benefícios globais ao paciente por intermédio do corpo. Em minha opinião, ao se trabalhar com o corpo, seja em uma simples aula de ginástica, seja em uma terapia profunda, estamos sempre nos deparando com essa maravilhosa estrutura que encerra nossa alma. Evidentemente, a psicoterapia dará um valor profundo aos conteúdos abordados, enquanto uma simples massagem, uma aula de dança ou um exercício físico que não tenham o mesmo foco deixarão passar importantes associações que surjam durante o movimento. O que diferencia, então, uma aula de aeróbica de um *acting* ou de um movimento proposto em Feldenkrais ou em vegetoterapia? É a consciência que basicamente distingue o homem dos outros animais e é por meio dela que se torna possível evoluir e criar.

Este breve apanhado de algumas técnicas de trabalho corporal, usadas na abordagem de problemas físicos e em psicoterapia, mostra um ponto comum: o desenvolvimento da consciência, seja ela física, emocional, ou ambas. Cada postura, cada movimento está invariavelmente conectado a sensações físicas, a emoções e, eventualmente, a pensamentos. Somos seres globais e não conseguimos dissociar nossas atitudes corporais das mentais. Ao trabalhar com um polo, mobiliza-se o outro. A linha ou as linhas de tratamento que escolhemos são apenas caminhos diversos que nos levam ao centro de nós mesmos.

Como disse, não importa a linha de tratamento escolhida, mas a disponibilidade interna para que o indivíduo se desenvolva. Mais que tudo, terapia e relação humana. o terapeuta ou o médico, em contato com o paciente, mobiliza, dentro de si, a vontade de se conhecer melhor e de se curar.

Epílogo

Para finalizar este livro, algumas palavras do Tao Te King:

> Trinta raios convergentes unidos ao centro formam a roda, mas é o vazio central que move o carro. O vaso e feito de argila, mas é o vazio que o torna útil. Abrem-se portas e janelas nas paredes de uma casa, mas é o vazio que a torna habitável. O ser produz o útil, mas é o não ser que o torna eficaz[22].

O vazio central, que forma o receptáculo do vaso, que orienta os raios da roda, que dá o espaço à casa, é o mesmo vazio que está no centro do homem: o Coração. O Coração é um espaço vazio que abriga o sangue, as emoções e o espírito. Quando o Coração fica preenchido por fantasias, imagens, expectativas, preocupações e desejos, o *Shen* perde sua morada. O vazio é essencial para haver espaço para as novas experiências assimiladas pelo *Shen*, para haver a percepção do meio ambiente e das outras pessoas com quem nos relacionamos. O Coração cheio gera respostas prontas e estereotipadas, o Coração vazio tem espaço para a criatividade. Do mesmo modo, durante o tratamento pela acupuntura, deve haver comunicação entre o *Shen* do acupunturista e o do paciente. *Shen* é a possibilidade de presenciar a vida que nos cerca e, ao mesmo tempo, a nós mesmos. Não é possível tratar a doença se sua origem não for compreendida e, para tanto, o acupunturista ou o terapeuta devem estar atentos, com o Coração esvaziado de preconceitos, medos e respostas prontas, a fim de que possam de fato escutar o paciente e interagir com ele.

Um último trecho do Tao Te King:

> Manter corpo e alma sensíveis na unidade, de modo que não possam separar-se. Conter a força vital e tomá-la dócil, para ser como um recém-nascido. Purificar-se, abstendo-se de perscrutar os mistérios, para permanecer íntegro. Amar o povo, para poder governar sem agir[22].

Os textos taoístas podem ser lidos de diversos modos. Ao falar de povo e governante, o texto refere-se à organização do Estado; todavia, o *Tao* pode ser aplicado à vida em comunidade e ao homem, ao macrocosmo e ao microcosmo. Assim sendo, o povo é símbolo dos Rins, da ancestralidade, da energia armazenada e da única herança que temos como certa. Quem governa é o Coração, imperador de todos os órgãos, morada do sangue, que nutre, e do *Shen*, que inspira. Esse trecho preconiza "amar o povo, para poder governar sem agir", o que significa que devemos amar a nossa essência (*Jing*) armazenada nos Rins, amar quem somos com nossos defeitos e qualidades para haver um governo tranquilo, para haver a comunicação entre o Coração e os Rins, entre o alto e o baixo, entre o céu e a terra, entre o espírito e o corpo. Não é necessário agir quando estamos em concordância com nossa natureza íntima; não é preciso fazer força para sermos quem realmente somos.

Como é possível amar a essência e estar em concordância com o espírito? O trecho citado ensina, em primeiro lugar, que não se pode separar o corpo da alma: eles devem funcionar juntos como se fossem um só. Em segundo lugar, é preciso ser como um recém-nascido: atento, presente, curioso e natural. Finalmente, é necessário conhecer-se a si mesmo e aceitar a vida como ela é, para poder manter-se íntegro e seguir a natureza pessoal.

Não existe maior realização que a percepção de que o caminho natural de cada um foi seguido, que a vocação individual foi despertada e que, mesmo com as dificuldades da vida, há uma trajetória plena de sentido.

Glossário dos Termos em Chinês

Hun: Alma etérea.

Iong Qi ou **Ying Qi**: Energia Nutriente.

Jing: Essência ou Energia Essencial.

Ming Men: Porta da vida, centro vital, centro de acúmulo de energia.

Po: Alma corpórea ou vegetativa.

Qi: Energia, sopro.

Shen: Espírito, consciência.

Si: Pensamento.

Tin Ye: Líquidos orgânicos.

Wei Qi: Energia de Defesa.

Wu Xing: Cinco movimentos (Cinco Elementos).

Xue: Sangue.

Yi: Intenção, ideia.

Zang Fu: Órgãos e vísceras.

Zhi: Força de Vontade.

Zhang Qi: Energia do Tórax.

Referências Bibliográficas

1. WHITMONT, E. C. *A busca do símbolo conceitos básicos de psicologia analítica*. 6. ed. São Paulo: Cultrix, 2002.

2. TESKE, M.; TRENTINI, A. M. *Compêndio de fitoterapia*. 4. ed. Curitiba: Herbarium, 2001.

3. CHING, Nei. *O livro de acupuntura do imperador amarelo*. Tradução do *Huang Ti Nei Ching Su Wen* por Fernanda Pinto Rodriguez. Lisboa: Minerva, 1975.

4. PAUL, P.; DEPORTE, P. *Tendre la main au vide. Le yi jing un pont vers l'Occident*. France: Les Éditions du Prieuré, 1996.

5. JACOBI, J. *Complexo, arquétipo e símbolo, na psicologia de C. G. Jung*. 9. ed. São Paulo: Cultrix, 1990.

6. FERRI, G.; CIMINI, G. *Psicopatologia e carattere. Una lettura reichiana*. Roma: Anicia, 1992.

7. NAVARRO, F. *A somatopsicodinâmica*. São Paulo: Summus, 1995.

8. TZU, L. *Tao Te King*. Texto e comentário de Richard Wilhelm. São Paulo: Pensamento, s.d.

9. EDINGER, E. F. *Anatomia da psique. O simbolismo alquímico na psicoterapia*. São Paulo: Cultrix, 1985.

10. EYSSALET, J. M. *Dans l'océan des saveurs l'intention du corps*. Paris: Guy Trédaniel, 2002.

11. REICH, W. *A função do orgasmo*. 5. ed. São Paulo: Brasiliense, 1979.

12. EYSSALET, J. M. *Shen ou lyInstant créateur*. Paris: Guy Trédaniel, 1990.

13. WILHELM, R. *I Ching, o livro das mutações*. São Paulo: Pensamento, 1982.

14. SPITZ, R. A. *O primeiro ano de vida.* 2. ed. São Paulo: Martins Fontes, 1998.

15. BOWLBY, J. The nature of the child's tie to his mother. *Internat. J. Psychoan.,* v. 39, p. 350-373, 1958.

16. ODENT, M. *A cientificação do amor.* São Paulo: Terceira Margem, 2000.

17. FREEMAN, L. *Prática diária da meditação cristã.* São Paulo: Paulus, 1995.

18. LOWEN, A. *O corpo em terapia:* a abordagem bioenergética. 7. ed. São Paulo: Summus, 1977.

19. BOADELLA, D.; BOYESEN, G.; LISS, J. *Energia e caráter.* 2. ed. São Paulo: Summus, 1997.

20. RAKNES, O. *Wilhelm Reich e a orgonomia.* São Paulo: Summus, 1988.

21. FELDENKRAIS, M. *Consciência pelo movimento.* 3. ed. São Paulo: Summus, 1977.

22. TSÉ, L. *Tao Te King.* 3. ed. Trad. M. M. dos Santos. São Paulo: Attar, 2001.

Bibliografia Complementar

ARIA, B.; BENGGON, R. *The spirit of the chinese character*. London: Running Heads, 1992.

AUTEROCHE, B.; NAVAILH, P. *O diagnóstico na medicina chinesa*. São Paulo: Andrei, 1992.

BENSKY, D.; GAMBLE, A. *Chinese herbal medicine. Formulas and strategies*. Seattle: Eastland, 1990.

_____ . *Chinese herbal medicine. Materia medica.* Seattle: Eastland, 1987.

BOT SARIS, A. S. *As fórmulas mágicas das plantas*. 2. ed. Rio de Janeiro: Record Nova Era, 1998.

_____ . *Fitoterapia chinesa e plantas brasileiras*. 2. ed. São Paulo: Ícone, 2002.

BOWLBY, J. *Maternal care and mental health*. Geneva: World Health Organization; London: Her Majesty's Stationery, 1951.

BRENNAN, R. *Mente e corpo. Alívio para o estresse. Técnica de Alexander*. São Paulo: Madras.

CAPRA, F. *O ponto de mutação*. São Paulo: Cultrix, 1982.

_____ . *O tao da física.* São Paulo: Cultrix, 1983.

CARIBE, J.; CAMPOS, J. M. *Plantas que ajudam o homem*. São Paulo: Cultrix, Pensamento, 1991.

CHENG, L. D. *Fórmulas magistrais chinesas*. São Paulo, 2002. (Apostila).

CHENGGU, Y. *Tratamiento de las enfermedades mentales por acupuntura y moxibustión.* Madrid: Miraguano, 1991.

CHETWYIND, T. *Dictionary of symbols, language of the unconscious*. London: The Aquarian, 1993. v. 2.

CHEVALIER, J.; GHEERBRANT, A. *Dicionário de símbolos*. 16. ed Rio de Janeiro: J. Olympio, 1982.

CHINESE characters and culture. A genealogy and dictionary. Disponível em: <http://lzhongwen.com>. Acesso em: 21.1.2003.

CHUANG, Yu-Min. *Chinese acupuncture*. Taipei: Confucious, 1972.

CIRLOT, J. E. *A dictionary of symbols*. 2. ed. London: Routledge, 1971.

CLEMENT, R.; VAN DELFT; BORSARELLO, J. F. *Les grands sujets de la médecine chinoise traditionnelle fascicule 4. Les maladies psychiques en médecine chinoise.* Paris: Guy Trédaniel, 1985.

COWIE, A. P.; EVISON, A. *Concise English-Chinese Chinese-English dictionary.* Hong-Kong: Oxford University, 1986.

CRICENTI, S. V. *Acupuntura e moxabustão. Localização anatômico dos pontos.* Barueri: Manole, 2001.

EICHELBERGER, B. The five phases of personal evolution: part I and 2. *The Web-Journal of Acupuncture. Web-master* 1996. Disponível em: <http://users.med.auth.gr/~karanik/english/ webjour.htm>. Acesso em: 10.12.2002.

EYSSALET, J. M. *Le secret de la maison des ancêtres*. Paris: Guy Trédaniel, 1990.

EYSSALET, J. M.; GUILLAUME, G.; Mach-Chieu. *Diététique énergétique et* médecine chinoise. France: Dés Iris, 1984. t. 1, 2.

FARAH, R. M. *Integração psicofísica. O trabalho corporal e a psicologia de C. G. Jung*. São Paulo: Trobel, 1995.

FEI, L.; CHEN SONG, Y. *A clinical guide to Chinese herbs and formulae*. New York: Churchill Livingstone, 1993.

FISCHER-SCHREIBER, I. *The Shambhala dictionary of Taoism*. Traduzido por Werner Winsche. Boulder: Shambhala, 1996.

FLAWS, B.; LAKE, J. *Chinese medical psychiatry.* Boulder: Blue Poppy, 2001.

FRAMPTON, C. F. International psychosynthesis *Conference held in Pohenegamook,* Quebec, 1998. Disponível em: <http://www.dorsai.org/wwalts/tsanotherscff.html>. Acesso em: 10.12.2002.

FREEMAN, L. *A luz que vem de dentro. O caminho interior da meditação*. São Paulo: Paulus, 1989.

FREUD, S. *Obras completas. Psicoanalisis y teoría de la libido*. 4. ed. Madrid: Biblioteca Nueva, 1981.

_____ . *Os pensadores:* Freud. Cinco lições de psicanálise. Seleção de textos de Jayme Salomão. São Paulo: Abril, 1978.

GAIARSA, J. A. *Couraça muscular do caráter:* Wilhelm Reich. São Paulo: Ágora, 1984.

GOLEMAN, D. *A arte da meditação*. Rio de Janeiro: Sextante, 1999.

_____ . *A mente meditativa*. São Paulo: Ática, 1996.

GONSALVES, P. E. *Alimentos que curam*. 13. ed. São Paulo: Ibrasa, 1996.

GRANET, M. *O pensamento chinês*. Rio de Janeiro: Contraponto, 1997.

HAMMER, L. *Dragon rises, red bird flies. Psychology, energy and Chinese medicine*. New York: Station Hill, 1990.

HAMMES, M.; KUSCHICK, N.; CHRISTOPH K. H. *Akupunktur kompakt*. Marburg: KVM Verlag, 2001.

HERRIGEL, E. *A arte cavalheiresca do arqueiro zen*. São Paulo: Pensamento, 1975.

JIA, J. E. Apostilas do I *Curso de Fitoterapia no Hospital do Servidor Público Municipal*. São Paulo, 1997.

JIA, J. E.; LEITE, N. M.; TAKEDA, L. F. *Chan Tao. Essência da meditação*. São Paulo: Plexus, 1998.

JIANGPING, H. *Methodology of traditional Chinese medicine*. Beijing: New World, 1995.

JILIN, L. *Chinese dietary therapy*. London: Churchill Livingstone, 1995.

JUNG, C. G. *A energia psíquica*. 3. ed. São Paulo: Vozes, 1987.

_____ . *Psicologia e alquimia*. 2. ed. Petrópolis: Vozes, 1990.

_____ . *Símbolos da transformação*. Petrópolis: Vozes, 1973.

JUNG, C. G., WILHELM, R. W. *O segredo da flor de ouro. Um livro de vida chinês*. 4. ed. Petrópolis: Vozes, 1987.

KAPTCHUK, T. J. *The web that has no weaver. Understanding Chinese medicine*. New York: Congdon and Weed, 1983.

KESPI, J. M. *L'homme et ses symboles en médecine traditionelle chinoise*. Paris: Albin Michel, 2002.

LAPLANCHE; PONTALIS. *Vocabulário da psicanálise*. 2. ed. São Paulo: Martins Fontes, 1991.

LARRE, C.; ROCHAT DE LA VALLEE, E. *Rooted in spirit. The heart of Chinese medicine*. New York: Station Hill, 1995.

LAURENT, D. *Prodigieuses victoires de la psychologie chinoise*. Paris: Guy Trédaniel, 1994.

LIAN, Y. L.; CHEN, C. Y.; HAMMÊS, M.; KOLSTER, B. C. *The seirin pictorial atlas of acupuncture. An illustrated manual of acupuncture points*. Cologne: Konemann Verlagsgesellschaft mbH, 1999.

LORENZI, H.; MATOS, F. I. A. *Plantas medicinais no Brasil nativas e exóticas*. São Paulo: Instituto Plantarum, 2002.

LU, G.; SIONNEAU, P. *The treatment of disease in TCM*. Boulder: Blue Poppy, 1996. v. 1: Diseases of the head and face including mental/emotional disorders.

LU, H. C. *Alimentos chineses para longevidade. Arte da longa vida*. São Paulo: Roca, 1997.

_____ . *Sistema chinês de curas alimentares*. São Paulo: Roca, 1997.

MACIOCIA, G. *The foundations of Chinese medicine* — a comprehensive text for acupuncturists and herbalists. New York: Churchill Livingstone, 1989.

_____ . *The practice of Chinese medicine* — the treatment of diseases with acupuncture and Chinese herbs. New York: Churchill Livingstone, 1994.

MAIN, J. *O momento de Cristo. A trilha da meditação*. São Paulo: Paulus, 1992.

MAO-LIANG, Q. *Chinese acupuncture and moxibustion*. New York: Churchill Livingstone, 1993.

MILLS, S. Y. *The dictionary of modern herbalism*. New York: Thorsons, 1985.

MUTZENBECHER, A. *I Ching*. Rio de Janeiro: Gryphus, 2002.

NAVARRO, F. *Caracterologia pós-reichiana*. São Paulo: Summus, l995.

NOGIER, R.; BOUCINHAS, J. C. *Prática fácil de auriculoterapia e auriculomedicina*. 2. ed. São Paulo: Ícone, 2001.

PALMER, B. Die drei seelen. *Po, shen* und *hun* in der korperarbeit. *Shiatsu Journal*, n. 26, 2001. Disponível em: <http://www.shiatsuworld.at/einfuehrung/einf_hs50.htm>. Acesso em: 12.11.2002.

PEIGEN, K.; YUANPING, W. *Acupuncture treatment of neurological disorders*. Beijing: Traditional Chinese Medical, 1991.

POWELL, J. N. *O Tao dos símbolos*. 10. ed. São Paulo: Pensamento, 1997.

PRACTICAL ear needling therapy. 3. ed. Hong Kong: Medicine and Health, 1982.

RAMOS, D. G. *A psique do corpo. Uma compreensão simbólica da doença*. 2. ed. São Paulo: Summus, 1994.

REICH, W. *Análise do caráter*. 3. ed. São Paulo: Martins Fontes, 1998.

REID, D. P. *Chinese herbal medicine*. Boston: Shambhala, 1993.

REIS, A.; MAGALHÃES, L.; GONÇALVES, W. *Teoria da personalidade em Freud, Reich e Jung*. São Paulo: EPU, 1984.

RITSEMA, R.; STEPHEN, Karcher. *I Ching* — the classic Chinese oracle of change — the first complete translation with concordance. Orlando: Barnes and Noble, 1995.

SADHU, M. Meditação. *Princípios gerais para a sua prática*. São Paulo: Pensamento, 1967.

SADOCK, B. J.; SADOCK, V. A. (eds.). *Kaplan and Sadock's comprehensive textbook of psychiatry*. 7. ed. Philadelphia: Lippincott Williams and Wilkins, 1999.

SCHNYER, R. N.; FLAWS, B. *Curing depression naturally with Chinese medicine*. 2. ed. Boulder: Blue Poppy, 2002.

SEKIDA, K. *Zen training. Methods and philosophy*. New York: Weatherhill, 1985.

SHANGAI COLLEGE OF TRADITIONAL CHINESE MEDICINE. *Acupuncture:* a comprehensive text. 11. ed. Seattle: Eastland, 1994.

SHIPEI, L. *Auricular diagnosis treatment and health preservation.* Beijing: Science, 1996.

SILL, G. G. *A handbook of symbols in Christian art.* New York: Collier Books, Macmillan, 1975.

SIONNEAU, P. *Comprendre & traiter la depression mentale en médecine chinoise. Les points d 'acupuncture des troubles psychiques.* Paris: Guy Trédaniel, 1998.

_____ . *Troubles psychiques en médecine chinoise* — les solutions de acupuncture et de la pharmacopée. Paris: Guy Trédaniel, 1996.

SOCIETÀ ITALIANA DE ANALISI REICHIANA. *Quaderni di analisi reichiana: separazioni momenti di passagio. Aspetti clinici dinamici comportamentali.* Roma: Psicologia, 2000.

STATE ADMINISTRATION OF TRADITIONAL CHINESE MEDICINE AND PHARMACY. *Advanced textbook on traditional Chinese medicine and pharmacology*. Beijing: New World, 1995. v. 1.

_____ . *Advanced textbook on traditional Chinese medicine and pharmacology.* Beijing: New World, 1995. v. 2.

_____ . *Advanced textbook on traditional Chinese medicine and pharmacology.* Beijing: New World, 1995. v. 3.

_____ . *Advanced textbook on traditional Chinese medicine and pharmacology.* Beijing: New World, 1995. v. 4.

STEINBERG, F. E.; WHITESIDE, R. G. *Whispers from the east. Applying the principles of eastern healing to psychotherapy.* Arizona: Zeig, 1999.

SUSSMANN, D. J. *Acupuntura teoría y práctica*. 10. ed. Buenos Aires: Kier, 1993.

SUZUKI, S. *Mente zen, mente de principiante*. São Paulo: Palas Athena, 1994.

VOGEL, A. Ben *Shen*: the five psychical-emotional phases. *The Medical Acupuncture, web page.* Disponível em: <Users.med.auth.gr/~karanik/english/articles/benshen. html>. Acessado em: 12.12.2002.

WAGNER, C. M. *Freud e Reich:* continuidade ou ruptura? São Paulo: Summus, 1996.

WANG, B. *Princípios de medicina interna do imperador amarelo*. São Paulo: Ícone, 2001.

WEN, T. S. *Acupuntura clássica chinesa*. São Paulo: Cultrix, 1985.

WILBER, K.; PRIBRAM, K. H.; CAPRA, F. *et al. O paradigma holográfico*. São Paulo: Cultrix, 1982.

WILHELM, R.; WILHELM, H. *Understanding the I Ching.* New Jersey: Princeton University, 1995.

WONG, M. *Ling-Shu* — base da acupuntura tradicional chinesa. São Paulo: Andrei, 1995.

XINGHUA, B. *Chinese auricular therapy.* Beijing: Scientific and Techinical, 1994.

XINNONG, C. *Chinese acupuncture and moxibustion.* Beijing: Foreign Language, 1987.

YU, C. S.; FEI, L. *A clinical guide to Chinese herbs and formulae.* New York: Churchill Livingstone, 1993.

ZHANG, K. *Brief explanation of acupoints of the 14 regular meridians.* Beijing: Acupoints Research Comittee of China Society of Acupuncture and Moxibustion, 1987.

ZHU-FAN, Xie. *Best of traditional Chinese medicine.* Beijing: New World, 1995.

Impressão e Acabamento:

EXPRESSÃO & ARTE
EDITORA E GRÁFICA

www.graficaexpressaoearte.com.br